GÉNIE
DE L'ARCHITECTURE
EUROPÉENNE

GÉNIE DE L'ARCHITECTURE EUROPÉENNE

NIKOLAUS PEVSNER

CHÊNE

Présentation François CHASLIN

Traduction Renée PLOUIN

© Penguin Books
La première édition en langue anglaise de ce livre parue en 1943 et les six éditions
suivantes parues en 1945, 1951, 1953, 1957, 1960 (édition du Jubilée) et 1963 ont été
publiées sous le titre "An Outline of European Architecture" chez Penguin Books Ltd,
Harmondsworth, Middlesex, England. La dernière a été réimprimée chez Penguin Books
en 1968, 1970, 1972 et 1990.

© 1991, Sté Nelle des Éditions du Chêne pour l'édition en langue française.
La présente édition est une reprise intégrale de l'édition en langue française publiée en
1965 par Tailandier et Hachette et traduite par Renée Plouin.

Je dédie l'édition française du « Génie de l'architecture européenne »
à mes trois enfants, à leurs conjoints et à mes huit petits-enfants.

Un regard moderne

Cet ouvrage est la reprise de la sixième édition du fameux *Outline of European Architecture* de sir Nikolaus Pevsner, parue en 1960. La première édition, encore très succincte, de ce qui allait devenir par ajouts successifs cette vaste fresque, remonte à 1943.

Pevsner était arrivé en Angleterre quelques années plus tôt, fuyant le nazisme comme les historiens de l'art Fritz Saxl, Rudolf Wittkower, Ernst Gombrich et l'architecte rationaliste Walter Gropius.

Nourri des concepts de l'histoire de l'art allemande, il importait les notions de *Zeitgeist* ou esprit du temps, de *Volksgeist* ou caractère national et celle de *Kunstwollen*, cette manière d'inconscient collectif, cette volonté d'art qu'avait théorisée Aloïs Riegl. Du Mouvement moderne d'architecture et de son compagnonnage avec Gropius, il tenait la certitude que le siècle avait déjà trouvé son style.

Souvent attaqué à la fin de sa vie pour sa vision moraliste, Pevsner mêlait à une immense érudition un austère jugement de militant moderne qui ne l'a jamais quitté, même s'il devait par la suite tempérer certaines de ses opinions.

Son premier ouvrage, *Pioneers of the Modern Movement* (1936), marqué par la doctrine fonctionnaliste, vantait le «nouveau style, le vrai style adéquat de notre siècle», ce style «totalitaire» dont les présupposés devaient à toujours le marquer de leur puritanisme. «L'artiste qui représente notre siècle, y écrivait-il, doit nécessairement être froid puisqu'il représente un siècle froid comme l'acier et le verre» qui «laisse moins de place à l'expression de soi que toute autre époque précédente».

Itinéraire paradoxal: lui qui avait dénoncé la «profonde malhonnêteté artistique» de l'époque victorienne présida ensuite, durant treize années, la Victorian Society. Et, lorsqu'il en prit congé, on put dire qu'il avait quasiment «sauvé un siècle». Il publia une remarquable anthologie de *Some Architectural Writers of the Nineteenth Century* et, alors qu'il avait accepté l'Art nouveau surtout pour la virulence de sa rupture avec les conventions, anima plus tard une exploration de l'œuvre des *Anti-rationalists*.

Outre son gigantesque travail (articles dans l'Architectural Review, direction de la *Pelican History of Art* en quarante-huit volumes et des quarante-six monographies de la série *Buildings of England*, édition du *Penguin Dictionary of Architecture* et vaste exploration d'une *History of Building Types),* son mérite restera d'avoir su développer une histoire globale de l'architecture, une histoire sociale et culturelle indifférente au destin des grandes individualités artistiques et soucieuse de distinguer les «modes transitoires» des «styles véritables».

Ainsi, dans son *Englishness of English Art* qu'il présentait comme un essai de géographie de l'art et qui demeure sa tentative la plus aboutie d'application de la notion de *Volksgeist,* lorsqu'après avoir cherché à déceler ce qu'il peut y avoir de permanent dans un caractère national et ce en quoi l'esprit de l'époque peut en atténuer ou renforcer les particularités, concluait-il par une bienveillante évocation de l'âme anglaise où les pulsions irrationnelles sont rares, où la tolérance et le fair play lui paraissaient exemplaires, même s'il admettait qu'on y perdait ce «fanatisme» et cette «intensité» qui seuls, peut-être, permettent d'accéder au suprême.

Dans ce *Génie de l'architecture européenne* qui considère l'architecture d'abord comme un travail sur l'espace et proclame la supériorité artistique et sociale d'un «art complet», il niait encore toute qualité aux productions du XIXᵉ siècle alors qu'on aurait pu «s'attendre à voir fleurir un style neuf dans un siècle neuf», y dénonçant «inculture et individualisme», et «manque de vigueur et de courage sur le plan spirituel».

Vigueur et courage, ce sont les qualités qu'il refusait aux historicistes et aux passéistes livrés à leur «bal travesti» et qui expliquent pour lui l'absence de l'Angleterre dans la genèse de la modernité, «car son caractère est trop hostile aux révolutions, aux conséquences logiques, aux mesures énergiques et à l'action intransigeante»; il en faisait en revanche les vertus principales des «hommes de grand courage» qui établirent le nouveau style avant 1914 et toujours il préféra le sobre Gropius, l'homme de «raison, de conscience sociale et de foi pédagogique» à un Le Corbusier «Picasso de l'architecture», plus fantasque et tenté par l'irrationnel.

Toute sa vie, il resta un homme des années trente, appelant à un style international qui saurait s'enrichir des caractères nationaux, mais toujours strict, impersonnel et anonyme, adapté aux nouvelles «conditions sociales de base»; un homme des années trente que l'architecture d'après-guerre inquiètera par ses résurgences d'individualisme artistique, que ce soit au Brésil, au Japon ou dans la chapelle de Ronchamp, ces «révoltes contre la raison» porteuses de formes bizarres et de ce qu'il tenait pour des «acrobaties irrationnelles».

François CHASLIN

Préface

Une histoire de l'architecture européenne en un seul volume ne peut atteindre son but que si le lecteur est disposé à faire trois concessions.

On ne doit pas s'attendre à trouver mention de toutes les œuvres, ni de tous les architectes d'importance, sinon le volume entier serait rempli de noms d'architectes, d'édifices et de dates. Un seul édifice doit souvent être accepté comme suffisant pour illustrer un style ou un point particulier. C'est dire que dans le tableau présenté au lecteur, les nuances seront éliminées, et les couleurs se mettront en valeur l'une l'autre. Cela constitue un désavantage certain, mais on admettra, on peut l'espérer, que l'introduction de trop de subtilités aurait doublé ou triplé le volume déjà considérable du livre. Ainsi, on parlera de la nef de Lincoln et pas de celle de Wells, de Santo-Spirito à Florence et pas de San Lorenzo. Que l'église St-Michel à Coventry soit un exemple plus complet ou plus convenable d'église paroissiale de style perpendiculaire que celle de la Trinité à Hull est un fait discutable, tout comme choisir le palais Rucellai pour illustrer la Renaissance italienne plutôt que le palais Strozzi. On ne peut atteindre l'unanimité dans des matières de cette sorte. Cependant, comme les valeurs architecturales ne peuvent être appréciées qu'en décrivant et en analysant les édifices en détail, il a paru nécessaire de restreindre le nombre des monuments analysés et de consacrer autant de place que possible à ceux qui seront finalement retenus.

En plus de cette restriction, deux autres se sont imposées. Il était hors de question de traiter de l'architecture européenne de toutes les époques depuis l'âge de la pierre jusqu'au XXe siècle, ou de l'architecture de toutes les nations qui font l'Europe aujourd'hui. On n'attendrait ni l'un ni l'autre d'un volume intitulé architecture européenne. Le temple grec et le forum romain, beaucoup de lecteurs seront d'accord, appartiennent à la civilisation antique, non pas à ce que nous entendons quand nous parlons de civilisation européenne. Mais il est également vrai que la Grèce et Rome sont des prémisses indispensables pour comprendre cette civilisation européenne. C'est pourquoi on en parlera dans le premier chapitre de ce livre, mais très brièvement. Il en va de même pour la civilisation méditerranéenne des premières décennies chrétiennes, qui s'est exprimée dans les premières églises de Rome ou de Ravenne, dans les églises de Proche-Orient ou les églises byzantines. Elles appartiennent à une civilisation différente de la nôtre, mais en sont la source. C'est ce qui explique pourquoi nous en parlerons ici. Tout autre est le cas de la Bulgarie. Si elle n'est jamais citée dans la suite de ces pages, la raison en est que dans le passé elle a fait partie de l'orbite byzantine, puis de celle de la Russie et que son importance est maintenant si marginale que son omission est pardonnable. Ainsi on exclura de ce livre tout ce qui n'est pas d'intérêt capital dans le développement de l'architecture européenne, et tout ce qui n'est pas européen ou — dans le sens où je me propose d'utiliser le terme européen — de caractère occidental. Car la civilisation occidentale forme une unité distincte, une unité biologique, serait-on tenté de dire. Il ne s'agit pas là, bien évidemment, de raisons raciales (ce serait à un matérialisme superficiel de soutenir cela) mais de raisons culturelles. Quelles nations composent la civilisation occidentale à un moment donné, à quel moment critique une nation y entre-t-elle, et à quel autre moment cesse-t-elle d'en faire partie, de telles questions se posent à l'historien. Et là encore, il ne peut s'attendre que sa réponse soit universellement admise. La raison de cette indétermination des limites historiques est assez manifeste. Bien qu'une civilisation puisse apparaître très clairement définie par ses plus parfaites réalisations, elle semble floue et vague quand on essaie de localiser ses contours exacts dans le temps et l'espace.

En ce qui concerne la civilisation occidentale, il est certain que la préhistoire n'en fait pas partie, car la préhistoire, comme le mot l'indique, est une étape antérieure à la naissance d'une civilisation considérée. La naissance d'une civilisation coïncide avec le moment où apparaît pour la première fois l'idée maîtresse, le *leitmotiv*, qui dans la suite des siècles s'affirmera et prendra de l'ampleur, s'épanouira pour s'estomper ensuite et en venir finalement, c'est un fait qu'il faut regarder en face, à abandonner la civilisation dont elle aura été l'âme. A ce stade, la civilisation meurt et une autre naît quelque part ailleurs, ou sur le même sol, jaillit ainsi de sa préhistoire, s'achemine vers une période de tâtonnement, puis développe sa propre idéologie nouvelle. Pour s'en tenir à un exemple très familier, c'est ce qui se passa quand l'Empire romain mourut et que la civilisation occidentale sortit des ténèbres préhistoriques. Elle passa par un état comparable à l'enfance, à l'époque mérovingienne, et commença à prendre la plénitude de sa forme sous Charlemagne.

Ainsi s'est délimité notre sujet dans le temps. Pour le circonscrire dans l'espace, quelques mots suffiront. Celui qui applique son esprit à écrire une brève histoire de l'architecture, de l'art, de la philosophie, du drame ou de l'agriculture en Europe doit décider dans quelle partie de ce continent, à un moment donné, ont eu lieu les événements les plus symptomatiques à ses yeux de la volonté et des sentiments vitaux de l'Europe. C'est pour cette raison que, par exemple, l'Allemagne n'est pas mentionnée pour ses édifices du XVIe siècle, mais pour ceux du XVIIIe; que le gothique italien est à peine effleuré, et qu'on a ignoré l'architecture scandinave. A l'Espagne non plus on n'a pu accorder la place dont les qualités remarquables de tant de ses édifices la rendent digne ; car à aucun moment l'architecture espagnole n'a influencé le développement de l'architecture européenne dans son ensemble. La seule exception qu'on se soit permise en faveur d'une nation (sans qu'il y ait besoin de justification) se rapporte aux exemples pris en Angleterre, lorsqu'ils pouvaient être utilisés, sans obscurité, à la place d'exemples pris ailleurs.

Le but de l'ouvrage est, répétons-le, l'architecture occidentale, vue comme expression de la civilisation occidentale et suivie historiquement dans sa croissance du IXe au XXe siècle.

Introduction

Un hangar à bicyclettes est une construction; la cathédrale de Lincoln, un morceau d'architecture. Presque tout ce qui enclôt l'espace sur une échelle suffisante pour que l'être humain puisse s'y mouvoir est une construction; le terme d'architecture s'applique seulement aux constructions conçues avec un souci d'esthétique.

Les sensations esthétiques que peut susciter un bâtiment s'expliquent de trois manières. En premier lieu, elles peuvent être produites par le traitement des murs, les proportions des fenêtres, la relation entre les pleins et les vides ou entre les étages, par l'ornementation telle que le remplage d'une fenêtre du quatorzième siècle, ou les guirlandes de feuilles et de fruits d'un porche de Wren. Secondement, le traitement de l'extérieur d'un bâtiment dans son ensemble a une portée esthétique, dans ses oppositions de volumes, dans l'effet d'un toit pointu ou plat ou encore d'un dôme, dans le rythme des saillies et des reculs. Enfin, agissent encore sur notre sensibilité le traitement de l'intérieur, la suite des pièces, le débouché de la nef sur la croisée ou le mouvement majestueux d'un escalier baroque. La première de ces trois manières se réfère à deux dimensions: c'est la manière des peintres. La seconde est tridimensionnelle puisqu'elle traite l'édifice en volume, en unité plastiques: c'est la voie des sculpteurs. La troisième est également tridimensionnelle, mais concerne l'espace. C'est plus que les autres le moyen propre de l'architecte, car ce qui distingue l'architecture de la peinture et de la sculpture c'est essentiellement sa qualité spatiale. En cela, et seulement en cela, aucun autre artiste ne peut rivaliser avec l'architecte. Ainsi l'histoire de l'architecture est-elle avant tout l'histoire de l'homme modelant l'espace et son historien doit toujours envisager au premier chef les problèmes spatiaux. C'est ce qui explique pourquoi aucun livre sur l'architecture, si populaire soit-il dans sa présentation, ne peut être une réussite s'il n'est illustré de plans.

Mais l'architecture, bien qu'essentiellement conçue dans l'espace, ne se résout pas exclusivement en problèmes d'espaces. Dans chaque édifice, en plus du volume intérieur, l'architecte façonne les masses et organise les surfaces, c'est-à-dire conçoit l'extérieur et aménage les murs. Le bon architecte doit donc utiliser les modes de vision du sculpteur et du peintre en plus de sa propre conception de l'espace. Ainsi, l'architecture est-elle le plus

complet de tous les arts visuels et a-t-elle le droit de proclamer sa supériorité sur les autres.

Cette supériorité esthétique, de plus, se double d'une supériorité
sociale. Ni la sculpture ni la peinture, bien que toutes deux enracinées dans
les instincts élémentaires de création et d'imitation, ne nous entourent au
même degré que l'architecture, n'agissent sur nous d'une manière aussi
incessante et aussi omniprésente. Nous pouvons éviter tout rapport avec ce
qu'on appelle les beaux-arts, mais nous ne pouvons pas échapper aux bâtiments et aux effets subtils mais pénétrants de leur caractère, noble ou
humble, sobre ou fastueux, franc ou factice. Une époque sans peinture est
concevable. Pourtant aucun de ceux qui croient que l'art a pour fonction
d'embellir la vie n'en voudrait. On pourrait concevoir sans peine une époque
privée de peinture de chevalet, et si l'on pense à la prolixité de ce genre
au XIXᵉ siècle, y voir un but hautement souhaitable. Un âge sans architecture
est impossible à imaginer aussi longtemps que des êtres humains peupleront
la terre.

Le fait même qu'au XIXᵉ siècle la peinture de chevalet ait fleuri
au détriment de la peinture murale, et finalement de l'architecture, montre
en quelle déchéance étaient tombés les arts (et la civilisation d'Occident).
Le fait même que les beaux-arts aujourd'hui semblent en train de recouvrer
leur caractère architectural permet de regarder vers le futur avec quelque
espoir. Car l'architecture régnait quand l'art grec et quand l'art médiéval
se sont développés et ont atteint leur apogée ; Raphaël et Michel-Ange cher-
chaient encore un équilibre entre l'architecture et la peinture, ce que ne
firent plus Titien ni Rembrandt, non plus que Vélasquez. De très hautes
réalisations esthétiques sont possibles dans la peinture de chevalet, mais
ce sont des réalisations extérieures au tissu ordinaire de la vie. Le style
du XIXᵉ siècle, et, à plus forte raison, quelques-unes des tendances les plus
récentes des beaux-arts, ont montré les dangers de l'attitude intransigeante
du peintre indépendant, se suffisant à lui-même. Le salut ne peut venir que
de l'architecture, qui est un art intimement lié aux nécessités de la vie et
à l'usage immédiat, et de ses fondements fonctionnels et structuraux.

Cela ne signifie pas, cependant, que l'évolution architecturale soit
le fait de la fonction et de la construction. Le style, en art, appartient au
monde de l'esprit, et non au monde de la matière. De nouveaux programmes
peuvent amener de nouveaux types d'édifices, mais le travail de l'architecte
est de rendre les nouveaux types satisfaisants, aussi bien sur le plan esthétique que sur le plan fonctionnel. Toutes les époques n'ont pas considéré,
comme fait la nôtre, que la résonance fonctionnelle soit indispensable
à la jouissance esthétique. Il en va de même pour les matériaux. Les nouveaux matériaux peuvent rendre possibles de nouvelles formes, et même les
réclamer. Il est donc tout à fait logique que de nombreux ouvrages sur l'architecture (spécialement en Angleterre) aient insisté sur leur importance.
Si dans ce livre ils ont été délibérément maintenus à l'arrière-plan, la raison
en est qu'ils ne deviennent utiles en architecture que lorsque l'architecte
leur instille un contenu esthétique. L'architecture n'est pas le produit des

matériaux et des programmes — ni même des conditions sociales — mais de l'évolution de l'esprit aux différentes époques. C'est l'esprit d'une époque qui pénètre sa vie sociale, sa religion, sa science et son art. Le style gothique n'est pas né de ce que quelqu'un a inventé la croisée d'ogives; de même, le Mouvement Moderne ne prit pas corps avec l'apparition de la structure d'acier et de la construction en ciment armé, mais celles-ci n'ont été possibles que parce qu'un nouvel état d'esprit les recherchait.

Aussi les chapitres suivants traitent-ils de l'histoire de l'architecture européenne comme histoire de l'expression et avant tout de l'expression spatiale.

1
*Paestum, temple de Poseidon, environ 560 avant
J.-C.*

Crépuscule et aube

Le temple grec est l'exemple le plus parfait qui soit d'une architecture trouvant son accomplissement dans la beauté plastique. Son intérieur comptait infiniment moins que son extérieur. La colonnade qui l'entoure dissimule son accès. Les fidèles n'y pénétraient pas, comme ils le font dans une église, pour y communiquer avec la divinité et notre conception occidentale de l'espace, tout autant que notre religion, aurait été sans signification pour un homme du siècle de Périclès. Ici, c'est la plastique même du temple qui doit parler, ordonnée devant nous avec une présence physique plus intense et plus vivante que celle d'aucune autre architecture ultérieure. L'isolement du Parthénon ou des temples de Paestum, clairement détachés du sol où ils sont situés, leurs colonnades aux courbes rebondissantes, assez robustes pour soutenir sans trop d'efforts visibles le poids des architraves, des frises et des frontons sculptés... dans tout cela passe quelque chose de parfaitement humain ; c'est la vie sous les plus éclatantes lumières de la nature et de l'esprit : aucun déchirement, aucune obscurité, aucun problème, aucune tache.

L'architecture romaine, elle aussi, conçoit le bâtiment, avant tout, comme une masse plastique, mais pas d'une indépendance aussi hardie. L'ordonnance des bâtiments est plus orchestrée et leurs différentes parties moins libres.

C'est pourquoi aux colonnes et aux architraves des Grecs, si librement dégagées de l'ensemble, les Romains préfèrent presque toujours de lourds piliers carrés supportant des arcs. C'est pourquoi l'épaisseur des murs est soulignée, par exemple, par des niches qu'on y creuse, et si vraiment les colonnes sont utilisées ce ne sont le plus souvent que des demi-colonnes engagées faisant partie intégrante du mur. C'est pourquoi, enfin, les Romains utilisent pour couvrir les salles, à la place des plafonds plats, dont l'horizontalité parfaitement claire s'opposait à une verticalité sans ambage, de vastes voûtes en berceau plein cintre ou des voûtes d'arêtes. A cette échelle, l'arc et la voûte sont des entreprises techniques plus importantes qu'aucune de celles réalisées par les Grecs, et ce n'est pas au temple, mais à l'arc ou à la voûte, tels qu'ils nous apparaissent dans les aqueducs, les thermes, les basiliques (c'est-à-dire salles de réunions publiques), les théâtres et les palais, que nous pensons quand nous évoquons l'architecture romaine.

2

3

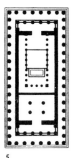

5

2
Athènes. L'Erechteion, fin du V siècle avant J.-C., vu des Propylées.*
3
Athènes. Le Parthénon commencé en 447 avant J.-C.
4
Athènes. Temple d'Athéna Niké, deuxième moitié du V siècle avant J.-C.*
5
Athènes. Plan du Parthénon.

4

C'est cependant après la république, et même après le haut empire, que sont apparues, à quelques très rares exceptions près, les créations les plus imposantes dues au sens romain de la force, de la plastique et de la masse. Le Colisée date de la fin du Ier siècle après J.-C., le Panthéon du début du deuxième, les thermes de Caracalla du début du troisième.

A ce moment-là, non seulement les formes, mais encore les esprits étaient en train de changer radicalement.

Depuis la mort de Marc Aurèle (180), la stabilité relative de l'empire romain n'existait plus ; les chefs d'Etat se succédaient avec une rapidité jusque-là inconnue, sauf pendant de courtes périodes de guerre civile. De Marc Aurèle à Constantin, en cent vingt-cinq ans, il y eut quarante-sept empereurs, dont le règne ne devait pas, en moyenne, dépasser quatre années. Ces empereurs n'étaient plus élus par le Sénat romain, cet ensemble éclairé d'hommes politiques, mais proclamés par des armées venues des provinces et composées de troupes barbares ; parfois c'étaient eux-mêmes des barbares, des hommes de guerre grossiers, d'origine paysanne, incultes ou hostiles aux réalisations de la civilisation romaine. Un état de guerre meurtrier s'était établi et il fallait sans cesse repousser les attaques répétées des barbares aux frontières de l'empire. Les villes connaissaient la décadence, elles étaient finalement laissées à l'abandon, les marchés publics, les thermes, les immeubles tombaient en ruine. Des soldats de l'armée romaine pillaient des cités romaines. Les Goths, les Alamans, les Francs, les Perses ravageaient l'empire. Le commerce par terre ou par mer avait cessé ; des fermes, des domaines, des villages recommençaient à vivre sur eux-mêmes ; les paiements en argent étaient remplacés par des règlements en nature. Les impôts aussi. La bourgeoisie cultivée, décimée par les guerres, les exécutions, le meurtre et un taux de natalité de plus en plus bas, ne prenait plus part aux affaires publiques.

Des hommes originaires de Syrie, d'Asie Mineure, d'Egypte, d'Espagne, de Gaule, d'Allemagne, occupaient les places d'importance. Dans ces conditions, il était impossible de maintenir, voire d'apprécier, le subtil équilibre politique du haut empire.

Quand une stabilité nouvelle fut apportée par Dioclétien, puis consolidée par Constantin aux environs de l'an 300, ce fut la stabilité d'une autocratie orientale, avec une étiquette rigide de cour orientale, une armée sans pitié et un contrôle de l'Etat très étendu. Rome bientôt ne fut plus la capitale, Constantinople la remplaça et l'empire se divisa en deux parties : celle de l'Est devait montrer sa force, celle de l'Ouest devenir la proie des envahisseurs teutons, wisigoths, vandales, ostrogoths et lombards, avant de s'intégrer pour un temps à l'empire oriental, c'est-à-dire à l'empire byzantin.

Pendant cette période de quelques siècles, les murs massifs, les arcs, les voûtes, les niches et les absides des palais et des bâtiments publics romains couvrent de leurs décorations boursouflées l'immense superficie de l'empire. Cependant, s'il est vrai que ce nouveau style se manifestait aussi bien à Trèves qu'à Milan, l'on doit rechercher son foyer sur les bords de la Méditerranée orientale : en Egypte, en Syrie, en Asie Mineure, à Palmyre,

6
Rome. Le Colisée, 72-80.
7
Trèves. Porta Nigra, début du IVe siècle.
8
Rome. Reconstitution des Thermes de Dioclétien par Edmond Paulin, 1890.

6

7

8

9

9
Spalato, Palais de Dioclétien, 300 environ, façade sur le port d'après Robert Adam, 1764.
10
Spalato, Palais de Dioclétien.

11
Spalato, Palais de Dioclétien, plan dessiné par Robert Adam, 1764.

c'est-à-dire dans les pays où le style hellénistique avait fleuri au Ier siècle avant J.-C.

Ainsi peut-on dire que le style romain tardif, est l'héritier du grec tardif ou hellénistique. Les pays de la Méditerranée orientale avaient également une influence prépondérante dans le domaine de l'esprit. C'est de l'Est que vint l'attitude nouvelle en matière religieuse. Les hommes étaient las de ce que pouvait apporter l'intelligence humaine. Ces populations orientalisées, imprégnées de barbarie, éprouvaient des besoins d'invisible, de mystérieux et d'irrationnel. Les différentes sectes gnostiques, le culte de Mithra, venu de Perse, le judaïsme, le manichéisme, trouvèrent des adeptes. Le christianisme, lui, se montra le plus fort, s'organisa pour durer, et sous le règne de Constantin, survécut aux dangers d'une alliance avec l'empire. Il n'en demeure pas moins oriental par l'esprit et ce mot de Tertullien : « J'y crois parce que c'est absurde », aurait été pour un Romain éclairé une déclaration impensable. Egalement à l'opposé de l'esprit antique, la phrase de saint Augustin : « Il n'est pas possible de trouver la beauté dans une substance matérielle. » Son élève et biographe, Plotin, un des plus grands parmi les derniers philosophes païens, nous raconte que son maître avait l'allure d'une personne honteuse d'avoir un corps. Plotin était originaire d'Egypte, saint Augustin de Libye, Origène et saint Athanase étaient égyptiens. Basile naquit et vécut en Asie mineure, Dioclétien venait de Dalmatie, Constantin et saint Jérôme des plaines de Hongrie. Au sens qu'avait le mot au temps d'Auguste, aucun d'entre eux n'était romain.

Leur architecture nous les montre tels qu'ils étaient : fanatiques, despotiques et, en même temps, passionnés par la recherche de l'invisible, de l'immatériel, du magique. Il est d'ailleurs impossible de bien distinguer le style romain à son déclin, du style chrétien à ses origines.

Pour se faire une idée du style romain tardif, aux environs de l'année 300, il suffit d'examiner deux bâtiments, le palais de Dioclétien à Spalato (aujourd'hui Split) en Dalmatie, et la basilique de Maxence (plus connue sous le nom de basilique de Constantin) à Rome.

Le palais de Spalato est de forme rectangulaire et mesure 215 m sur 175 ; à la manière d'un camp militaire, il est entouré de murs flanqués de tours polygonales ou carrées. Toutefois, du côté de la mer, entre deux tours carrées, la façade s'ouvre en une longue colonnade. Les colonnes soutiennent des arcs et forment les plus vieilles arcades connues. L'ensemble donne une impression de légèreté fort peu romaine. A l'intérieur du palais, deux rues principales bordées de portiques se croisent à angle droit et leurs colonnades, là aussi, supportent des arcades. L'entrée principale est au nord, la mer au sud. L'axe nord-sud traverse tout d'abord casernes et ateliers puis, après le croisement, débouche dans deux cours monumentales : celle de l'ouest renfermait un temple de petite dimension, celle de l'est le mausolée impérial, salle octogonale avec niches, couverte d'un dôme et entourée d'une colonnade extérieure.

Entre les deux cours, on trouvait l'entrée du palais proprement dit, une salle circulaire, surmontée d'un dôme avec quatre niches en diago-

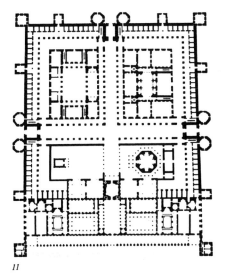

12

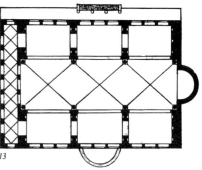

13

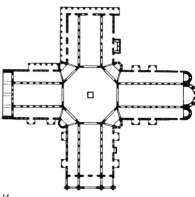

14

nale. Quelques-unes des petites pièces mineures présentaient une abside ou même avaient une forme tréflée. Cette grande diversité de dessins, subordonnée à d'implacables axes, donnait l'image le plus frappante possible de la puissance de l'empereur.

La basilique de Maxence est, elle, plus écrasante encore parce que plus ramassée. C'est une grande salle de forme rectangulaire de 80 mètres de long environ sur 35 de haut, couverte de trois voûtes d'arêtes contrebutées par six travées latérales en berceau, trois de chaque côté. Chaque travée couvre 23 mètres. Le tout était lourdement décoré, témoin les profonds caissons des trois travées latérales encore debout. La voûte d'arêtes avait fait son apparition à Rome dès le premier siècle avant J.-C. et le berceau plein cintre au palais des Parthes à Hatra en Perse, à peu près au moment de la naissance du Christ. Au Colisée, on avait employé les deux systèmes avec habileté, mais pas encore avec cette même audace.

Constantin acheva la basilique quelques années après sa victoire sur Maxence au pont Milvius, après qu'il eut reconnu le christianisme comme religion officielle de l'empire (édit de Milan en 313). Il construisit beaucoup d'églises de grande taille mais aucune n'a conservé jusqu'à nous son aspect d'origine, quoique nous en connaissions un bon nombre.

L'église du Saint-Sépulcre à Jérusalem était de celles-ci, ainsi que l'église de la Nativité à Bethléem, les églises primitives de Ste-Irène, de Ste-Sophie et des Saints-Apôtres dans la jeune capitale de l'empire byzantin, Constantinople, et, à Rome, Saint-Pierre, Saint-Paul-hors-les-Murs et Saint-Jean-de-Latran. Aucune de ces églises n'était voûtée et ceci correspondait à une intention précise des premiers chrétiens qui trouvaient les énormes voûtes romaines par trop matérielles. Une religion, toute de l'esprit, n'avait que faire de cette écrasante lourdeur. A notre connaissance, les églises de Constantin présentaient une grande diversité d'aspect, mais le type le plus courant était

12
Rome. Reconstitution de la basilique de Maxence d'après Gattesch, peinture de Trabacchi.
13
Rome. Plan de la Basilique de Maxence, 310-320.
14
Kalat-Seman. Plan de l'église.
15
Ravenne. Plan de Saint-Apollinaire-le-Neuf.
16
Rome. Saint-Paul-hors-les-Murs, IVᵉ siècle.
17
Kalat-Seman. Eglise, 480-490 environ.

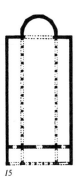

15

17

16

la basilique. Une fois créé — nous verrons à quel moment — ce type restera le modèle classique des églises primitives chrétiennes, en Occident aussi bien que dans de nombreux pays d'Orient.

Saint-Apollinaire-le-Neuf, à Ravenne, est une basilique d'une maturité et d'une perfection exceptionnelles. Elle fut construite à la fin du Ve siècle par Théodoric, roi des Ostrogoths d'Italie. Malgré l'origine obscure des Goths, malgré la sauvagerie de leurs premières invasions, Théodoric était un homme de grande culture, élevé à la cour de Constantinople et qui avait reçu le titre de consul, treize ans après celui de roi.

Une église basilicale se compose d'une nef et de bas-côtés séparés par des colonnades. A l'ouest, peut s'ouvrir soit un vestibule, appelé narthex, soit une cour bordée d'un cloître, appelée atrium, soit les deux. Parfois aussi, mais rarement, deux massifs surélevés peuvent se trouver à droite et à gauche du narthex.

A l'est, se situe l'abside. Rien de plus n'est indispensable : une salle pour permettre aux fidèles de se réunir, puis l'allée consacrée qui conduit à l'autel. Dans certaines églises de Constantin, par exemple dans le Saint-Pierre primitif et à Saint-Paul-hors-les-Murs, les bas-côtés étaient doublés. Là, comme dans quelques autres sanctuaires, le transept marquait comme un temps d'arrêt entre la nef et l'abside[1]. D'autres églises comportaient, au-dessus de leurs bas-côtés, une tribune réservée aux femmes, comme à Saint-Démétrius, de Salonique (410 env.). Quelquefois, on ajoutait, en Afrique du Nord, une deuxième abside à l'ouest (Orléansville 325 et 475). Les absides pouvaient être arrondies ou, surtout en Orient, polygonales. Dans beaucoup d'églises construites probablement sur le modèle syrien, l'abside orientale était flanquée de deux salles séparées : le diaconicon ou sacristie, et la prothèse, salle destinée à recevoir les offrandes. Ces deux pièces pouvaient être remplacées par des absides situées à l'extrémité est des bas-côtés (Kalat Seman [Syrie] 480-90 env.). Ce n'est que très rarement et seulement dans une partie de l'Asie Mineure, que l'église entière est voûtée en berceau (Binbirkilisse [Asie Mineure] Ve siècle). Plus qu'aucune autre variation sur le thème de la basilique, cette particularité contribuait à modifier l'allure générale du bâtiment. Toutefois, il est vrai de dire que le thème principal reste partout le même : un rythme monotone et fascinant qui, d'arc en arc, entraîne vers l'autel.

Aucune articulation n'arrête l'œil dans cette longue suite de colonnes [2], pas plus que, là-haut, dans la longue rangée des fenêtres hautes.

A Ravenne, les silhouettes solennelles et silencieuses des martyrs et des vierges, aux visages impassibles et aux vêtements raides, nous accompagnent dans cette marche en avant. Ce ne sont pas des peintures mais des mosaïques composées d'innombrables petits cubes de verre [3]. Leur rôle esthétique est évident. Les peintures à fresque comme les mosaïques romaines de pavement en pierre formaient une surface opaque et, par là, soulignaient l'étanchéité et la solidité du mur ; au contraire, les mosaïques de verre, avec leurs reflets changeants, semblent immatérielles. Bien qu'appliquées au mur, elles l'effacent et sont donc parfaitement appropriées pour revêtir la surface intérieure de constructions mises au service de l'esprit et non du corps.

La basilique utilisée par l'architecture sacrée est, en fait, d'origine romaine, et non chrétienne. Le nom est significatif : les Romains l'employaient pour désigner une salle de réunion publique. D'ailleurs, le mot lui-même est grec, signifie « royal », et serait venu jusqu'à Rome, entouré d'un halo de majesté monarchique. Cependant, les basiliques romaines ne sont, en aucune façon, les ancêtres immédiats de l'église-type des premiers chrétiens. Elles comportent des colonnades non seulement entre la nef et les bas-côtés, mais aussi, transversalement, aux deux extrémités, ce qui délimite un déambulatoire à la manière du temple grec, mais situé à l'intérieur. Les absides n'étaient pas rares (parfois même un seul bâtiment en comportait deux) mais elles se trouvaient généralement détachées du corps principal par une rangée de colonnes.

De tout cela, il découle que le mot « basilique », employé dans son sens le plus général pour désigner une vaste salle publique avec bas-côtés, a pu être pris aux païens par les chrétiens ; mais cette idée ne vaut plus en ce qui concerne le plan précis de la construction. D'autres hypothèses furent avancées. La basilique trouverait son origine dans les « scholae », salles privées des maisons importantes et des palais (par exemple, celui des empereurs Flaviens sur le Palatin) ; de plus petites pièces comprenant une abside auraient fort bien pu se prêter aux dévotions personnelles des premiers chrétiens.

Beaucoup plus direct et beaucoup plus exact est sans aucun doute le lien entre les premières basiliques chrétiennes et celles construites par les sectes religieuses païennes du Ier siècle après J.-C. Ce qu'on appelle la basilique de la Porte-Majeure est une petite construction souterraine qui ne mesure que 12 mètres de long. Avec sa nef et ses bas-côtés, ses piliers et son abside, elle ressemble exactement à une chapelle chrétienne. Des reliefs en

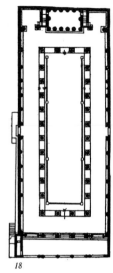

18

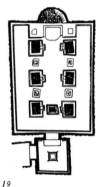

19

18
Pompei. Plan de la Basilique, 100 avant J.-C. environ.
19
Rome. Plan de la Basilique de la Porte Majeure, Ier siècle.
20
Ravenne. Saint-Apollinaire-le-Neuf, début du VIe siècle. Mur sud de la nef.
21
Rome. Basilique de la Porte Majeure, Ier siècle.
22
Ravenne. Saint-Apollinaire-le-Neuf. Le baiser de Judas, mosaïque.

20

21

22

23   24

stuc nous indiquent qu'elle servait de salle de réunion à une des nombreuses sectes mystiques venues de l'Orient jusqu'à Rome, avant et après l'apparition de la secte des chrétiens. Elle peut être datée du Ier siècle avant J.-C. Le temple, un peu plus grand, de Mithra (20 m x 8,50 m) récemment découvert dans la Cité de Londres, semble remonter, lui, au milieu du IIe siècle. Il comporte également une nef, des bas-côtés et une abside.

   Le culte de Mithra, avec sa foi dans un sauveur, dans le sacrifice, et dans la résurrection, était, dans cette lutte pour la domination spirituelle du bas-empire, le plus redoutable concurrent du christianisme. Il n'est donc pas surprenant qu'à l'origine, la forme des églises chrétiennes ait été identique à celle des bâtiments utilisés pour célébrer le culte de Mithra.

   Dès que Constantin eut reconnu le christianisme, des églises s'élevèrent de toutes parts. « Qui donc, s'exclamait Eusèbe, pourrait dans chaque ville dénombrer les églises ? » La plupart d'entre elles étaient des basiliques, mais il y avait aussi un nombre important d'églises bâties sur plan central. Cette forme directement issue du mausolée latin, était souvent choisie pour célébrer la mémoire d'un martyr canonisé. Pour des raisons évidentes d'utilisation, elle convenait également aux baptistères. A cette époque, le baptême, il faut le rappeler, se pratiquait par immersion et non par aspersion. Là encore, les modèles varient largement depuis les formes circulaires les plus simples entourées de murs épais creusés de niches à la mode romaine (le mausolée de Théodose, à côté du vieux Saint-Pierre, Saint-Georges de Salonique),

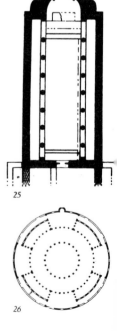

25

26

28

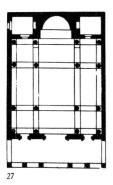

27

28

29

formes circulaires avec un seul déambulatoire (Ste-Constance, à Rome, vers 320, etc.) ou un double déambulatoire (St-Etienne-le-Rond, Rome, vers 475), jusqu'aux octogones à déambulatoire (baptistère de Saint-Jean-de-Latran, construit en 325, puis vers 435 et largement modifié en 465) et aux bâtiments sur plan en quatre feuilles (Tigzirt, en Afrique du Nord)[4].

Une autre variante du plan central est la croix grecque inscrite ou dégagée. Une croix grecque est une croix dont les branches sont d'égale longueur. Elle est dite « inscrite » quand elle est disposée dans un carré. D'ordinaire, la croix grecque est couverte d'une coupole à son intersection tandis que les quatre coins sont, eux, recouverts de voûtes plus basses et plus petites. Cette manière de disposer les voûtes en quinconce était déjà connue des romains (Tychaeum de Mismieh) et semble devenue plus populaire au Ve siècle (Gerash en 464, avec ses pièces d'angle complètement isolées du reste)[5], c'est elle qui présidera à la construction de l'église-type du bas-empire byzantin et cela jusqu'au XIVe siècle. Nous verrons plus loin qu'à leur tour la Renaissance et les périodes suivantes l'adopteront. Une forme de croix grecque beaucoup plus simple, c'est-à-dire dégagée, et bien plus frappante est celle, par exemple, de la chapelle dite mausolée de Galla Placidia, construite à Ravenne vers 450 après J.-C.

Le règne de Justinien marque le plein moment de ces différentes expériences (527-565). De toutes les églises construites alors, les plus importantes furent, à Constantinople, les Saints-Apôtres et Ste-Sophie et, à Ravenne, la capitale byzantine d'Italie, San-Vitale. Les Saints-Apôtres, dont il ne reste absolument rien, étaient sans doute une église en croix grecque simple, surmontée de cinq coupoles. Eriger une coupole sur des murs carrés (le Panthéon à Rome était de forme circulaire) fut une innovation orientale. La base circulaire de la coupole était obtenue grâce aux trompes, petits arcs situés dans chacun des angles du mur. Ces petits arcs construits l'un sur l'autre en encorbellement, et d'un diamètre de plus en plus grand, formaient saillie et finalement transformaient le carré en un octogone approximatif, base suffisante pour la construction de la coupole. La coupole sur pendentifs, c'est-à-dire sur triangles sphériques, est plus élégante et fut adoptée par les Byzantins.

San-Vitale, à Ravenne, est, elle aussi, construite sur plan central mais propose une solution beaucoup plus raffinée. C'est d'abord un octogone muni d'un déambulatoire de même forme surmonté d'une tribune. La partie centrale est couverte par une coupole en encorbellement. A ceci vient s'ajouter un narthex muni d'une abside à chacune de ses extrémités et un espace en saillie réservé à l'autel, flanqué, lui, d'une prothèse et d'un diaconicon, tous

30

31

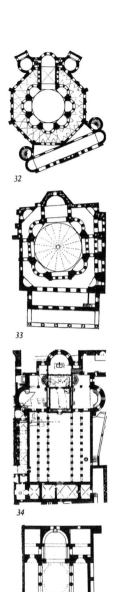

32

33

34

35

deux de forme circulaire. Le maître d'œuvre croyait manifestement aux possibilités d'expression des lignes courbes, car il a séparé l'octogone central du déambulatoire non par sept arcades planes mais de forme concave (la huitième étant le chœur), ouvertes sur le déambulatoire et communiquant avec lui par trois arcs chacune. Cette composition, d'ordre purement esthétique et non fonctionnel détermine le caractère spatial de l'église.

A une conception très nette des volumes, l'architecte a préféré un espace mal défini qui, partant du centre, envahit les parties plus lointaines, plongées, elles, dans la pénombre. Cette sensation d'indéfini est renforcée par un revêtement mural de dalles en marbre et de mosaïque, tout aussi immatériel, magique et sans pesanteur que les arcades de l'octogone s'élevant puis s'abaissant dans un mouvement continu.

La façon magistrale dont les chapiteaux sont sculptés est une confirmation définitive des intentions spatiales et spirituelles de l'architecte. A la luxuriante acanthe romaine succède un dessin plat et compliqué de dentelles à jours, se détachant de la surface biaise du chapiteau ; ceci pour que, partout, ressorte le mystère d'un arrière-plan assombri. Cette décoration architecturale est la contrepartie exacte de l'effet spatial obtenu par les arcades en niches s'ouvrant sur l'arrière-plan du déambulatoire.

Des chapiteaux de même type existent dans les principales églises de Justinien à Byzance. San-Vitale, consacrée en 547, et Saints-Serge-et-Bacchus, construite par Justinien à Byzance, sont d'un style très voisin. L'origine des subtiles combinaisons de l'espace intérieur de ces deux églises n'est. pas fermement établie. On pense la trouver en Italie plutôt qu'en Orient. En Italie, des effets comparables avaient été obtenus déjà à une date bien antérieure, vers 125 après J.-C. dans la villa de l'empereur Adrien à Tivoli. L'église Saint-Laurent à Milan, construite approximativement entre 450 et 475 et dont l'intérieur fut entièrement remanié au XVIe siècle, est, elle, l'ancêtre direct de San-Vitale.

Sainte-Sophie est d'une architecture encore plus subtile et par sa complexité cachée produit un effet d'une perfection presque incomparable. Son plan est essentiellement une combinaison entre le plan basilical et le plan central. Cette idée était déjà apparue sous le règne de Constantin, mais l'église du Saint-Sépulcre à Jérusalem, qui n'a gardé jusqu'à nous qu'une très petite partie de sa construction d'origine, présente une association qui se réduit à une juxtaposition des deux éléments : une basilique suivie d'une cour puis d'une large rotonde. Le plan de l'église de la Nativité à Bethléem, qui date de l'époque de Constantin, ou peut-être de 530 après J.-C., est celui d'une basilique présentant une abside tréflée. C'est dans l'église de Koja Kalessi (sud de l'Asie Mineure), construite à la fin du Ve siècle, que nous voyons l'un des premiers exemples connus d'une association intime entre les plans longitudinal et central. Une courte nef à deux travées, avec des bas-côtés, y est suivie par une coupole flanquée des croisillons du transept dont la saillie ne dépasse pas les collatéraux. A l'est de la coupole se trouve la travée du chœur, l'abside et ses chambres latérales. Le tout, comme Sainte-Sophie, est inscrit dans un parallélogramme [6].

Sainte Sophie mesure environ 100 mètres sur 70 et fut bâtie dans un délai remarquablement court : en cinq ans, de 532 à 537. Après 558, la coupole fut surélevée de six mètres et toute la construction fut retouchée largement après 989. Les premiers architectes, Anthémios de Tralles, et Isidore de Milet étaient originaires d'Asie Mineure. Devant Koja Kalessi, on a l'impression d'une coupole ajoutée à une basilique, mais Sainte-Sophie, elle, nous le verrons, n'est pas une basilique bien qu'un certain accent soit porté sur l'axe longitudinal. Ici, la coupole centrale reste l'œuvre maîtresse absolue, non pas dressée sur un tambour, mais suspendue avec douceur et majesté au-dessus du quadrilatère central. La coupole, d'un diamètre de 33 mètres, est contrebutée à l'est et à l'ouest, d'une façon ingénieuse et très belle par des demi-coupoles plus basses.

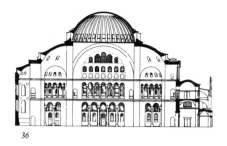

36

Ainsi se trouve dégagé un vaste espace qui souligne l'orientation est-ouest, dans la mesure où l'exigeait la signification du service du culte. Chaque demi-coupole est, à son tour, soutenue par deux exèdres ouverts par des arcades comme celles de San-Vitale. Toute cette organisation est d'une structure parfaite et ce fut l'ambition première des architectes de cacher aux yeux de tous les démarches de leur méthode. C'est, pourrait-on dire, ce que les architectes gothiques obtinrent dans leurs intérieurs grâce aux arcs-boutants. Cependant, rien n'est plus éloigné des aspirations de l'art gothique que la retombée apaisée des courbes des absides de Ste-Sophie. L'espace intérieur semble vaste ; il n'est pas écrasant. Les architectes auraient pu répéter au nord et au sud le même motif, ils s'abstinrent ; une symétrie parfaite n'aurait pas donné cette impression de mystère et de complexité qu'ils souhaitaient. Ils se contentèrent d'ajouter des bas-côtés accompagnant la suite de coupoles ; ces bas-côtés, surmontés de tribunes, furent séparés de la coupole centrale par un écran percé de cinq arcades au niveau du sol et de sept arcades à l'étage supérieur. Comme à San-Vitale, la partie qui se dissimule derrière les arcades oppose son mystère lointain à la clarté des volumes centraux percés, eux, de nombreuses fenêtres.

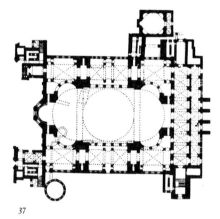

37

L'extérieur des églises byzantines est peu orné ; parfois de dalles de marbre, mais presque rien d'autre. Il n'y avait pas non plus de tours ; on ne sait pas exactement quand l'usage des tours se répandit, mais les surélévations de faible hauteur situées sur les façades de certaines églises syriennes, à droite et à gauche des narthex ou des porches (Tourmanin et aussi Saint-Apollinaire-in-Classe, près de Ravenne), sur lesquelles nous avons déjà attiré l'attention, ne méritent guère le nom de tours. En fait, aucun campanile ne peut se voir attribuer une date précise antérieure au IXe siècle. Aujourd'hui, les dômes de Sainte-Sophie sont encadrés par les verticales de quatre minarets, mais ceux-ci sont turcs[7]. L'église de Justinien et Sainte-Irène, autre grande église toute voisine, qui combine, elle aussi des éléments longitudinaux avec des éléments centraux, et, un peu plus loin, les Saints-Apôtres, dominaient les coteaux de Byzance de leurs dômes mollement arrondis. La capitale de Justinien devait se découper sur le ciel d'une manière toute différente de celle que nous connaissons, le rythme de ces ondulations était la contrepartie harmonieuse du mystère des intérieurs.

38

32

39

40

41

36
Constantinople. Sainte-Sophie, coupe longitudinale.
37
Constantinople. Sainte-Sophie, plan.
38
*Tourmanin, basilique du VI' siècle, presque entiè-
rement detruite.*
39
*Constantinople. Sainte-Sophie, 532-537, les quatre
minarets turcs ont été éliminés de la photo.*
40
Constantinople. Sainte-Sophie.
41
Constantinople. Sainte-Sophie.

42

Vingt et un ans après la consécration de San-Vitale, les Lombards conquirent l'Italie. Si des églises du type de Saint-Apollinaire furent encore construites à Rome, la grande époque de l'architecture paléochrétienne était terminée et ce qui arriva de l'empire oriental à partir du VIIᵉ siècle n'est plus de notre propos ici. Les musulmans envahirent la Syrie en 635, l'Egypte en 639 et l'Espagne en 711. Ils auraient même pu s'installer en France si les Francs, sous le commandement de Charles Martel, ne les avaient pas repoussés. C'est loin vers le nord, sur la Loire, qu'eut lieu la bataille en 732. Charles Martel était, en fait, le chef du royaume franc, mais les rois en titre étaient de la dynastie mérovingienne et leur ancêtre, Clovis, avait reconnu le christianisme en 496, ou, plus exactement, ce qu'il entendait par christianisme.

L'esprit de cette religion orientale demeura étranger à ces barbares du nord, bien qu'il soit établi que les Francs étaient en relations avec les peuples de l'Orient, par l'intermédiaire surtout des colonies très prospères de marchands syriens, colonies qui s'étendaient vers le nord aussi loin que Tours, Trèves, et même Paris où, en 591, fût sacré un évêque originaire de Syrie.

Mais l'état d'esprit et le degré de civilisation dont cette architecture orientale était l'image étaient très au-dessus de la mentalité des habitants de la Gaule qui, au VIᵉ siècle, était un pays peu civilisé. La chronique de Grégoire de Tours est bourrée d'assassinats, de viols et de parjures.

43

Il est difficile de se représenter l'état de l'architecture en Gaule avant la fin du VIIIe siècle. Des baptistères et d'autres constructions de moindre importance, sur plan central comme en Italie, sont encore debout dans le Midi (Fréjus, Aix, Marseille, Vénasque). L'on peut, d'après le résultat des fouilles, décrire avec plus ou moins de précision quelques églises basilicales et quelques chapelles. Les plus anciennes semblent avoir été du type oriental avec absides polygonales (Saint-Irénée à Lyon, ca 200, Saint-Pierre à Metz, ca 400, Saint-Bertrand-de-Comminges, Vienne, etc.). Aucune église de taille supérieure n'a survécu mais d'anciennes descriptions prouvent leur existence.

L'église de Tours, vers l'année 475, mesurait 53 mètres de long et comptait 120 colonnes ; celle de Clermont-Ferrand, à peu près à la même époque, mesurait 50 mètres, avait des bas-côtés et un transept. Des détails sculptés, en provenance d'autres endroits, nous révèlent un style romain tardif, en pleine décadence, qui bientôt tombera dans la complète barbarie.

Il en allait différemment en Grande-Bretagne. Quelques-unes des grandes croix élevées pour commémorer les morts ou pour souligner un lieu saint, une frontière, nous montrent des sculptures de feuillages, d'animaux, d'oiseaux, et même de figures humaines, qui sont du plus grand charme et de la plus grande habileté (Ruthwell Cross, Bewcastle Cross, Reculver Cross). Elles datent à peu près de l'an 700. A cette époque, la Grande-Bretagne anglo-saxonne était, sans aucun doute, le plus cultivé des pays nordiques,

42
Vénasque. Baptistère, en partie du VIe siècle.
43
Durham. Croix saxonne.

et avait évolué d'une manière très originale. Les envahisseurs angles ou saxons n'étaient ni moins cruels ni moins barbares que les hordes qui, dès le IVᵉ siècle, s'étaient taillé un chemin vers le cœur des provinces romaines, mais leur christianisme était venu d'une autre source. La vie monastique avait pris naissance en Egypte. Les premiers moines avaient été des ermites vivant dans la solitude de leur cabane ou de leur grotte, et qui, bientôt, se groupèrent, sans toutefois abandonner l'usage de la cellule individuelle. Seuls les églises et quelques autres bâtiments étaient communautaires.

Dans ces monastères égyptiens, les moines se nommaient des cénobites et deux couvents de ce type du début du Vᵉ siècle, le Monastère Rouge et le Monastère Blanc près de Sohag, sont connus. La vie monastique sous cette forme fut appliquée pour la première fois en Europe aux îles de Lérins, près de Marseille, dès le début du Vᵉ siècle et, de là, se répandit en Irlande (Saint-Patrick, 461). Les monastères irlandais prospérèrent aux VIᵉ et VIIᵉ siècles. Leurs missionnaires allaient en Ecosse (Saint-Columba à Iona en 563), en France (Saint-Colomban à Luxeuil en 615), en Italie (Saint-Colomban, Bobbio), en Allemagne (Saint-Kilian à Würzburg, vers 690) et en Suisse (Saint-Gall en 613) ; des traces et des vestiges de monastères avec des cellules de pierre pour les moines et des bâtiments communautaires existent à Skelling Michael sur la côte ouest de l'Irlande, d'autres ont été découverts à Nendrum (dans le comté de Down ; l'église est romane) et dans différents endroits (Tintagel, Cornouailles).

La conversion de l'Angleterre fut entreprise au VIIᵉ siècle par Aidan et Cuthbert, venus de Lindisfarne et Durham. A ce moment-là précisément, une mission envoyée de Rome était, elle aussi, au travail et répandait en même temps que le christianisme une conception monastique différente de celle de l'Egypte ou de l'Irlande. Saint Benoît avait fondé le monastère du mont Cassin, dans les années 530, et la vie monastique, telle qu'elle existe aujourd'hui, suit la règle de ce saint. Le conflit entre les Irlandais et les bénédictins, entre l'idéal romain et l'idéal oriento-celtique, devait se terminer, en 664, au synode de Whitby.

En fait, l'opposition entre les personnalités et les opinions était loin d'être aussi violente qu'on aurait pu le penser au premier abord. Le protagoniste du côté romain était Théodore, archevêque de Canterbury, originaire de Tarse en Syrie, et Hadrien qui l'accompagnait était, lui, originaire d'Afrique du Nord.

Nous connaissons aussi peu de chose des architectures primitives anglo-saxonnes que mérovingiennes. Des années 700, l'Angleterre a conservé un plus grand nombre d'églises que la France, mais ces églises sont souvent de petite taille. A Canterbury et en d'autres endroits du Kent, la présence d'absides était apparemment habituelle. Dans le Northumberland et les comtés avoisinants, existent de longs bâtiments étroits, rectangulaires à leurs extrémités, comme les églises de Monkwearmouth et de Jarrow, fondées respectivement en 674 et 685. Le chœur est séparé de la nef, et l'intérieur donne l'effet d'être un étroit passage, haut de plafond, menant à une

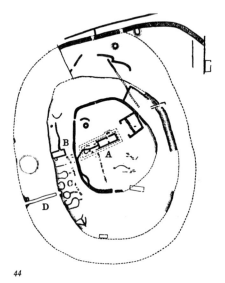

44

44
Nendrum. Plan des fouilles du monastère, probablement construit entre le VIᵉ et le VIIIᵉ siècle.
45
Würtzbourg. Eglise de la forteresse Marienberg, 706 environ.
46
Monkwearmouth (Northamptonshire). Tour de l'église.

45   46

petite pièce. Les bas-côtés n'existent pas et sont remplacés par des salles latérales, appelées *porticus* auxquelles on accède par des baies étroites plutôt que par des arcs largement ouverts [8]. La maçonnerie en est grossière et primitive. Du point de vue géographique, Brixworth, en Northamptonshire, se trouve à la frontière des deux régions; c'est la seule basilique dotée de bas-côtés qui se soit en partie conservée jusqu'à nous. Pour la construire, probablement au VIIe siècle, on avait utilisé des briques romaines.

Cependant, comme en France, les sources littéraires nous parlent de constructions d'un caractère beaucoup plus ambitieux que Brixworth même. Ainsi, par exemple, Alcuin nous rapporte que York, tel qu'il le connaissait, possédait une trentaine d'autels et une multitude de colonnes et d'arcs. Nous apprenons par lui qu'aux environs de l'an 700, Hexham était *mirabili longitudine et altitudine* et comportait de nombreuses colonnes. La crypte de cette église a d'ailleurs survécu; elle comprend des passages voûtés étroits, de très petites salles comparables à celles des catacombes romaines et à la première crypte de Saint-Pierre de Rome, construite à la fin du VIe siècle, formant un passage semi-circulaire étroit.

47

48

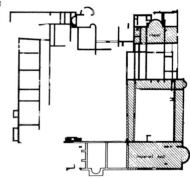

49

50

Alcuin quitta le Northumberland en 781 pour prendre la direction des écoles palatines de Charlemagne ; il devint ensuite abbé de Saint-Martin de Tours et là encore réorganisa l'enseignement. Charlemagne devenu roi en 771, puis couronné empereur d'un nouvel empire d'Occident par le pape, à Rome, le jour de Noël 800, fit venir à sa cour d'autres personnalités de grande culture : Pierre de Pise et Paul le Diacre, d'Italie, Théodulfe, d'Espagne et Eginhart, d'Allemagne, qui fut plus tard son premier biographe. Ces nominations faisaient partie d'un plan concerté de renaissance romaine d'autant plus remarquable de la part de Charlemagne, qu'il avait dû à un âge mûr s'appliquer pour apprendre à lire et à écrire. D'autre part, son existence n'avait pas été beaucoup moins dissolue que celle de ses prédécesseurs mérovingiens et par goût naturel, c'était un guerrier et un administrateur plutôt qu'un mécène.

Le style de l'architecture bâtie pour lui-même et ses successeurs est l'image de ce programme. Ses palais — il n'avait pas de capitale fixe — avec leurs salles, leurs chapelles, leurs alignements de chambres, ont un plan évidemment inspiré par celui des palais impériaux romains du Palatin ;

39

les vastes colonnades qui relient leurs différentes parties imitent celles de l'empire romain d'Orient. Pour nous représenter ces palais, il faut s'en rapporter aux fouilles et aux descriptions. Il ne subsiste, en effet, de tous ces ensembles qu'un seul édifice d'importance : la chapelle palatine d'Aix-la-Chapelle, résidence principale de l'empereur âgé. A l'origine, une colonnade de près de 120 mètres de long la reliait à la salle impériale (il ne nous reste de cette dernière que de grands murs sans décoration).

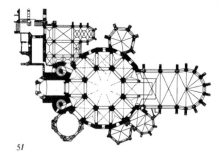

51

Une statue équestre de Théodoric, butin pris à Ravenne, était placée, sorte de symbole, au milieu de l'avant-cour bordée d'une colonnade. Les colonnes de la chapelle, comme sans aucun doute la conception même de son plan, venaient également d'Italie. L'architecte, en effet, s'inspira manifestement de San-Vitale mais comme il ne comprenait pas la signification des niches arrondies placées entre le déambulatoire et l'octogone central, il les supprima, marquant de cette manière une séparation très franche entre les deux. En outre, il élimina les colonnes au niveau du sol et fit alterner de larges ouvertures très simples avec des piliers bas et massifs. La simplicité et la lourdeur de ce rez-de-chaussée (comme celles de la très grande niche de la façade) produisent une impression absolument sans rapport avec les effets spatiaux harmonieux et subtils de San-Vitale. Toutefois, les étages supérieurs semblent avoir conservé .grâce à la superposition de leurs deux ordres de colonnes antiques comme un écho de la transparence et du volume mouvant qui, tous deux, font la beauté des églises de Justinien. Le trône impérial était, en réalité, placé à l'étage supérieur en face de l'autel.

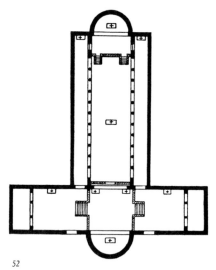

52

La chapelle d'Aix-la-Chapelle résume, à elle seule, la position historique de l'architecture carolingienne à l'extrême fin du développement paléochrétien et au début de l'évolution occidentale. Des inventions tout à la fois romaines et chrétiennes sont partout visibles, mais elles nous apparaissent tantôt déformées, tantôt rajeunies par la vigueur naïve d'une jeunesse quelque peu barbare, inhabile sans doute, mais très résolue. Quelques-unes des plus grandes églises que nous connaissions ressemblent par leur plan, et ceci d'une manière frappante, aux églises paléochrétiennes. Entre autres, Fulda, commencée en 802 et qui est directement inspirée de Saint-Pierre et des autres basiliques romaines à transept[9].

A quoi ressemblait la décoration de ces églises néo-paléochrétiennes? Nous l'ignorons, mais la charmante décoration extérieure de ce qui était le pavillon d'entrée de Lorsch en Rhénanie, un des monastères favoris de Charlemagne, nous prouve qu'une très grande élégance était possible. La façade est revêtue de dalles de pierre rouges et blanches : au rez-de-chaussée des colonnes adossées réunies par des arcs, suivant le principe du Colisée de Rome, et surmontés à l'étage, de petits pilastres cannelés. Ni les chapiteaux ni les triangles qui remplacent les arcs (motifs empruntés aux sarcophages romains et très prisés des Anglo-Saxons) ne sont d'un style correct et pourtant l'ensemble de la façade n'en reste pas moins une interprétation, remarquablement évoluée, des décorations romaines ou chrétiennes primitives.

Par contre, Centula (ou Saint-Riquier, près d'Abbeville), était dans son ensemble d'un style nordique, original et sans précédent. Cette église,

40

53

54

qui fut construite par l'abbé Angelbert, gendre de Charlemagne, entre 790 et 799, n'existe plus et nous ne la connaissons aujourd'hui que par une gravure reproduisant un dessin du XIIᵉ siècle et une description plus ancienne encore. En premier lieu, il faut dire qu'une importance égale était accordée extérieurement à ses deux extrémités est et ouest. Toutes deux étaient puissamment marquées par des tours aux étages en retrait, dressées sur la croisée des transepts, et aussi par des tourelles d'escalier plus basses — ceci formait des massifs, intéressants et variés, très différents des campaniles détachés, tels qu'on les voyait couramment dans l'Italie de cette époque. Il y avait donc deux transepts, un à l'est et un à l'ouest : à l'est, l'abside était séparée du transept par un chœur proprement dit (aux siècles suivants, cette disposition devait s'imposer et devenir presque la norme), à l'ouest, une composition spatiale assez complexe superposait une chapelle ouverte sur la nef à un porche probablement bas et voûté. Cette église-porche s'est assez bien conservée jusqu'à nous à Corvey sur la Weser, et Corvey fille de Corbie, en France, fut construite entre 873 et 885. D'anciennes descriptions nous prouvent d'ailleurs l'existence de compositions semblables dans l'ancienne cathédrale de Reims et dans d'autres églises importantes du IXᵉ et du Xᵉ siècle.

55
56

Quelques-unes des idées appliquées à Centula apparaissent encore dans l'église d'Abdinghof, dans sa forme carolingienne connue par des fouilles récentes, à Paderborn en Westphalie. Charlemagne fit construire cette église comme cathédrale ; elle renfermait un autel consacré en 799 par le pape qui devait le couronner empereur un an plus tard. Il y avait une abside occidentale flanquée de tourelles d'escalier, et un transept, comme à Fulda ; à l'est un chœur avec une autre abside comme à Centula. Le tout devait former un ensemble très animé et, peut-être, aurait-on dit la même chose de Saint-Gall, en Suisse, si cette église avait été reconstruite d'après le plan original sur vélin, d'un immense intérêt, qu'un certain évêque ou abbé, proche de la cour, avait envoyé dans les années 820 à l'abbé de Saint-Gall ; c'était un projet idéal pour la reconstruction de l'abbaye dans son ensemble. Là aussi, l'église présente, à l'ouest, une abside, flanquée de deux campaniles ronds, indépendants, et curieusement entourée par un atrium semi-circulaire ; à l'est, un chœur de faible longueur avec abside. Ce plan ressemble d'une façon frappante à celui de la cathédrale de Cologne, comme le prouvent les fouilles récemment faites. La construction qui fut commencée au début du

57

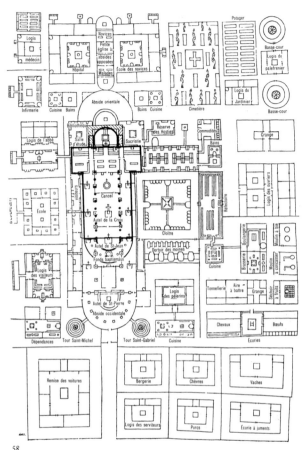

58

IXe siècle, comprenait un atrium semi-circulaire à l'ouest, tout semblable, mais, par la suite, elle fut, en 870, achevée sur d'autres plans ; à l'est, il y avait aussi, un chœur avec une abside.

Le plan primitif de Saint-Gall, où les bâtiments monastiques sont disposés autour de l'église selon les principes méthodiques d'organisation humaine conçus par saint Benoît, est profondément différent des plans qui, en Egypte ou en Irlande, laissaient une grande place au hasard. C'est un exemple du contraste entre les attitudes orientales et occidentales, et la manière dont sont disposés, dortoir, réfectoire et magasins sur le plan de Saint-Gall, servira de modèle pendant des siècles.

Cependant, une autre organisation d'église carolingienne est encore sans rapport avec tout ce que nous avons vu jusqu'ici : Germigny-des-Prés, près d'Orléans, consacrée en 806. Cette très petite église, construite sur le plan byzantin en quinconce, c'est-à-dire de la croix grecque inscrite, possède un dôme central élevé ; les quatre croisillons sont voûtés en berceau et les quatre coins du bâtiment sont également voûtés, mais plus bas. A l'abside orientale, s'ajoutent une abside au sud et une au nord et toutes trois sont

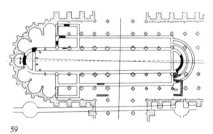

59

55
Lorsch, pavillon d'entrée de l'abbaye, fin du VIIIe siècle.
56
Corvey, église, porche, 873-885.
57
Centula (Saint-Riquier), église abbatiale, 790-799.
58
Abbaye de Saint-Gall, plan, 820 environ.
59
Cologne. Plan de la cathédrale, IXe siècle.

60

61

62

60
Germigny-des-Prés. Le chevet, 799-818.
61
Germigny-des-Prés. Intérieur, 799-818.
62
Germigny-des-Prés. La coupole centrale, 799-818.
63
Germigny-des-Prés. Le plan après les fouilles de 1930.
64
Trèves, la cathédrale, 1030-1050.

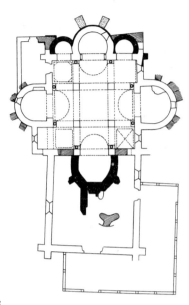

63

64

en fer à cheval, comme d'ailleurs les arcs de l'intérieur. L'église a été mal restaurée, mais les formes dont nous parlons ici sont d'origine et indiquent des influences qui ne sont ni romaines ni germaniques. Il faut, pour expliquer ces formes peu habituelles, se rappeler que Germigny fut construite par Théodulfe d'Orléans, qui, nous le savons, venait d'Espagne.

Les Wisigoths dominaient l'Espagne depuis le Ve siècle quand, au début du VIIIe siècle, la poussée islamique mit un terme à leur hégémonie. Nous ne connaissons, il est vrai, que peu de chose sur l'architecture au temps des Wisigoths, mais un groupe de trois petites églises à Tarrasa en Catalogne est, pour nous, un précieux témoin. Cette façon de grouper les bâtiments, deux églises basilicales et une sur plan central les séparant était une tradition des premiers chrétiens qui, bientôt, devait être abandonnée. Il n'en reste que de très rares exemples, dont le plus frappant, en dehors de Tarrasa, est Grado, sur la côte nord de l'Adriatique [10]. A Trèves, on a dégagé un arrangement du même genre, mais beaucoup plus grand, qui remonte au IVe siècle. A Tarrasa, l'église du milieu peut aussi bien dater du milieu du Ve siècle que de la fin du VIIe. Son plan est le même qu'à Germigny, à

45

65

66

67

cette exception près qu'il ne comporte qu'une seule abside en fer à cheval. Les arcs de l'intérieur, comme à Germigny, sont en fer à cheval; l'origine espagnole du Germigny de Charlemagne se trouve donc établie d'une manière indiscutable.

Cependant, d'autres églises espagnoles de cette époque sont d'un type très différent et se rapprochent plutôt des constructions anglo-saxonnes; San-Juan-de-Baños, par exemple, consacrée en 661, consistait à l'origine en une courte nef séparée des bas-côtés par des arcades en fer à cheval, avec des transepts exagérément en saillie; à l'est, deux chapelles rectangulaires ou sacristies dépourvues de liens organiques avec l'abside carrée et, à l'ouest, un porche rectangulaire, autre élément surajouté. Il n'y a dans cette église minuscule ni composition spatiale ni même simplement unité de plan. A l'extérieur, les colonnes qui, primitivement, longeaient les murs au nord, au sud et à l'ouest, sont d'inspiration romano-byzantine tardive, comme, soit dit en passant, l'arc en fer à cheval.

Toutefois, quand les Arabes conquirent le sud de l'Espagne au VIIIᵉ siècle, ils s'approprièrent si bien la forme du fer à cheval que ce dernier devait devenir la marque caractéristique, pendant plusieurs siècles, des architectures mauresque et mozarabe, c'est-à-dire architecture hispano-chrétienne sous l'influence arabe. Les Arabes, à l'opposé des Vikings ou des Hongrois, étaient loin d'être des barbares. Bien au contraire, leur religion, leur science, leurs villes, surtout celle de Cordoue avec son demi-million d'habitants, étaient très en avance par rapport à celles des Francs du VIIIᵉ siècle en France ou des Asturiens au Nord de l'Espagne. La mosquée de Cordoue (786-990), avec ses onze nefs, de douze travées chacune, l'entrelacement de ses arcades, les nervures compliquées de ses voûtes en étoile, possède une élégance impalpable qui se rapproche beaucoup plus de la transparence spatiale de San-Vitale que de la solide rudesse du Nord.

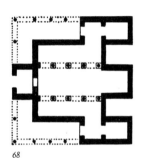

68

65
Tarrasa, VIIIᵉ siècle.
66
San Juan de Baños (intérieur) consacrée en 661.
67
San Juan de Baños.
68
San Juan de Baños. Plan. Les parties orientales ont été modifiées par la suite.
69
Cordoue, la grande mosquée, 786-990.

69

47

Grâce à ce raffinement musulman tout proche d'eux, les Asturiens font preuve, çà et là, d'une certaine légèreté qui n'existe dans aucune autre construction chrétienne de l'époque. A Santa-Maria-de-Naranco près de Léon, par exemple, les contreforts extérieurs cannelés — à la fois éléments de la structure du bâtiment et motifs de décor rappelant vaguement Rome — et l'arc triomphal, élancé, qui sépare le chœur de la nef, forment un contraste étonnant avec la lourde voûte en berceau, les étranges médaillons en forme de sceaux ou de boucliers d'où s'élancent les arcs doubleaux de la voûte et les fûts torsadés et maladroits qui alignent le long des murs leurs grossiers chapiteaux d'un seul bloc.

Ce bâtiment est d'ailleurs d'un intérêt tout particulier dans la mesure où très probablement, il fut construit entre 842 et 848, pour être la salle du trône de Ramiro Ier, roi de Asturies. C'est le seul exemple d'un tel bâtiment du haut Moyen Age encore debout. Il comporte une cave ou crypte peu élevée et voûtée, et, à l'étage supérieur, la salle proprement dite, maintenant nef de l'église. On accède à cette dernière grâce à des escaliers extérieurs qui conduisent à un porche situé au milieu de chacun des longs côtés du bâtiment. A l'origine, il y avait, à l'ouest comme à l'est, une loggia qui communiquait avec la pièce principale, par des arcades dont, nous l'avons vu, une seule s'est conservée. Le chœur actuel n'est en fait, qu'une de ces loggias dont les ouvertures ont été murées.

On chercherait en vain, dans l'architecture britannique du IXe et du Xe siècle, de telles subtilités. Quand les bâtiments sont demeurés tels qu'ils étaient ou presque, nous pouvons nous rendre compte que leurs plans étaient aussi incohérents et aussi bizarres que ceux des constructions des

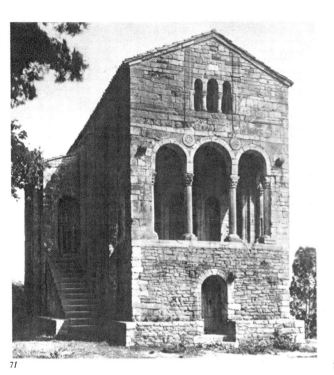

71

72

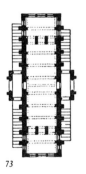

73

70
Santa Maria de Naranco (Oviedo), intérieur, 842-848 environ.
71
Santa Maria de Naranco (Oviedo).
72
Earl Barlton. Tour Xᵉ siècle ou début du XIᵉ siècle.
73
Santa Maria de Naranco. Plan.

années 700. Il est vrai que l'on rencontre plus souvent de véritables bas-côtés, une organisation cruciforme avec croisillons, et une sorte de croisée du transept. On remarque aussi, à l'extrémité ouest des églises, les tours là où avant il n'y avait que les porches. Les plus anciennes semblent dater du Xᵉ siècle. Toutefois, la décoration, comparée à celle si techniquement parfaite des Croix de Ruthwell et de Reculver, n'a été qu'en se dégradant. La tour d'Earl Barton, qui date des années 1000, est un exemple typique de décoration purement architecturale. Seuls trois forts boudins très simples au niveau des trois étages, sont des éléments de décoration soulignant la structure interne. Le reste, c'est-à-dire les motifs en ruban qui semblent de bois et qui sont disposés soit verticalement à la manière d'une rangée de tuteurs, soit au sommet de la tour, en losanges irréguliers, n'a aucune signification structurale. Ces motifs sont pourtant, par rapport à l'art carolingien, dans la même situation que les décorations de l'art des Asturies par rapport au style musulman. Mais, alors que la proximité quotidienne des civilisations arabe et espagnole donnait naissance au langage métissé de Naranco et du style mozarabe du Xᵉ siècle, les constructeurs britanniques ramenaient les motifs romanisants de la décoration carolingienne à une rusticité disgracieuse. Le chaînage d'angle de la tour d'Earl Barton, et de tant d'autres tours anglaises de la même époque, est encore un indice de la lourdeur d'esprit et de l'inexpérience manuelle de ces derniers « architectes » anglo-saxons, si toutefois ils méritent le nom d'architectes.

Le style Roman

1000 à 1200 (*environ*)

Moins de trente ans après la mort de Charlemagne, son empire fut divisé. A partir de ce moment-là, la France et l'Allemagne devaient s'engager chacune sur un chemin différent. Des luttes intérieures, opposant les comtes aux comtes, les ducs aux ducs, ébranlèrent les deux pays, et, de l'extérieur, les Vikings vinrent ravager les contrées du nord-ouest ; on les appelait Normands en France, Danois en Angleterre. D'autre part, les Hongrois menaçaient l'est de l'empire et les Sarrasins — autrement dit les Arabes musulmans — le sud. Aucun progrès possible, donc, pour les arts ni pour l'architecture ; d'après les vestiges qui nous en restent, les œuvres de cette époque étaient presque aussi primitives que celles des Mérovingiens. Ceci en dépit du maintien de certaines formes, apparues sous Charlemagne et ses successeurs immédiats, mais qui n'étaient utilisées que par des esprits obtus et frustes. D'autre part, si l'on considère que les siècles précarolingiens étaient restés jusqu'à un certain point sous l'influence de l'architecture romaine, cette période, qui va des environs de 850 jusqu'à l'année 950, semble plus barbare encore.

Pourtant, c'est précisément pendant ces années assombries et troublées que furent jetés les fondements de la civilisation médiévale. La féodalité se développa, sans qu'on en connaisse exactement l'origine, jusqu'au jour où elle devint la charpente de toute vie sociale au Moyen Age ; cette organisation, qui comme la religion et l'art médiévaux est à la fois typique et unique, unissait le seigneur à son vassal, par des liens si vagues, liés de telle sorte à une symbolique, qu'il nous est difficile de la considérer comme un système. A la fin du Xe siècle, elle acquit sa forme définitive au moment où, dans l'empire, la stabilité politique fut rétablie. Otton le Grand fut couronné à Rome en 962 ; à la même époque, le premier mouvement de réforme monastique se répandit à travers l'Occident, depuis Cluny en Bourgogne. Maïeul, l'un de ses plus célèbres abbés, fut intronisé en 965, et c'est en ce temps-là que fut créé le style roman.

Pour bien décrire un style en architecture, il faut analyser ses caractères sans oublier toutefois que ces derniers, à eux seuls, ne font pas le style, s'ils ne sont pas tous animés par une même idée. Ainsi peut-on reconnaître, isolés dans l'architecture carolingienne, plusieurs des motifs essentiels du premier art roman auxquels seule une combinaison nouvelle pourra, malgré tout, donner leur pleine et entière signification.

74
Tournus. Saint-Philibert, église abbatiale, chapelle haute du narthex début du XIe et XIIe siècle.

75

76

A la fin du Xe siècle, les changements les plus significatifs sont ceux apportés en matière de plan — trois surtout, qui tous trois viennent d'une volonté nouvelle d'articuler et d'ordonner nettement les espaces. Ce dernier trait est des plus caractéristiques. La civilisation occidentale commençait à peine à prendre forme que son architecture s'exprimait déjà, à ce moment reculé de son histoire, en termes d'espace, dans un esprit opposé à celui de l'art des Romains ou des Grecs, art de sculpture. Ici, l'espace, contrairement aussi à celui de l'architecture byzantine ou paléochrétienne, qui, lui, était animé d'un flottement magique, devient organisé, planifié et groupé. La partie orientale des églises romanes s'ordonne selon deux types principaux, conçus en France : le plan rayonnant et le plan en échelon. Les plus anciens exemples qui nous restent de plan rayonnant se trouvent à Tournus et à Notre-Dame-de-la-Couture au Mans, églises qui datent l'une et l'autre des premières années du XIe siècle. L'église Saint-Martin de Tours, un des plus fameux sanctuaires de la chrétienté, était peut-être, telle qu'elle se présentait reconstruite après l'incendie de 997 (consécrations en 1014 et 1020), à l'origine de ce type de construction. Certains archéologues français attri-

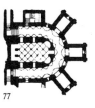

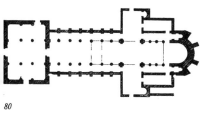

75
Tournus. Saint-Philibert, la tour et le chevet vus du sud.
76
Tournus. Saint-Philibert, le chevet.
77
Tournus. Saint-Philibert. Plan de la crypte.
78
Tours. Plan du chœur de l'église Saint-Martin commencé en 997. Les traits noirs représentent les murs de l'église de 997 consacrée en 1014 et 1020.
79
Tours. Reconstruction de l'église Saint-Martin.
80
Cluny II, fin du Xᵉ siècle. Plan.

buent ce même plan à la cathédrale de Clermont-Ferrand, reconstruite en 946, et quelques Américains voudraient même le faire remonter plus haut, à une reconstruction de Tours qui se place en 903-918. Le problème est délicat et demanderait une étude approfondie. Ce qui est certain, cependant, c'est que dans l'architecture carolingienne, spécialement à St-Philbert-de-Grand-Lieu (Déas) en 836-53, à St-Germain d'Auxerre en 841-59, et à Flavigny, avant 878, la disposition d'un déambulatoire derrière l'abside avec des chapelles s'y rattachant avait été expérimentée, du moins au niveau de la crypte. Les développements parallèles, en Allemagne, sont jalonnés par Corvey consacrée en 844, Verden vers 840 et peut-être la cathédrale d'Hildesheim. La distance entre de telles solutions et l'aboutissement roman final paraît courte, mais c'est la distance qu'il y a entre une disposition vague et une autre fermement établie dans l'espace et standardisée.

Le plan en échelon, lui, se manifeste pour la première fois à Cluny, dans l'église abbatiale réédifiée par l'abbé Maïeul et consacrée en 981. Les raisons fonctionnelles de ces deux plans étaient, d'une part le développement du culte des saints, d'autre part la coutume de plus en plus répandue chez les prêtres de dire quotidiennement leur messe. En conséquence, un plus grand nombre d'autels était nécessaire, d'où l'aménagement de nombreuses chapelles dans les parties orientales de l'église, réservées au clergé, solution qui sembla s'imposer. On peut imaginer avec quelle maladresse les architectes anglo-saxons ou asturiens auraient procédé à cette opération. L'architecte de la nouvelle époque va, lui, grouper les différentes chapelles pour en faire un tout uni et cohérent, soit en prévoyant, autour de l'abside, un déambulatoire avec des chapelles rayonnantes, soit en prolongeant, au-delà des transepts, les bas-côtés terminés par une abside parallèle ou presque à l'abside principale; il ajoute à ceci une, deux, ou même trois chapelles ménagées dans le mur est de chaque croisillon.

Presque exactement au moment où les Français commençaient à dégager ces nouvelles formules, en Saxe, province située au cœur de l'empire d'Otton, juste au nord des montagnes du Harz, on trouve une autre combinaison destinée à régler l'ordonnance de toute une église et qui sera appliquée par les architectes de l'Europe centrale pendant deux siècles. La construction de l'église Saint-Michel à Hildesheim fut entreprise immédiatement après l'an 1000. Cette église, développement logique des idées appliquées en premier lieu à Centula, possède deux transepts, deux chœurs et deux absides. L'extrémité ouest avait un déambulatoire extérieur autour de l'abside, comme cela avait été dessiné pour le St-Gall carolingien, comme cela avait existé pour Cologne à la même époque, et existe encore à Brixworth. A Hildesheim, le déambulatoire était ouvert vers la crypte — située sous le chœur et l'abside — par de lourdes arcades, et, fait curieux, il était beaucoup plus élevé que la crypte. Il avait un portail ouest. Une ordonnance moins simpliste et plus intéressante par son rythme même, vient ainsi remplacer la monotonie des églises paléochrétiennes. Saint-Michel dépassait définitivement Centula, la nef y était divisée en trois carrés (ils ne sont pas exactement carrés, mais sans aucun doute étaient censés l'être), les bas-

81

82

côtés séparés de la nef par des arcades avec alternance des supports ; des piliers, destinés à bien marquer les angles des carrés, encadraient deux colonnes intermédiaires. Les croisées de la nef avec les transepts étaient nettement individualisées par des arcs triomphaux, non seulement à l'est et à l'ouest mais également au nord et au sud. Dans les constructions ultérieures, les croisillons seront carrés aussi, et les bas-côtés à leur tour, se décomposeront en une suite de carrés ; à Hildesheim, un chœur oriental de cette forme fut intercalé entre la croisée du transept et l'abside et des chapelles vinrent se greffer sur les croisillons parallèlement à l'abside principale. Ceci formait un plan complexe mais cependant pleinement dominé par la logique d'une raison active et cohérente.

Nous ignorons par qui fut imaginée cette disposition mais nous savons toutefois, et nous n'avons aucune raison d'en douter, que l'évêque saint Bernward, celui qui entreprit la construction de Saint-Michel, était, d'après son biographe, « éminent dans la pratique des lettres, expérimenté dans l'art de peindre, excellent dans l'art et la science de fondre le bronze,

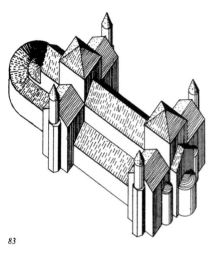

83

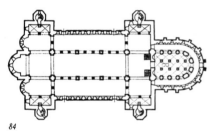

84

85

aussi bien que dans toutes sortes d'entreprises architecturales ». En même temps, nous savons, par exemple, d'Aethelwold, le grand évêque anglais, qu'il était un *theoreticus architectus*, versé dans l'art de construire et de réparer les monastères ; de Benno, évêque d'Osnabrück, au XIᵉ siècle, qu'il était un « architecte de premier plan, très habile à ordonnancer les travaux de maçonnerie ». Nous possédons également le plan de Saint-Gall, des environs de l'année 820, dont nous avons déjà parlé et qui, manifestement, était l'œuvre de l'abbé ou de l'évêque qui l'avait expédié. Ce fait, joint à d'autres références contemporaines, vient justifier l'hypothèse suivante : alors que toutes les opérations de construction proprement dites étaient, en toute circonstance, confiées à un maître maçon, la conception d'ensemble des églises et des monastères pouvait être souvent due à des clercs dans le même sens au moins que l'on peut attribuer à lord Burlington la responsabilité du dessin général de sa villa de Chiswick, ou bien à Frédéric le Grand, le dessin général de Sans-Souci à Potsdam. Après tout, au XIᵉ siècle, presque tous les gens instruits, sensibles ou cultivés, étaient d'Eglise.

86

87

L'élévation des églises du XIᵉ siècle nous indique, comme leur plan, une même tendance à coordonner l'espace en éléments juxtaposés. A Saint-Michel d'Hildesheim, l'alternance des points d'appui suivant le rythme a b b a b b a (a étant un pilier carré, b une colonne) contribue à diviser les murs sur toute leur longueur, et finalement l'espace même qu'ils enserrent, en unités distinctes. Dans l'art roman d'Europe centrale, cette façon de procéder devint habituelle. Plus à l'ouest, et particulièrement en Angleterre, une autre méthode tout aussi efficace fut développée pour obtenir le même effet, méthode créée en Normandie au début du XIᵉ siècle. A cette époque, les Normands vivaient dans le nord-ouest de la France depuis cent ans, et ne ressemblaient plus aux aventuriers vikings, qu'ils avaient été. Devenus les suzerains perspicaces, décidés et entreprenants d'un vaste territoire, ils avaient adopté ce qu'ils jugeaient utile dans le système féodal et la réforme de Cluny. Ils avaient naturellement coloré ces emprunts du dynamisme propre à leur race. Au XIᵉ et au XIIᵉ siècle, ils conquirent la Sicile et certaines parties de l'Italie du Sud pour y créer une civilisation des plus intéressantes,

56

mélange des méthodes administratives normandes les plus évoluées et du meilleur de la pensée et des habitudes sarrasines. Dans l'intervalle, ils avaient envahi l'Angleterre et remplacé la civilisation des peuples qui les avaient précédés dans ce pays par leur style de vie, incontestablement supérieur. Le style normand en architecture est, dans les pays de l'ouest, la version la plus cohérente du Premier Roman et s'il exerça une très forte influence en France au XIe siècle, en Angleterre il fit mieux : il détermina toute l'architecture anglaise du Moyen Age.

Le principe nouveau consistait à séparer les travées entre elles par de hautes colonnes engagées, s'élevant du sol jusqu'à un plafond entièrement plat ; l'art de voûter une nef était, en effet, bel et bien perdu. Là encore fut créée une ordonnance qui, au premier abord, nous transmet une impression de certitude et de stabilité. Pas plus d'hésitation qu'il n'y en avait dans la politique sans scrupules, par laquelle Guillaume le Conquérant soumit l'Angleterre pour en faire une terre normande. Les formes employées par les architectes pour la construction de tous ces bâtiments primitifs ecclésiastiques ou civils sont brutales, massives et d'une lourdeur écrasante. Le donjon normand est un autre type d'expression architecturale importée de France, puisque le plus ancien donjon datable est celui de Langeais sur la Loire, élevé en 992. Mais les plus grands sont anglais, la Tour Blanche à Londres (36m sur 32m), et le donjon de Colchester dans l'Essex (46m sur 34m) qui sont tous les deux du dernier tiers du XIe siècle. Ils sont trapus aussi et présentent le même mépris de l'ornement que les églises normandes. Bien sûr, cette nudité pouvait se justifier par des raisons tactiques mais elle était aussi un moyen d'expression esthétique, comme peut le prouver son rapprochement possible avec le transept de la cathédrale de Winchester (vers 1080-1090) par exemple. A Winchester, bien que percé par des arcades au niveau du sol et au niveau de la tribune, puis par un passage étroit devant les fenêtres hautes, le mur massif reste l'élément principal. Partout nous sommes soumis à sa forte présence et les grandes colonnes engagées sont elles-mêmes massives comme d'énormes troncs d'arbre. Les colonnes de la tribune sont courtes et robustes, avec de simples chapiteaux cubiques, qui s'affirment le plus simplement possible comme la liaison entre une forme ronde et un élément de section carrée. Si la forme cubique élémentaire est abandonnée, c'est au profit du godron qui deviendra la forme favorite du chapiteau anglo-normand, dans sa forme primitive. Cette simplicité appartient typiquement au XIe siècle ; simplicité d'expression qui se traduit par l'emploi des formes les plus simples.

A la fin du siècle, des changements commencèrent à se manifester, qui tous tendaient à une spécialisation plus poussée. Partout des formes plus complexes, plus variées, plus vivantes se rencontrent ; peut-être sont-elles animées par une moindre force mais, en revanche, elles possèdent plus d'expression individuelle. Voici venir l'époque de saint Bernard de Clairvaux (mort en 1153) qui s'était donné pour tâche avouée, en tant que prédicateur (il fut l'un des plus grands du Moyen Age), d'émouvoir les cœurs et non d'exposer les Ecritures ; l'époque d'Abélard (mort en 1142), le premier à

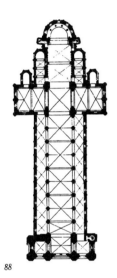

88

86
Caen. Abbaye aux Hommes, intérieur de l'église Saint-Etienne commencée vers 1050.
87
Caen. Abbaye aux Dames, intérieur de l'église de la Trinité commencée vers 1050.
88
Caen. Plan de l'église de la Trinité.

90

91

écrire un récit autobiographique de ses études et de ses amours; en Angleterre, l'époque de Henri II et de Thomas Becket (1170). Ces personnages sont des êtres humains, debout devant nous, en chair et en os; Guillaume le Conquérant, lui, nous fait l'effet d'un phénomène de la nature, irrésistible et sans pitié. Juste avant l'année 1100 — année où la chrétienté occidentale se rallie autour des bannières de la première croisade —, le travail d'avant-garde était accompli; le Premier Roman était devenu le Roman classique. En Angleterre, le moment décisif se situe à Durham qui fut commencée en 1093, voûtée pour les parties est en 1104, et pour la nef en 1130. Le vaisseau semble plus élevé qu'il n'est en réalité car au lieu d'être fermé par un plafond plat, ce qui était l'usage en Angleterre, et le restera encore quelque temps, il est couvert de voûtes d'ogives. Quand nous suivons des yeux l'ascension des colonnes engagées, notre regard ne s'arrête pas brusquement à leur sommet, mais il est emporté plus loin par les ogives de la voûte. A Durham, les voûtes du chevet (maintenant restaurées) sont les plus anciennes voûtes d'ogives d'Europe, ce qui justifie la place éminente donnée à cet édifice, dans une histoire de la construction.

92

De leur côté, entre les premières réalisations de l'art roman et celles des années 1100, les maîtres d'œuvre avaient considérablement amélioré leur technique. Voûter en pierre la nef des églises basilicales était l'ambition de ces constructeurs pour des raisons de sécurité (incendies dans les charpentes) aussi bien que pour des raisons d'esthétique. Les Romains avaient su couvrir de larges espaces mais, en Occident, avant le milieu du XIe siècle, seuls les absides et les collatéraux étaient couverts d'un berceau ou de voûtes d'arêtes. Parfois aussi, quand la nef était de faible largeur et sans bas-côtés (par exemple Naranco) ou encore plus étroite avec bas-côtés, elle comportait une voûte en berceau.

Ainsi en France des cryptes et des oratoires tels que Saint-Irénée à Lyon, du Ve siècle. Glanfeuil, du VIe siècle, Saint-Germain d'Auxerre, des environs de 850, et, hors de France, les parties est de Santa-Maria-della-Valle à Cividale, du VIIIe ou IXe siècle, la chapelle de Saint-Zénon, de Sainte-Praxède à Rome, vers 820, Saint-Wipert à Quedlinburg en Saxe, vers 930, et Saint-Martin-du-Canigou en Catalogne française, de 1009, tard venu et dont l'importance historique a été exagérée par Puig y Cadafalch.

Désormais, la technique pour voûter le vaisseau des plus grandes églises était acquise et ceci, comme presque toujours quand une nouveauté est la pleine expression de l'esprit d'une époque, par plusieurs architectes de talent dans différents pays et au même moment. La Bourgogne resta fidèle au berceau pesant. Les plus anciens sont apparus pour la première fois en

93

France au début du XIe siècle (étage supérieur de l'église-porche, à Tournus) ; ceux de Cluny, quand ce monastère, le plus puissant d'Europe, fut reconstruit vers 1100, avaient une ouverture de douze mètres et une hauteur d'environ 30 mètres. Spire, cathédrale impériale sur le Rhin, reçut dans les années 1080 ses premières voûtes d'arêtes, qui étaient encore plus larges (14 mètres) et plus hautes (32 mètres), et qui sont vraisemblablement les premières voûtes d'arêtes construites sur une telle échelle, dans l'Europe du Moyen Age ; un peu plus tard il y eut Durham. On discute encore pour déterminer les dates respectives des plus anciennes voûtes (Saint-Ambroise à Milan est un sujet tout particulier de controverse ; les uns considérant ses voûtes d'ogives comme une réalisation d'avant-garde alors que les autres les attribuent au deuxième ou au troisième quart du XIIe siècle). Toutefois, les initiatives puissantes prises au cours de la seconde moitié du XIe siècle restent indiscutées.

Les voûtes de Durham sont extrêmement remarquables du fait que, d'ordinaire, les voûtes d'ogives, opposées aux voûtes d'arêtes sans nervures, sont reconnues comme une des caractéristiques du style gothique. Leurs avantages techniques, notamment la possibilité d'établir les nervures et les autres arcs sur des cintres séparés, pour remplir par la suite les voûtains par des matériaux plus légers, seront discutés plus loin. Comme l'a démontré John Bilson, ces avantages étaient déjà pleinement obtenus à Durham, dont le style n'est pas gothique pour autant. En effet, les nouveautés techniques ne créent jamais un nouveau style, qui peut cependant les accepter et en tirer parti. La principale raison qui ait incité l'architecte de Durham à introduire un motif aussi expressif que la voûte d'ogives est le fait même que cette dernière soit si expressive et qu'elle représente l'ultime démarche de cette tendance à l'articulation qui anima les architectes romans pendant plus d'un siècle. Maintenant les travées sont devenues des unités non seulement grâce aux lignes sur les murs qui les délimitaient suivant deux dimensions, mais aussi grâce à ces arcs diagonaux qui, franchissant la voûte, ajoutent à chaque travée la troisième dimension qu'elle n'avait pas. A l'endroit où les deux nervures se rencontrent, là où plus tard les architectes placeront leur clef de voûte, se trouve le centre de ces travées unifiées. Nous progressons à travers la cathédrale, non plus conduits sans halte vers l'autel, comme dans les églises paléochrétiennes, mais de compartiment en compartiment, sur un rythme nouveau et mesuré.

A Durham, la voûte d'ogives communique à toute la structure de l'église une légèreté qui s'oppose à la lourdeur accablante des murs inertes limitant les intérieurs du XIe siècle. Cette vivacité se retrouve dans l'allure plus animée des arcades et de leurs moulures, et aussi dans l'introduction de quelques motifs décoratifs aigus, particulièrement les zigzags. Pourtant, malgré cette accélération du rythme, l'architecture, à Durham, est loin d'être enjouée ou toute en mouvement. Les piliers circulaires des arcades restent d'une force assez écrasante et l'importance même de leur masse se trouve soulignée par une décoration très simple de zigzags, de losanges ou de cannelures, taillée avec une extrême délicatesse sur toute la surface. Soit dit en passant, le fait qu'à Durham toute cette décoration soit abstraite n'est pas caractéristique de l'architecture romane en général mais seulement de l'architecture normande en Angleterre, comme en Normandie. L'Allemagne, il est vrai, créa à la fin du Xe siècle un type de chapiteau encore plus strictement abstrait, celui que nous appelons le chapiteau cubique, connu aussi sous le nom moins frappant de chapiteau à coussinet. Mais en France, en Espagne, en Italie, on trouve de nombreux exemples de chapiteaux à feuillage et à figures ou à scènes, et ceci commence déjà au Xe siècle et atteint une perfection remarquable au milieu du XIe (San-Pedro-de-Nave, Jaca, St-Isidore-de-Léon, St-Benoît-sur-Loire). En Angleterre, les exemples les plus connus de cette technique, et ceci est assez significatif, se trouvent à l'intérieur de la crypte de Canterbury datant des environs de 1120. Par Canterbury le style du continent s'était déjà introduit en Angleterre dans les années 600 ; une telle pénétration devait s'y reproduire en 1175. Les chapiteaux de Canterbury sont ornés de feuillage, certains même d'animaux, que toutefois l'étude de la nature n'a pas inspirés directement. Ces motifs, en effet,

94

94
*Canterbury. Crypte de la cathédrale, vue de
l'ouest, 1110-1130 environ.*
95
*Saint-Benoît-sur-Loire. Chapiteaux de la chapelle
haute.*

sont copiés sur des répertoires, conservés par les ateliers de maçons et composés d'après les manuscrits enluminés, les ivoires et les réalisations antérieures de l'atelier, etc. La notion même d'originalité comme celle de l'observation de la nature étaient inconnues. Le style, force de discipline restrictive, imposait sa loi et n'était pas plus discuté que l'autorité reconnue en matière de religion. Pourtant, l'architecture de Durham, par rapport à celle de Winchester, s'est humanisée ; les chapiteaux du XIIᵉ siècle font plus de concessions à la nature humaine que les chapiteaux cubiques, de règle en Angleterre au XIᵉ siècle ; de même le langage de saint Bernard nous semble plus humain et plus personnel que celui des théologiens antérieurs.

L'extérieur de la cathédrale de Durham offre aux yeux l'un des plus beaux spectacles de l'Angleterre. Flanquée par le palais épiscopal, l'église se dresse devant nous, au sommet d'une haute colline boisée ; sa puissante tour, au-dessus de la croisée du transept, est équilibrée à l'ouest par deux tours plus élancées. Ces dernières datent du XIIIᵉ siècle et la tour centrale elle-même (autrefois surmontée d'une flèche) du XVᵉ ; aucun de ces trois éléments n'est donc, dans sa forme actuelle, de style normand. Cependant, des tours étaient généralement prévues dès le départ, par les architectes, et là où elles ont été construites, elles se terminent par des flèches de moyenne hauteur, comme celle de Southwell par exemple. L'extérieur des églises romanes était donc aussi différent que leur intérieur de celui des basiliques paléochrétiennes. Alors qu'à Saint-Apollinaire-le-Neuf l'extérieur ne comptait presque pas (quand il y avait des clochers, ils étaient détachés du corps de l'église) quelques églises carolingiennes et la plupart des plus grandes églises étaient conçues pour faire parade de leur splendeur aussi bien à l'extérieur qu'à l'intérieur. Saint-Michel d'Hildesheim, avec ses deux chœurs, ses deux tours au-dessus des deux croisées du transept et ses tourelles d'escalier à chaque extrémité des deux transepts, est l'exemple le plus ancien qui nous soit resté d'un extérieur purement roman.

L'Allemagne a tenu un rôle de premier plan à la fois dans le développement des arts et de l'architecture au début et au milieu du XIᵉ siècle. C'était le temps où la dynastie des Ottoniens et celle des Saliens tenaient le pouvoir, le temps qui précéda l'humiliation de l'empereur Henri IV devant un pape de l'ordre de Cluny. Rien, dans l'art italien ou français, ne peut rivaliser avec les portes en bronze de la cathédrale d'Hildesheim. Parallèlement, en architecture, Spire, nous l'avons déjà dit, possédait sans doute l'un des plus anciens vaisseaux voûtés d'Europe. Ces voûtes étaient un élément surajouté à une cathédrale construite entre 1030 et 1060 et qui, à l'origine, comportait encore un plafond plat en bois. Les maîtresses poutres de ce plafond reposaient sur des colonnes engagées, immensément hautes, qui montaient depuis le sol jusqu'au sommet, exactement semblables d'une travée à l'autre. Entre les colonnes engagées se dessinaient sur le mur des arcs de décharge qui enfermaient à la fois les grandes arcades ouvertes vers les bas-côtés, en bas, et les fenêtres hautes, au-dessus. Ce mouvement plein de grandeur et d'austérité fut vraisemblablement inspiré par l'architecture romaine tardive de Trèves. A Cologne, la principale réalisation contempo-

96
Jumièges. Façade de l'église Notre-Dame commencée en 1040.

96

97

98

raine, Sainte-Marie-au-Capitole (commencée vers 1030), fut tout aussi audacieuse et dépourvue d'ornements. Le dessin de l'abside et de son déambulatoire se répète aux extrémités nord et sud du transept, ce qui donne un plan tréflé; les croisillons voûtés en berceau ne comportent qu'un minimum de décorations sculptées, pour ne pas trop détourner l'attention de cet ensemble majestueux, qui fait présager la Renaissance, tout en restant vigoureusement attaché aux conceptions byzantines.

Un autre élément, encore plus important pour l'avenir de l'architecture européenne, fut, semble-t-il, lui aussi employé pour la première fois dans l'Allemagne du XIe siècle: il s'agit de la façade à deux tours, qui apparaît pour la première fois à la cathédrale de Strasbourg, telle qu'elle se présentait en l'an 1015. L'idée de ce motif fut, toutefois, immédiatement reprise par la plus entreprenante des provinces françaises, la Normandie, puis, passant par Jumièges (1040-1067) et les deux églises abbatiales de Guillaume le Conquérant (la Trinité et Saint-Etienne à Caen, 1065-1080 environ), elle parvint en Angleterre.

99

97
*Caen. Abbaye aux Dames, façade de l'église de
la Trinité commencée vers 1050.*
98
*Caen. Abbaye aux Hommes, façade de l'église
Saint-Étienne commencée vers 1050.*
99
*Durham. La cathédrale vue du sud-ouest commen-
cée en 1093.*

Peut-être ne devrions-nous pas parler de la France, en tant que
nation, au XIe et au XIIe siècle. La France était encore divisée en provinces
séparées qui se faisaient la guerre et, de ce fait, il n'y avait pas d'école
d'architecture valable à l'échelle nationale, tandis qu'en Angleterre, il en
existait déjà une, grâce aux rois normands. En France, les écoles les plus
marquantes sont celles de Normandie, de Bourgogne, de Provence, d'Aquitaine (c'est-à-dire à peu près l'ensemble des pays du Sud-Ouest), d'Auvergne
et de Poitou. Ces écoles, aux particularités relativement statiques, étaient
traversées par un fort courant, parti de l'ouest et du nord de la France
allant jusqu'au nord-ouest de l'Espagne, formé par les principales routes de
pèlerinages. Au Moyen Age, en effet, les pèlerinages étaient le principal
moyen de communication culturelle et le rôle qu'ils ont joué sur l'aménagement des églises est évident. On peut les suivre depuis Chartres, par
Orléans, Tours, Poitiers, Saintes, jusqu'en Espagne ; depuis Vézelay, par Le
Puy et Conques, ou par Périgueux et Moissac jusqu'en Espagne ; également
depuis Arles, Saint-Gilles et Toulouse, toujours pour aboutir en Espagne.

Le but final était Saint-Jacques-de-Compostelle, sanctuaire aussi réputé que Jérusalem et Rome. Cluny joua un grand rôle dans le développement de ces itinéraires, bien que, les principales églises : Saint-Martial à Limoges, presque achevée en 1095 (maintenant détruite) ; Saint-Sernin à Toulouse, commencée vers 1080, la plus grandiose extérieurement ; Saint-Jacques elle-même (commencée en 1077), aient en commun certains traits qui les différencient, paradoxalement, de l'église abbatiale de Cluny elle-même. Ce sont de grands édifices sombres avec des tribunes, au-dessus de leurs grandes arcades, et des voûtes en berceau ce qui élimine les fenêtres hautes. Leur chevet est constitué, comme à Tours, par un déambulatoire et des chapelles rayonnantes et l'on a d'ailleurs affirmé que cette dernière église leur avait servi de modèle. Quoi qu'il en soit, Cluny, répétons-le, ne fut certainement pas ce modèle. L'abbaye de Cluny, telle qu'elle fut rebâtie à la fin du XIᵉ siècle (maître-autel consacré en 1095) et au début du XIIᵉ (elle a été détruite par les Français eux-mêmes en 1810), comportait deux transepts ce qui, par la suite, deviendra la règle pour les cathédrales anglaises. Chaque croisée de transept était surmontée par une tour octogonale. Le transept occidental, le plus important, présentait, en outre, à droite et à gauche de la croisée, deux tours également octogonales (l'une d'elles s'est conservée jusqu'à nous), et, sur chacun de ses croisillons deux absidioles orientées. Le transept oriental était également muni de quatre absidioles ; d'autre part, le sanctuaire possédait un déambulatoire, sur lequel s'ouvraient cinq chapelles rayonnantes. Ainsi vue de l'est, l'église s'élevait graduellement et dans une lente progression soigneusement calculée, depuis les chapelles basses rayonnant autour du déambulatoire, en passant par l'abside principale, le toit du sanctuaire, la tour de la croisée orientale, jusqu'à la plus haute tour, un peu plus loin à la croisée de l'ouest. Cette structure était si complexe, si polyphonique, qu'en Occident les siècles précédents n'auraient jamais pu en imaginer une semblable et que les Grecs l'auraient détestée. Elle est pourtant et sans doute l'expression du plus haut moment de la chrétienté médiévale, moment où la réforme ecclésiastique avait conquis le trône des papes, affirmé la supériorité de la tiare pontificale sur la couronne impériale et envoyé la chevalerie européenne à la défense de la Terre Sainte, lors de la première croisade, en 1095.

Un autre motif qui distinguait Cluny des autres églises situées sur les itinéraires du pèlerinage de Saint-Jacques est typiquement bourguignon : l'élévation intérieure avec ses grandes arcades brisées, son faux triforium (qui n'est pas une tribune) et ses fenêtres hautes. Peut-être pour la première fois en Europe, la voûte en berceau est brisée. Les détails, surtout ceux du triforium, montrent une curieuse connaissance d'antécédents romains : et en Bourgogne, de nombreux vestiges de l'Antiquité se prêtaient, il est vrai, facilement à l'étude. Les pilastres cannelés (encore un motif romain), l'arc brisé, la voûte en berceau et le faux triforium, remplaçant la tribune, caractérisent aussi la cathédrale d'Autun, qui date du début du XIIᵉ siècle. La splendide église de la Madeleine à Vézelay, qui est à peu près contemporaine, n'a pas même de triforium mais présente simplement de grandes arcades et de larges fenêtres hautes. Ici les voûtes sont d'arêtes,

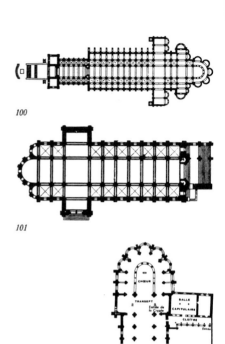

100

101

102

100
Cluny III, fin du XIᵉ siècle, début du XIIᵉ siècle. Plan.
101
Autun. Cathédrale. Plan.
102
Vézelay. Basilique de la Madeleine. Plan.
103
Autun. Cathédrale, intérieur, début du XIIᵉ siècle.
104
Vézelay. Basilique de la Madeleine, nef début du XIIᵉ siècle.
105
Conques. Église Sainte-Foy, nef fin du XIᵉ siècle.
106
Conques. Église Sainte-Foy, extérieur vu du nord-est, fin du XIᵉ siècle.

103

104

105

106

107

108

comme à Spire. Les reliques de la Madeleine, que l'église était censée posséder, en firent un haut lieu de pèlerinage. Une petite ville s'étage jusqu'à ses
murs qui s'élèvent au sommet de la colline. L'accès principal se fait à travers
un narthex de trois travées (motif clunisien) et par un portail à personnages
sculptés, l'un des plus impétueux de tout l'art roman. La nef, elle, ne con-
serve rien de cette violence. Avec, dans le lointain, son sanctuaire plus tardif
et plus léger, sa longueur d'environ 60 mètres (du narthex au transept), sa
nef d'une hauteur inhabituelle, ses arcs en pierre grise et rose alternée,
la profusion inépuisable de ses chapiteaux couverts de scènes bibliques, elle
possède une noblesse de proportions et une superbe magnificence, tout en
étant d'un style aussi vigoureux que celui de Durham.

En dehors de l'école bourguignonne, importante mais exception-
nellement variée, les autres écoles régionales présentent un ensemble de caractères plus uniformes et plus facilement lisibles. Les églises auvergnates,
telles Notre-Dame-du-Port à Clermont-Ferrand et Issoire, ressemblent assez
aux différents sanctuaires de pèlerinage, bien que la lave dont elles sont
construites leur donne un aspect plus sombre encore. Leurs traits régionaux
distinctifs (quatre chapelles rayonnantes au lieu de trois ou cinq et un
massif surélevé au-dessus des travées internes du transept pour contrebuter au nord et au sud la tour de la croisée) n'ont pas une très grande
signification stylistique. Les autres écoles sont plus individualisées. Les églises de Provence, Arles par exemple, sont hautes, de faible largeur et voûtées

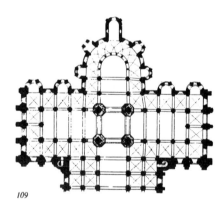

109

107
*Toulouse. Chevet de Saint-Sernin, consacrée en
1096.*
108
*Toulouse. Saint-Sernin, tribunes, début du XIIe
siècle.*
109
Toulouse. Plan de Saint-Sernin.
110
Saint-Jacques-de-Compostelle, cathédrale. Plan.
111
*Saint-Jacques-de-Compostelle, cathédrale com-
mencée en 1077.*

70

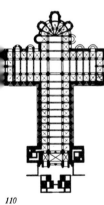

110

111

112

113

en berceau brisé. Quand elles ont des bas-côtés, ces derniers sont étroits, voûtés en berceau ou demi-berceau. Elles n'ont pas de tribune mais des fenêtres hautes. Les détails de la décoration montrent, comme en Bourgogne, et même d'une façon encore plus évidente, la renaissance concertée de motifs classiques. Ce qui ne surprend guère dans une province aussi riche en vestiges romains. Le premier exemple en est le portail de Notre-Dame-des-Doms à Avignon.

En Normandie, et jusqu'à la fin du XIe siècle, c'est-à-dire à l'époque de la voûte d'ogives de Durham, les espaces plus larges restaient, semble-t-il, couverts d'une charpente. A Jumièges, comme à Saint-Etienne de Caen, il y a de vastes tribunes et de larges fenêtres hautes. Les maîtresses poutres, comme nous l'avons vu plus haut, étaient exactement comme à Spire, posées sur des colonnes engagées, semblables à des mâts, qui s'élançaient du plancher jusqu'au toit. La voûte la plus précoce semble avoir été la voûte d'arêtes sur le chœur de la Trinité de Caen, datant des dernières années du XIIe siècle. Aussitôt que la voûte d'ogives de Durham fut connue, quand on

115

114

112
Clermont-Ferrand. Notre-Dame-du-Port commencée en 1099, intérieur.
113
Issoire. Chevet de l'église, XIIᵉ siècle.
114
Arles. Saint-Trophime, intérieur, fin du XIIᵉ siècle.
115
Avignon. Notre-Dame-des-Doms, le porche, XIIᵉ siècle.

remplaça les plafonds des deux églises de Caen, la Trinité et St-Etienne, on employa la voûte sexpartite, et non quadripartite. Ce système permettait aux travées d'être carrées, et en même temps leur donnait six supports au lieu de quatre. Ces voûtes sexpartites datent de 1115-20 environ.

En Poitou, se développe un système absolument différent. Les bas-côtés y sont étroits et s'élèvent à la même hauteur que la nef. Il n'y a donc ni tribunes ni fenêtres hautes. Ce style, que les Allemands appellent celui de l'église-halle, rend les intérieurs sombres, sévères, mais d'une impressionnante unité spatiale. La plus spectaculaire de ces églises est Saint-Savin dont la nef et les bas-côtés sont voûtés par des berceaux parallèles et séparés entre eux par de grandes arcades sur des piliers circulaires lisses formant une rangée quelque peu menaçante. L'édifice date du XIIᵉ siècle et est donc postérieur à ces églises de l'ouest de l'Angleterre qui adoptaient volontiers cette même ordonnance (Tewkesbury, 1087, Gloucester, etc.). C'est un thème de composition très impressionnant, dont on aimerait pouvoir déterminer l'origine.

73

116

117

Finalement, il faut mentionner une autre école régionale française importante, celle d'Aquitaine, avec Angoulême et Périgueux pour capitales. On y préférait les églises à nef unique (les bas-côtés de même hauteur que la nef sont une exception) divisée en plusieurs travées couvertes de coupoles, avec ou sans transept, avec ou sans absides, avec ou sans chapelles rayonnantes (toujours sans déambulatoire). La grave majesté de leurs dômes est incomparable. Cette tendance à centraliser, tendance qui se fait jour partout où la coupole est employée, culmine à Saint-Front de Périgueux. En effet, la décision fut prise dans le deuxième quart du XIIe siècle, d'élever un bâtiment sur plan central (grande rareté dans le haut Moyen Age), en privant une église sans bas-côté de l'école d'Aquitaine de sa travée occidentale tout en lui laissant ses croisillons. De cette manière, on obtint une croix grecque dont la croisée et les quatre bras étaient des carrés. Chacun de ces compartiments comporte à son tour des embryons de croisillons et se trouve couvert par un dôme de grande dimension. L'intérieur de l'église (l'extérieur a été restauré de façon déplorable) est l'expression parfaite, classique [11], de la clarté

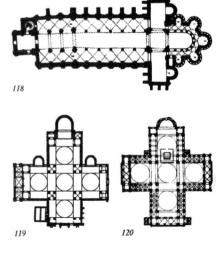

118

119

120

121

122

d'esprit et du caractère résolu de l'art roman. A l'exception de quelques arcatures sur les murs, il n'existe nulle part, de décoration sculptée. Ce type de plan remonte à Justinien et fut créé pour la construction du mausolée de ce dernier, l'église des Saints-Apôtres à Constantinople, dont il ne reste rien. Les Vénitiens s'en inspirèrent quand ils entreprirent la construction de Saint-Marc en 1063. Il est d'ailleurs impossible de savoir si Périgueux fut inspiré par Byzance ou par Venise. L'impression produite par l'intérieur de Saint-Marc est sans rapport avec celle que nous éprouvons à Saint-Front. Venise, la plus orientale et la plus romantique de toutes les cités européennes, centre, prospère entre tous, du commerce avec les pays de l'Est, avait doté sa plus grandiose église de toute la magie orientale : mosaïque, chapiteaux richement décorés, arcades séparant le centre des bras de la croix, et qui dissimulent, un peu comme à Ravenne, les rapports stricts de la géométrie. Saint-Front est dépouillée de toute cette splendeur suspecte et nous apparaît très pure et très nette, grande uniquement par sa noblesse architecturale. Saint-Marc est d'inspiration orientale ; Périgueux appartient à l'Occident, et

123

124

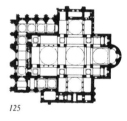

125

il y a même quelque chose de prodigieusement romain dans sa nudité. Il n'est pas surprenant qu'au moment de la Renaissance les Italiens aient redécouvert ce même plan en lui conservant des formes presque identiques.

Si une descendance en ligne directe semble s'établir entre le Roman et la Renaissance, il y a des rapports plus serrés entre le Roman et le Gothique. Ce sont l'emploi de l'arc brisé en Bourgogne et en Provence, les églises à dômes du Sud-Ouest, et la nef de Durham, l'usage des arcs-boutants cachés sous le toit des bas-côtés mais remplissant totalement la fonction de supports de la voûte (par exemple à St-Sernin de Toulouse, en Auvergne, pour la nef de Durham et naturellement l'usage des nervures... La connexion la plus marquée se trouve dans le portail à statues-colonnes. Ce fut un développement du XIIᵉ siècle. Au XIᵉ siècle et même vers 1100, l'Espagne était à la tête de l'Europe non seulement pour l'art du chapiteau à figures, mais aussi pour la grande sculpture. Le cloître de Santo-Domingo-de-Silos en est l'exemple le plus typique. Ces longues figures très stylisées avec de petites têtes, des gestes extrêmement expressifs et les pieds posés comme pour une danse rituelle se sont répandues dans le sud de la France, notamment à Moissac aux environs de 1115-1125. Ici, le portail est divisé en deux par un trumeau couvert d'animaux enlacés, et sur les piédroits se trouvent des images de saints, une à droite, une à gauche, en relief dans un style intensément expressif, c'est aussi le style des panneaux qui garnissent les murs à droite et à gauche du portail. Au même moment le portail à statues-

123
Venise. Basilique Saint-Marc, intérieur, commencée en 1063.
124
Venise. Mosaïques du narthex.
125
Venise. Plan de la Basilique Saint-Marc.
126
Santo Domingo de Silos. Bas-relief du cloître, XIIᵉ siècle.
127
Moissac. Église Saint-Pierre, trumeau du portail, XIIᵉ siècle.

126

127

colonnes commençait à se développer en Bourgogne. Autun et Vézelay vers 1130-35 en sont les premiers exemples. A Vézelay, que nous avons déjà cité, il y a, de chaque côté de la double porte, deux prophètes discutant entre eux. Ce sont aussi des reliefs, mais comme ils sont placés sur des surfaces formant un angle droit, ils semblent avoir quitté le mur pour former un groupe.

A St-Denis, vers 1135-40, les personnages ont vraiment quitté le mur. Ils se présentent comme des supports ou des colonnes détachées [12]. Mais St-Denis n'est plus un édifice roman, il appartient au gothique. Cependant, ces figures sont encore entièrement romanes, comme celles du portail royal de Chartres des environs de 1145 — longues, rigoureusement frontales avec des plis parallèles et stylisés, de petites têtes. De style roman aussi, le groupe de statues-colonnes de même type, mais bien plus vigoureuses et solides, qui encadrent le Portail de la Gloire de St-Jacques-de-Compostelle, œuvre du Maître Mateo en 1188. St-Jacques est l'édifice roman capital pour l'Espagne. Il appartient, comme nous l'avons vu, au groupe des églises françaises de pèlerinage, et par son granite gris argent il est plus impressionnant qu'aucune autre des églises de France.

Tant ou si peu pour l'Espagne. Et tant aussi pour la France. L'Allemagne ne pouvait mieux faire que de développer le thème proposé à Hildesheim. Au cœur du pays rhénan, les cathédrales et les églises abbatiales, entre autres Spire, Mayence, Worms et Laach, déploient superbement leurs tours au-dessus des croisées de leurs doubles transepts, leurs tourelles d'escalier et leurs doubles chevets, avec une variété infinie de proportions et de

128

129

130

détails. La deuxième école importante de l'architecture romane allemande est celle de Cologne. (Nous avons déjà parlé de l'école saxonne et les autres sont surtout d'un intérêt local.) Avant 1940, Cologne possédait un nombre incomparable d'églises des Xe, XIe, XIIe siècles et du début du XIIIe. Leur destruction a été l'une des pertes les plus cruelles de la guerre. Ces églises sont caractérisées (depuis Sainte-Marie au Capitole) par une disposition tendant au plan central, en ce qui concerne leur partie orientale : les deux croisillons et le chœur se terminent, en effet, par des absides identiques. Extérieurement, ces églises étaient aussi magnifiques et variées dans leur aspect que toutes les églises de la vallée supérieure du Rhin.

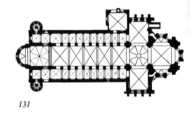

131

L'Italie du Nord ne possède qu'un seul bâtiment de ce type : Saint-Fidèle à Côme. Certains ont essayé de rattacher l'architecture de Cologne à celle de Côme, mais il s'avère aujourd'hui que si jamais il y eut une relation quelconque entre les deux, elle a dû se faire dans le sens opposé. Dans d'autres domaines les rapports entre la Lombardie et le pays rhénan sont encore discutés. Personne ne peut les mettre en doute, mais l'antériorité des types et des motifs ne peut jamais être dégagée avec certitude. L'explication la plus vraisemblable est qu'il y eut tout au long des routes empruntées pendant les campagnes impériales vers l'Italie, un échange continuel d'idées et de main-d'œuvre. La Saxe et les pays rhénans possédèrent vraisemblablement l'initiative jusqu'à la fin du XIe siècle et l'Italie du Nord leur succéda au XIIe siècle. A cette époque, des groupes de maçons lombards sil-

128
Arles. Saint-Trophime, portail, fin du XII siècle.
129
Chartres. Portail royal, 1145 environ.
130
Saint-Jacques-de-Compostelle. Portail de la Gloire, commencé en 1168.
131
Mayence. Plan de la cathédrale, XI-XIIIe siècle.
132
Worms. La cathédrale vue de l'ouest, 1230 environ.
133
Spire. La cathédrale vue de l'est, 1100 environ.
134
Worms. Cathédrale, 1170, 1230 environ.
135
Maria Laach. Eglise abbatiale, 1093-1156, tours de l'ouest, fin du XIIe siècle.

132

133

134

135

136

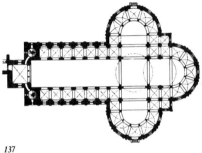

137

lonnaient l'Europe, comme plus tard au temps du Baroque. Nous trouvons leur trace en Alsace, aussi bien qu'en Suède, et un maître d'œuvre originaire de Côme, par exemple, se manifeste en Bavière en 1133. La caractéristique de cette architecture lombardo-rhénane, réside dans les galeries de circulation extérieures, petites colonnades à arcades disposées sous les corniches qui forment la décoration des murs, surtout ceux des absides.

En Italie du Nord, les plans étaient moins audacieux. Quelques-unes des églises parmi les plus célèbres ne comportent pas même un transept saillant, c'est-à-dire qu'elles restent très proches de la tradition paléochrétienne. Ceci vaut pour la cathédrale de Modène, par exemple, et pour Saint-Ambroise à Milan. Avec son atrium, sa façade dépouillée, sa nef basse et ramassée, ses énormes piliers, ses larges voûtes d'ogives bombées et ses épaisses ogives primitives, Saint-Ambroise est, de loin, l'église la plus spectaculaire. Généralement, les cathédrales lombardes se distinguent intérieurement par leurs voûtes d'arêtes ou à nervures, leurs tribunes sur les bas-côtés, leurs coupoles polygonales au-dessus de la croisée du transept. A l'ex-

138

139

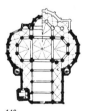

140

136
Cologne. Sainte-Marie au Capitole, commencée vers 1030.
137
Cologne. Sainte-Marie au Capitole.
138
Côme. San Fedele, le chevet, XIᵉ-XIIᵉ siècle.
139
Modène. Cathédrale commencée en 1099.
140
Côme. Plan de l'église San Fedele.

térieur, nous trouvons des tours rondes ou carrées, détachées du corps de l'église, et ces petites arcatures mentionnées plus haut. L'exemple d'une telle décoration par arcades, poussée à l'extrême, est donné par la façade et par la tour penchée de la cathédrale de Pise en Toscane, qui toutes deux datent du XIIIᵉ siècle.

Pise nous frappe surtout par son caractère étranger, plus oriental que toscan. Le style de Venise, influencé par Byzance, celui de Sicile, influencé par l'art mauresque, ne sont pas, eux non plus, des styles nationaux. Pour voir le roman italien, le plus italien qui soit, c'est-à-dire le pur toscan, il faut se tourner vers des bâtiments comme l'église San-Miniato-al-Monte à Florence. Cette église, en dépit de son ancienneté (le rez-de-chaussée est peut-être de la même époque que le transept de Winchester), fait preuve de tant de raffinement, d'une retenue si évoluée dans sa décoration sculptée, d'une sensibilité telle vis-à-vis du génie antique qu'il n'en existe pas d'équivalent dans tous les pays du Nord ; elle est la première synthèse de l'intelligence et du charme toscans avec l'équilibre et la simplicité des Romains.

81

141

142

143

144

141
Milan. Saint-Ambroise, Atrium, deuxième quart
du XII° siècle.
142
Pise. Façade de la cathédrale, fin du XII°, début
du XIII° siècle.
143
Florence. San Miniato al Monte, intérieur, XI°-
XII° siècle.
144
Florence. San Miniato al Monte, façade, XI°-XII°
siècle.

Le premier Gothique
et le Gothique classique

1150-1250

En 1140 fut posée la première pierre du nouveau chœur de Saint-Denis qui devait être consacré en 1144. L'abbé Suger, puissant conseiller de deux rois de France, fut l'âme de cette entreprise. Peu de bâtiments en Europe sont d'une conception aussi révolutionnaire, peu furent exécutés aussi rapidement et avec moins d'hésitation. Au XIIᵉ siècle, en effet, quatre ans étaient un délai extraordinairement court pour reconstruire le chœur d'une grande église abbatiale. On peut fort bien dire que, quel que soit l'homme qui à Saint-Denis établit les plans du chœur, c'est celui-là qui inventa le style gothique bien que certaines particularités de ce style se soient déjà manifestées çà et là et se soient même développées avec une certaine régularité, au centre politique de la France, dans les provinces aux alentours de Saint-Denis.

Les particularités, dont l'ensemble compose le style gothique sont assez bien connues, trop bien même, car la plupart des gens oublient qu'un style n'est pas seulement la réunion d'une masse de détails mais un tout cohérent. Toutefois, il est peut-être tout aussi bon de les récapituler et de réexaminer leur signification ; les principales sont l'arc brisé, l'arc-boutant, et la voûte d'ogives. Aucune des trois, d'ailleurs, n'est une invention gothique. Ce qui était décidément neuf, cependant, c'était la combinaison de ces motifs dans une nouvelle esthétique ; des arcs brisés, comme nous l'avons vu, se rencontrent parfois dans des églises de style roman, notamment en Bourgogne, en Provence et à Durham. Les arcs-boutants étaient d'un usage courant dans certaines régions de France et on les employa également à Durham ; il est vrai qu'étant donné leur position sous le couvert du toit on ne les prend pas d'habitude pour ce qu'ils sont. Quant aux ogives de Durham et de l'Italie du Nord, nous en avons déjà parlé dans le précédent chapitre. Le style gothique s'empara de ces différents motifs et les combina de manière à en tirer un parti esthétique nouveau. Ce parti nouveau c'était l'animation de maçonneries statiques, l'accélération du mouvement spatial et la réduction de toute la structure à un ensemble apparent de lignes de force. Ces améliorations esthétiques sont, à bien comprendre le gothique, d'une portée infiniment plus grande que n'importe lequel des avantages techniques dus à l'ogive, à l'arc-boutant et à l'arc brisé. De tels avantages existent néanmoins, bien qu'ils aient été surestimés par Viollet-Le-Duc et ses innombrables disciples.

En fait, ils sont au nombre de trois ; tout d'abord une voûte en berceau pèse sur la totalité des deux murs qui la soutiennent. Les voûtes d'arêtes du roman allemand ou de Vézelay ne reposaient bien que sur quatre points, mais pour être construites d'une manière satisfaisante, elles exigeaient des travées carrées. Si l'on essaie de bâtir une voûte d'arêtes romane, il faudra, pour franchir la longueur, la largeur et la diagonale du rectangle, utiliser des arcs de trois diamètres différents. Un seul des trois pourra être en demi-cercle, les autres seront forcément surélevés ou surbaissés ; or ces derniers sont dangereux par leur structure même. Un arc, évidemment, est d'autant plus solide que sa courbure se rapproche plus de la verticale et d'autant moins qu'elle tend plus à l'horizontale. Une verticalité absolue procurerait une sécurité totale ; une horizontalité parfaite serait la cause de l'écartement immédiat et de la destruction des deux murs.

L'arc brisé, mieux que le plein cintre, va permettre à l'architecte non seulement de se rapprocher de cette verticalité désirée, mais aussi d'établir des voûtes au-dessus de travées qui ne seront plus forcément carrées. A la place des arcs surélevés ou surbaissés, il n'y aura plus maintenant que trois arcs brisés plus ou moins aigus. La travée rectangulaire sera d'ailleurs avantageuse pour une autre raison : les quatre points d'appui d'une travée carrée sont très éloignés les uns des autres et, comme ils supportent à eux seuls le poids de toute la voûte, ils assument, pour maintenir la solidité du bâtiment, une responsabilité sans proportion avec leur taille. Grâce aux travées rectangulaires l'on pourra désormais doubler le nombre des points d'appui et, ainsi, soulager de moitié l'effort de chacun.

De plus, la voûte gothique comporte des ogives destinées à consolider chacune de ses arêtes (et ceci est également un avantage technique), car la voûte en berceau comme la voûte d'arêtes romane devait être construite sur un cintre en bois, supportant la totalité de sa surface. Dans le cas d'une voûte gothique il suffit d'établir un cintre assez solide pour maintenir les arcs transversaux et les nervures diagonales, jusqu'à ce que le mortier soit sec. Par la suite les cantons entre les doubleaux et les ogives peuvent être garnis de pierre grâce à l'emploi d'un cintre suspendu, léger, mobile, facile et rapide à monter et à démonter. L'économie en bois d'œuvre est évidente. Quant à penser que, même après l'achèvement de la voûte, les nervures rendent en plus ces voûtains indépendants les uns des autres et les réduisent pratiquement à l'état de membranes, cela paraît douteux. Dans certains cas, après un bombardement ou un tir d'artillerie, les ogives sont restées intactes, tandis que les voûtains s'effondraient ; mais dans les mêmes circonstances, certaines voûtes résistèrent, bien qu'une partie de leurs ogives aient cédé au choc. On peut donc être assuré du fait que la raison principale de la voûte gothique était son apparence de légèreté immatérielle, plutôt qu'aucune sorte de légèreté vraie ; là encore le souci d'esthétique l'emporta sur des considérations d'ordre matériel.

Ces diverses innovations, techniques ou perceptibles à l'oeil, se manifestent à Saint-Denis, réunies pour la première fois dans un ensemble gothique. Des voûtes d'ogives recouvrent des travées de différentes formes ;

les contreforts ont succédé aux épaisses murailles entre les chapelles rayonnantes, qui, maintenant, forment autour du déambulatoire une frange ininterrompue et ondulante. Leurs murs latéraux ont totalement disparu et sans leurs voûtes à cinq branches d'ogives, l'on croirait marcher à travers un second déambulatoire, plus excentrique, muni de chapelles très peu profondes. L'intérieur de l'église produit un effet de légèreté, d'aération très libre, de courbes souples concentrant leur énergie en quelques points. La séparation des différentes parties entre elles n'est plus soulignée et nous savons, d'après des fouilles récentes, que le transept n'était pas destiné à faire saillie au-delà des murs de la nef et du sanctuaire, contrairement à un usage jusque-là toujours respecté. L'ordonnance demeure mais c'est une ordonnance infiniment plus raffinée et plus subtile. Qui est le grand génie auteur de cet ensemble? Est-ce l'abbé Suger en personne, lui qui, avec tant de fierté écrivit un opuscule sur la construction et la consécration de son église? C'est peu probable. Le gothique, en effet, contrairement au roman, dépend à un tel point de la collaboration étroite entre l'artiste et l'ingénieur, est une telle synthèse de qualités esthétiques et techniques que seul un homme très versé dans l'art de construire a pu l'inventer. Nous nous trouvons ici au début d'une ère de spécialisation professionnelle qui, jusqu'à l'époque actuelle, continuera à assigner à nos activités et à nos compétences des domaines de plus en plus restreints. Aujourd'hui le client n'est pas architecte, l'architecte n'est pas entrepreneur, l'entrepreneur n'est plus maçon. Ne parlons pas des différences qui existent, par exemple, entre le métreur, le technicien du chauffage, celui de l'air conditionné et les experts en installations électriques ou sanitaires.

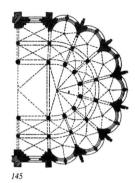

145

La basilique de Saint-Denis et les cathédrales qui suivirent doivent être attribuées à un nouveau type d'architectes : le maître d'œuvre, artiste reconnu. Bien sûr, des maîtres d'œuvre à l'esprit inventif s'étaient déjà vus, et ce sont eux vraisemblablement les auteurs de la plupart des constructions antérieures. Toutefois, à l'époque gothique leur situation commença à se modifier et ce fut le début d'une évolution progressive. Suger, dans son livre sur Saint-Denis, ne dit pas un mot de l'architecte, pas plus qu'il ne parle, en fait, de celui qui dressa les plans. Cela paraît curieux; il devait sûrement savoir combien était hardi l'ouvrage que celui-ci avait entrepris. Pour comprendre sa discrétion, il faut bien se rappeler l'importance de l'anonymat au Moyen Age, fait souvent mentionné et mal compris. Il ne signifie pas, évidemment, que les cathédrales surgissaient du sol comme des arbres. Toutes furent naturellement l'œuvre d'un homme. Toutefois, dans le haut Moyen Age, le nom de ces hommes, bien que leur œuvre parût immortelle, ne comptait pas. Ils se contentaient d'être des ouvriers travaillant pour une cause plus grande que leur renommée propre. Pourtant, au cours du XIIᵉ siècle, et surtout au XIIIᵉ, la confiance des individus en eux-mêmes se fortifia, et la « personnalité » se fit apprécier de plus en plus. Les noms des architectes des cathédrales de Reims et d'Amiens sont enregistrés, sur les dalles mêmes de leurs nefs. Un prédicateur de cette époque s'indigne de ce que les maîtres maçons soient mieux payés que les autres, uniquement parce

146

145
Saint-Denis. Eglise abbatiale, le chœur de Suger. plan.
146
Saint-Denis. Le chœur de Suger, 1140-1144.

qu'ils se promènent en donnant des ordres, un bâton à la main, et, ajoute-t-il, *nihil laborant!* Un siècle plus tard, le roi de France lui-même sera le parrain du fils d'un de ces hommes et, pour permettre à son filleul d'étudier à l'Université, il lui fera cadeau d'une somme d'or considérable. Mais deux siècles durent s'écouler, après l'époque de Suger, pour qu'une telle intimité devînt possible.

Un des exemples les plus anciens qui nous permettent d'évoquer directement la personnalité d'un des plus grands maîtres d'oeuvre du début de l'ère gothique est celui de Guillaume de Sens, architecte du chœur de la cathédrale de Canterbury, œuvre qui fut aussi révolutionnaire pour l'Angleterre que Saint-Denis l'avait été pour la France. L'ancien chœur avait été détruit par un incendie en 1174 et Gervais, chroniqueur de la cathédrale, nous raconte les événements dont il a été le témoin. Il y eut d'abord un grand désespoir au sein de la communauté, jusqu'au moment où les moines commencèrent à se demander « par quel moyen l'église dévastée pourrait être remise à neuf ». Des architectes, aussi bien anglais que français, furent réunis ; mais ils se disputèrent. Les uns prônaient une réparation, les autres insistaient pour que l'église entière fût rasée si vraiment les moines désiraient y prier en sécurité. Perspective qui consternait ces derniers. Parmi tous ces architectes, il y en avait un, Guillaume de Sens, qui était un homme de grande capacité et un artisan très habile à travailler le bois et la pierre. Donnant congé aux autres maîtres d'œuvre, les moines gardèrent celui-là pour mener à bien l'entreprise. Et lui, « après avoir partagé pendant de nombreux jours la vie du couvent et après avoir soigneusement étudié les murs calcinés… continua à cacher pendant quelque temps ce qu'il estimait nécessaire, de peur que la vérité ne nous tuât, dans l'état désespéré où nous étions. Ceci ne l'empêcha pas de préparer toutes choses dont il avait besoin, soit par lui-même, soit par l'intermédiaire d'autres personnes. Enfin, quand il eut le sentiment que les moines commençaient à se réconforter quelque peu, il avoua que s'ils désiraient avoir un bâtiment à la fois solide et remarquable, il fallait détruire les piliers endommagés et toute leur superstructure. A la longue, les moines acceptèrent… de raser le chœur déjà en ruine. On se préoccupa de se faire envoyer des pierres de l'étranger. L'architecte inventa des appareils très ingénieux pour charger et décharger les bateaux, et tirer les fardeaux de pierre ou de mortier. Il fit aussi distribuer aux maçons des modèles (gabarits en bois découpé) pour tailler la pierre… » Le chroniqueur nous rend compte ensuite par le menu du cours des événements pendant les quatre années suivantes. Au début de la cinquième année, cependant, Guillaume tomba du haut d'un échafaudage de quinze mètres. Il fut grièvement blessé et dut « confier l'achèvement du travail à un certain moine, très ingénieux, qui jusque-là avait été le contremaître des manœuvres maçons… ».

147

148

149

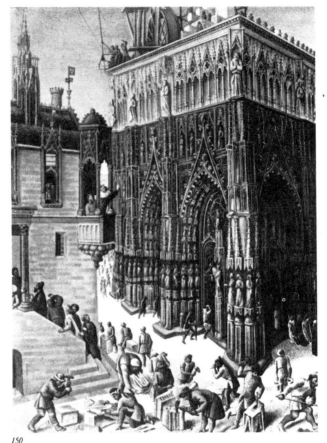

150

147
Cathédrale de Saint-Just à Narbonne, détail d'une miniature de l'Ecole française du XIVe siècle, Pontifical de Pierre de la Jugie.

148
Construction de l'hôpital de Dijon. Manuscrit du Saint-Esprit, Ecole française du XVe siècle.

149
Scènes de chantier. Bible latine dite Bible de Noailles. Ecole française du XIIe siècle.

150
Jean Fouquet. Construction du temple de Jérusalem.

Mais, bien que couché, il donnait des ordres « sur l'ordre à suivre dans les opérations... Enfin, n'étant aucunement soulagé par l'habileté de ses chirurgiens, il retourna en France pour mourir chez lui » et un architecte anglais fut nommé à sa place.

Voilà, tel qu'en lui-même, cet homme de métier, qualifié à la fois pour la maçonnerie et la construction, plein de diplomatie avec sa clientèle, apprécié de tous, mais n'oubliant jamais, tandis qu'il est à l'étranger conducteur de travaux, le pays de son enfance. A Sens, sa ville natale, on avait entrepris la construction d'une cathédrale, environ trente ans avant qu'il n'allât en Angleterre et, bien sûr, certains traits de cet édifice seront repris par lui à Canterbury.

Nous avons la chance de posséder au moins un document encore plus complet sur la personnalité et les œuvres d'un architecte gothique ; il s'agit d'un carnet, ou plutôt d'un manuel, rédigé aux environs de 1235 par Villard de Honnecourt, architecte de la région de Cambrai dans le nord de la France. Cette pièce, conservée à la Bibliothèque nationale de Paris, est un document des plus personnels. Villard s'adresse à ses élèves. Il leur promet de leur apprendre l'art de la maçonnerie et celui de la charpente, le dessin d'architecture et des figures, ainsi que la géométrie. De tout ceci le livre contient des exemples, dessinés et accompagnés de brefs commentaires. C'est une source d'information inestimable sur les méthodes et les attitudes du XIIIᵉ siècle. Bien qu'architecte, Villard dessine aussi une Crucifixion, une Vierge, et des Apôtres endormis, tels qu'on les représentait d'ordinaire au mont des Oliviers ; tous ces dessins sont évidemment là pour servir de modèles aux tailleurs de pierre. On trouve aussi des figures de l'Orgueil et de l'Humilité, de l'Eglise triomphante et de la Roue de Fortune ; également des scènes profanes telles que des lutteurs, un homme à cheval, un roi et son escorte, des animaux tantôt étonnamment réalistes, tantôt fantastiques. Il y a de simples motifs géométriques, pour servir de base à des dessins d'animaux ou de visages d'homme. Villard de Honnecourt reproduit des détails de bâtiments, les plans du sanctuaire de certaines églises, une tour de la cathédrale de Laon (au sujet de laquelle il écrit : « J'ai esté en mult de tieres si com vos porez trover en cest livre. En aucun liu onques tel tor ne vi com est cele de Loon »), et des fenêtres de la nef de Reims (« J'estaie mendes en la tierre de Hongrie qant io le portrais por es l'amai io miex ») et une rose de Lausanne. Il trace un labyrinthe et dessine des feuillages. Il imagine une joue garnie de feuillages pour une stalle de chœur, un lutrin orné des figures de trois évangélistes. Il reproduit des profils de moulure, des schémas de construction en charpente. Il ajoute fièrement un bon nombre d'engins, une scie circulaire, un projet d'appareil destiné à hisser de lourdes charges, aussi un automate, l'aigle d'un lutrin qui peut bouger la tête, et une sphère en métal destinée à réchauffer les mains d'un prélat. Il va jusqu'à noter une recette pour se débarrasser des poils superflus.

Telles étaient l'étendue des connaissances et l'expérience des hommes qui construisirent les cathédrales gothiques. On les invitait à l'étranger pour qu'ils y apportent le nouveau style, et nous avons un mémoire allemand de Wimpfen (daté de 1258) nous rapportant qu'un prieur « fit venir un maître maçon des plus versés en architecture, et arrivé tout récemment de Paris (noviter de villa Parisiensi venerat). Le prieur lui demanda de bâtir une église en pierre de taille more francigeno. Nous pouvons être assurés que ces maçons itinérants ouvraient l'oeil et remarquaient avec le même empressement les peintures, les sculptures et les bâtiments. Malgré la technique encore élémentaire de leur dessin, ils pouvaient aussi bien tailler des figures ou des motifs décoratifs que construire.

Saint-Denis doit sûrement son aspect révolutionnaire à un maître d'œuvre de cette envergure, et, à cette époque, plus d'un prélat ou d'un architecte fut dévoré par l'ambition de rivaliser avec Suger et son église. Entre 1140 et 1220, la construction de nouvelles cathédrales fut entreprise, selon des plans de plus en plus ambitieux, à Sens, à Noyon, à Senlis, à Paris (Notre-Dame commencée en 1163), à Laon (commencée vers 1170), à Chartres (commencée vers 1195), à Reims (commencée en 1211), à Amiens (commencée en 1220) et à Beauvais (commencée en 1247). Ces églises sont loin d'être les

NOTRE-DAME DE LAON
PLAN DE LA TOUR DU NORD,
AU Vᵐᵉ ÉTAGE :

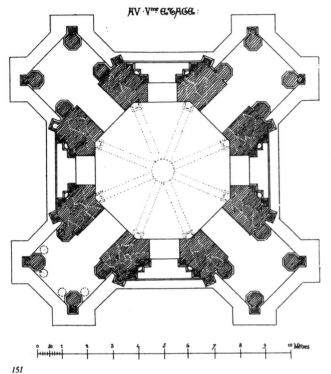

CATHÉDRALE DE CHARTRES
LABYRINTHE :

151

152

151
*Villard de Honnecourt. Livre de croquis, 1235 en-
viron, plan de la tour nord de Notre-Dame de Laon.*
152
*Villard de Honnecourt. Plan du labyrinthe de la
cathédrale de Chartres.*
153
Villard de Honnecourt. Détails de charpente.
154
Villard de Honnecourt. Fenêtres.

153

154

155

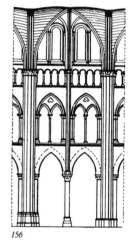

156

seules; il y en a beaucoup d'autres à travers la France. Cependant, nous
sommes obligés, ici, de nous limiter à une brève analyse des grandes lignes
du développement de l'art gothique en Ile-de-France et dans les provinces
avoisinantes, régions qui, précisément à ce moment-là, étaient en train de
devenir le centre politique du royaume français. Ce développement fut aussi
logique et d'une aussi grande économie d'expression que celui du temple grec.

De Saint-Denis, il ne nous reste que le chœur et la façade ouest,
très restaurée qui, comme à Caen, est du type à deux tours, type devenu
de rigueur pour les cathédrales du nord de la France; cependant, contrairement aux églises de la capitale normande, cette façade est décorée d'un
triple portail en plein cintre. Nous en avons déjà parlé à propos des statues-
colonnes qui l'ont orné jadis. Chartres a suivi de près. Il ne reste de la
cathédrale, bâtie vers 1145, que le portail ouest, le Portail Royal, dont nous
avons signalé au chapitre précédent les statues, superbement vigoureuses,
raides et vives. Nous pouvons très bien imaginer à quoi ressemblait le vaisseau de Chartres ou celui de Saint-Denis, grâce aux quelques vestiges con-

155
*Saint-Denis. Église abbatiale, façade ouest, 1135-
1140.*
156
*Noyon. Cathédrale, élévation de la nef, milieu du
XIIe siècle.*
157
Noyon. Cathédrale, milieu du XIIe siècle.
158
*Noyon. Cathédrale, la nef vue des tribunes, milieu
du XIIe siècle.*

157 *158*

servés dans cette dernière église et aussi grâce à la cathédrale de Sens,
exactement contemporaine. Leur nef comportait une tribune ou un triforium,
sorte de passage bas dans l'épaisseur du mur, comme celle des églises romanes normandes, églises où plus que nulle part ailleurs les premiers maçons
gothiques trouvèrent leur inspiration. L'élévation du Premier Gothique était
donc à trois étages: grandes arcades, tribune ou triforium, et fenêtres hautes; les voûtes, sans aucun doute, étaient d'ogives. A Noyon, environ
quinze ans plus tard, apparut un important élément nouveau. Les murs s'en-
richirent d'un triforium, en plus de la tribune, qui trouva sa place entre la
tribune et les fenêtres hautes. La division du mur en quatre étages au lieu
de trois ne laisse presque plus rien subsister de l'inertie romane. Les grandes
arcades sont supportées alternativement par des piles fortes, composées de
faisceaux de colonnettes, et des piles faibles, simples colonnes cylindriques.
Pour répondre à ce rythme, la voûte est sexpartite comme elle l'était aussi
à Sens, et déjà vers 1115-20 dans les églises romanes des abbayes de Caen.
Ceci veut dire qu'entre deux arcs doubleaux, les ogives sont lancées en dia-

93

159

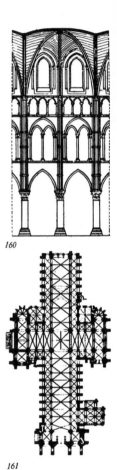

160

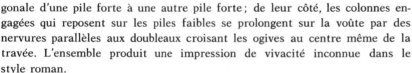

161

gonale d'une pile forte à une autre pile forte ; de leur côté, les colonnes engagées qui reposent sur les piles faibles se prolongent sur la voûte par des
nervures parallèles aux doubleaux croisant les ogives au centre même de la
travée. L'ensemble produit une impression de vivacité inconnue dans le
style roman.

Cependant, les architectes des deux cathédrales dont la construction fut entreprise immédiatement après, eurent sûrement l'impression que
les murs, les piliers et la voûte de Noyon conservaient encore trop de la
lourdeur et de la stabilité romanes. Les piliers alternés et les voûtes sexpartites formaient des travées carrées, c'est-à-dire statiques. Aussi à Laon, après
quelques essais avec des supports alternés, toutes les colonnes sont-elles cylindriques ; les minces colonnettes qui les surmontent restent toutefois aux
étages supérieurs, groupées alternativement par cinq ou par trois et la voûte
est encore sexpartite. Les nombreux petits anneaux ou bagues qui entourent les
fûts soulignent encore l'horizontalité. Il n'en est pas moins vrai que, dans
la progression vers le sanctuaire, on évite les temps d'arrêt marqués à chaque

159
Laon. Cathédrale, la nef, après 1170.
160
Laon. Elévation de la nef.
161
Laon. Cathédrale. Plan.
162
Laon. Cathédrale, la nef, après 1170.

94

162

163

164

165

support fort. Ceci est une étape décisive; mais Notre-Dame de Paris ira plus loin encore, puisque les colonnettes au-dessus de chacun des piliers circulaires sont en nombre égal et les bagues abandonnées. Mais le mur restait toujours, à l'origine, divisé en quatre sections avec une tribune et à la place du triforium une rangée d'ouvertures circulaires placées sous les fenêtres hautes. Cependant les proportions avaient alors suffisamment changé pour que soit sensible la tendance générale qui était à la base de ces modifications progressives. Dans le chœur, les arcades de la tribune comportent des ouvertures couplées selon la tradition normande, mais, dans la nef, ces ouvertures sont groupées par trois, ce qui est plus frêle, avec des colonnettes intermédiaires extrêmement fines.

Le plan de Notre-Dame est encore plus audacieux que son élévation. Déjà à Sens et à Noyon une légère tendance à centraliser était apparue: à Sens, par un allongement du sanctuaire entre le transept et le rond-point; à Noyon, par la terminaison en demi-cercle des croisillons nord et sud. A Paris, l'architecte a placé son transept presque exactement à mi-chemin

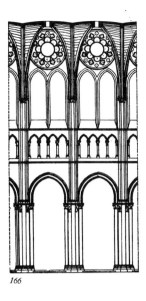

166

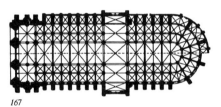

167

168

entre les tours de l'ouest et l'extrémité orientale. Il a adopté le plan le plus ambitieux possible : border la nef et le sanctuaire d'une double rangée de collatéraux, comme dans l'ancienne église Saint-Pierre de Rome et dans l'église abbatiale de Cluny. Les transepts ne font qu'une très légère saillie sur les bas-côtés extérieurs et, à l'origine, aucune chapelle rayonnante n'existait. Celles-ci, de même que celles placées entre les contreforts de la nef et du chœur, ont été ajoutées postérieurement. Il en résulte un rythme spatial beaucoup moins heurté que dans les cathédrales romanes ou dans celle de Noyon. L'espace n'est plus divisé en un certain nombre d'unités qu'il faut ajouter mentalement les unes aux autres pour avoir l'idée de l'ensemble ; le rythme marque quelques points forts qui, pratiquement, sont au nombre de trois : l'ouest, le centre et l'est. Le transept maintient l'équilibre entre la façade et le double déambulatoire entourant l'abside. Dans ce rythme, l'uniformité des colonnes des grandes arcades assez rapprochées est des plus importantes. On se trouve poussé vers l'autel aussi irrésistiblement que par les colonnades des basiliques paléochrétiennes.

169

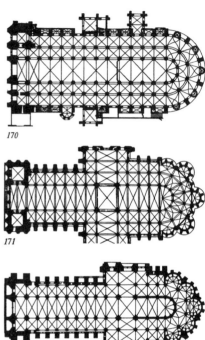

170

171

172

Le mouvement artistique qui s'était développé de Saint-Denis à Noyon et de Noyon à Paris devait atteindre sa maturité dans les cathédrales construites à partir de la fin du XIIᵉ siècle. Le Premier Gothique devint Gothique Classique. Chartres fut reconstruite après l'incendie de 1194. Le nouveau chœur et la nef abandonnent enfin la voûte sexpartite pour revenir à des voûtes aux seules ogives diagonales. Toutefois, alors que les voûtes d'ogives romanes s'élevaient sur des travées carrées ou presque, les travées sont maintenant à peu près deux fois plus courtes. L'impulsion vers l'est en devient bien plus rapide. Les piliers demeurent cylindriques mais sont flanqués, de chaque côté, d'une colonne engagée ; parmi ces dernières, celle qui se trouve sur la nef monte jusqu'au départ de la voûte comme à Jumièges ou à Winchester. De cette manière, les piliers cylindriques ne sont plus isolés ; rien ne vient plus, au niveau des arcades, interrompre la poussée verticale. Les grandes et larges tribunes ont disparu. Il n'y a plus qu'un triforium assez bas, séparant les grandes arcades des grandes fenêtres hautes. Ces innovations constituent le Gothique Classique. Le plan est, lui, moins systématique qu'à Paris, mais, comme à Paris, le transept se situe à mi-chemin entre la façade et l'extrémité du chœur.

Il faut dire, après Chartres, quelques mots de Bourges qui est la plus émouvante des cathédrales gothiques françaises, mais qui reste curieusement à l'écart du courant principal de développement. La cathédrale a été

169
Bourges. Cathédrale, la nef, début du XIIIᵉ siècle.
170
Bourges. Cathédrale. Plan.
171
Chartres. Cathédrale. Plan.
172
Reims. Cathédrale. Plan.
173
Reims. Cathédrale, la nef, XIIIᵉ siècle.
174
Reims. Voûte de l'abside, 1241.
175
Reims. Cathédrale, élévation de la nef.

173

174

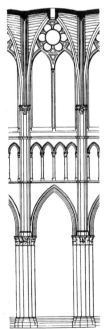

175

commencée en 1195. Son plan, à doubles bas-côtés, sans transept et à double déambulatoire dérive de celui de Paris et est encore plus radical que lui. Ses grandes arcades très élevées — les piliers ont 17m de haut —, la forme de ses piliers au noyau circulaire flanqué de colonnettes et le triforium remplaçant la tribune sont du Gothique Classique, dans le nouveau sens de Chartres. C'est un type parallèle à Chartres plutôt que d'en être une dérivation ; mais les voûtes sexpartites sont du Premier Gothique, ainsi que l'accent particulier mis sur les horizontales pour contrebalancer le verticalisme des grandes arcades. Les collatéraux plus éloignés de la nef sont plus bas que les autres, ce qui permet d'installer un triforium sur les premiers, en dessous du triforium principal. Ainsi, regardant l'élévation, on voit cinq divisions horizontales au lieu de trois : les arcades externes, le triforium externe, les grandes arcades, le triforium principal, les fenêtres hautes, effet étrange, riche, très différent de la volonté d'unité de Chartres.

Une fois que Chartres eut introduit son nouveau type de pilier, son élévation à trois étages et sa voûte quadripartite, Reims, commencée en 1211, Amiens en 1220 et Beauvais en 1247, ne firent que perfectionner ce type pour l'amener jusqu'à ses conclusions les plus vertigineuses et les plus hardies. Aussi bien dans les plans que dans les intérieurs, on arriva sans aucun doute à créer un équilibre — mais ce n'est pas du tout l'équilibre serein, indestructible et sans tension apparente des Grecs. L'équilibre du gothique « classique » est un équilibre entre deux poussées d'une égale violence, s'exerçant dans deux directions opposées. La première impression est celle d'une hauteur prodigieuse qui vous coupe le souffle. A Sens, le rapport largeur-hauteur est seulement de 1/1,4 ; à Noyon, 1/2 ; à Chartres, il devient 1/2,6 ; à Paris, 1/2,75 ; à Amiens, 1/3 et à Beauvais [13], 1/3,4. La hauteur absolue à Noyon est d'environ 26m ; à Paris, elle est de 35m ; à Reims, de 38m ; à Amiens, de 43m et à Beauvais, de 48m. Grâce à l'extrême finesse de tous les membres, l'envolée verticale est tout aussi irrésistible que l'élan vers l'abside dans les premières églises chrétiennes. L'élan vers les parties est ne s'est d'ailleurs pas ralenti pour autant. L'étroitesse des arcades, l'uniformité des piliers ne semblent jamais inciter à un changement quelconque de direction, même temporaire. Dans cette marche en avant, ils vous accompagnent, apparaissant et disparaissant à la manière de poteaux télégraphiques le long d'une voie ferrée. Le temps nécessaire pour s'arrêter et les admirer n'existe pas. Pourtant, dans cette progression accélérée, le transept nous immobilise et attire notre regard vers la droite et vers la gauche. Là, nous nous arrêtons, et nous essayons, pour la première fois, de saisir l'église dans toute son étendue. Rien de comparable n'existait dans les églises paléochrétiennes ; au contraire, dans une église romane, les temps morts étaient si fréquents que le mouvement ne pouvait se développer que lentement, de travée à travée, de compartiment à compartiment. A Amiens, il n'y a qu'un seul arrêt de ce genre et il ne peut être que de courte durée. Tout de suite, la nef et les bas-côtés, puis le chœur nous enserrent, et nous ne trouvons de repos qu'au niveau de l'abside et du déambulatoire. Ces derniers, avec une force magnifique, rassemblent les courants d'énergie parallèles qui se dirigent vers l'est et les concentrent pour, finalement, les projeter dans un élan vertical le long des colonnes resserrées de l'abside, le long des fenêtres étroites du chœur, jusqu'aux altitudes vertigineuses des nervures et des clefs de voûte.

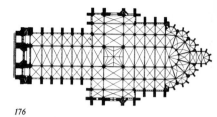

176

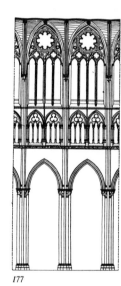

177

Cette description, tentative d'analyse d'une expérience spatiale, ne tient pas compte du fait qu'au XIIIe siècle, un fidèle n'aurait jamais été admis à l'intérieur du chœur. Elle sert, cependant, à démontrer d'une façon éclatante que Reims, Amiens et Beauvais sont l'aboutissement final d'une évolution, commencée dès le XIe siècle en Normandie et à Durham, et qui avait amené, l'une après l'autre, des modifications, légères, semble-t-il, mais néanmoins lourdes de conséquences, à Saint-Denis, Noyon, Laon, Paris et Chartres. Encore une fois, cet aboutissement est bien loin d'être un repos. Il renferme en lui-même une tension entre deux directions ou dimensions dominantes, tension qui n'est transformée en un précaire équilibre que par un suprême miracle de l'énergie créatrice. Après avoir pris conscience de cette situation, on la retrouve dans chaque détail. Les piliers sont élancés et droits dans leur mouvement d'envolée. Le rythme du mouvement vertical est accéléré. A Reims, les piles se terminent en un chapiteau formé d'une large bande de feuillage et les cinq nervures de la voûte reposent sur lui. A Amiens, elles ne sont que trois et celle du milieu prolonge une des colonnettes qui entourent le pilier circulaire, séparée seulement par un étroit

178

179

176
Amiens. Cathédrale. Plan.
177
Amiens. Elévation de la nef.
178
Amiens. Le mur nord commencé en 1210.
179
Amiens. La nef et le chœur achevés en 1247.

bandeau formant abaque. Les piliers et les colonnettes restent tout de même cylindriques, solides et élégants, avec leur décoration raffinée et réaliste de feuillages ; les moulures des arcades sont variées et nettement découpées avec leurs bourrelets et leurs creux accusés, rehauts bien éclairés et ombres bien cernées. L'étage des fenêtres hautes s'est ouvert complètement et n'est plus qu'une succession d'immenses verrières qui n'en restent pas moins subdivisées par des meneaux fortement moulurés et par un remplage géométrique dont l'introduction, innovation gothique, est particulièrement significative. On peut en suivre le développement de Chartres à Reims et de Reims à Amiens. Avant Reims, le remplage n'est que le découpage d'un certain nombre de motifs dans un mur dont la surface reste intacte. A Reims, pour la première fois, le mur fait place à un réseau de nervures qui ressemble à une grille. L'effort se trouve maintenant canalisé et repose sur les motifs eux-mêmes, et non plus sur la surface du mur. Chaque fenêtre à double

101

lancette est surmontée d'une rose à six lobes, repos et aboutissement des lignes de force. Par rapport à Reims, Amiens marque encore un enrichissement avec des fenêtres à quatre lancettes et à trois roses, au lieu d'une seule. La même vitalité débordante se manifeste dans les voûtes, tandis que les clefs de voûte sont l'expression même de l'équilibre gothique: l'endroit où se nouent solidement quatre lignes d'énergie, canalisées d'abord par les colonnes puis par les ogives.

L'extérieur des cathédrales gothiques de la fin du XIIᵉ siècle et du début du XIIIᵉ était en harmonie parfaite avec l'intérieur — ceci est vrai au moins pour l'aspect qu'on voulait leur donner à l'origine, car, à peu près aucune cathédrale de cette époque ne fut terminée. Peu de visiteurs et peu d'étudiants savent qu'en dehors de la cathédrale de Tournai en Belgique, Laon est la seule église qui puisse nous donner l'idée exacte de ce à quoi une cathédrale française aurait dû ressembler. Elle comporte cinq grandes tours et devait en avoir sept: deux au-dessus de la façade occidentale, une plus trapue au-dessus de la croisée du transept et deux au-dessus de la façade

180
Reims. Façade ouest, deuxième moitié du XIIIᵉ siècle, galerie haute et tours, XVᵉ siècle.
181
Notre-Dame de Paris. Façade ouest, 1200-1250.
182
Laon. Façade ouest achevée vers 1225.

183

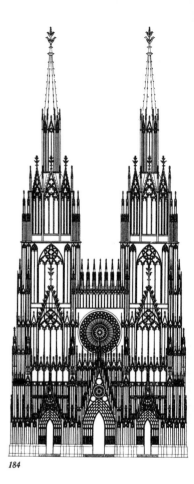

184

de chacun des croisillons ; Chartres devait en posséder huit, Reims six. Cette véhémence verticale des extérieurs, innovation gothique en France, et qui correspond plutôt au roman rhénan qu'au roman français, ne fut mise en question, semble-t-il, qu'aux environs de l'année 1220, lors de la construction de Notre-Dame de Paris. D'autant plus que la fameuse façade de Notre-Dame a des tours à plate-forme, alors que tout nous porte à croire que, dans les cathédrales citées ci-dessus, les tours étaient destinées à supporter des flèches. La flèche est l'expression suprême de cette impulsion verticale vers le ciel et c'est une création de l'esprit gothique, les flèches romanes n'étant pas autre chose que des toits de forme conique ou pyramidale. La première flèche en France est celle de la tour sud de Chartres. Nous comprenons bien l'admiration qu'avait Villard de Honnecourt pour la tour de Laon, admiration dont nous avons parlé plus haut. Quant à la cathédrale de Reims, il faut regarder les gravures de la façade de Saint-Nicaise, église depuis longtemps démolie, pour se rendre compte à quel point des flèches auraient pu en transformer l'aspect. Un des dessins originaux conservés de

185

186

183
Chartres. Les flèches de la cathédrale, flèche du sud 1145-1165, flèche du nord, XVᵉ siècle.
184
Strasbourg. Cathédrale, façade ouest, dessin « B », 1275 environ.
185
Chartres. Cathédrale, arcs-boutants, côté nord.
186
Amiens. Cathédrale, arcs-boutants.

la façade de Strasbourg (connu sous le nom de dessin B) vient confirmer cette théorie. Si, à Laon, l'on essaie d'ajouter en imagination les deux tours manquantes et des flèches au sommet de toutes les tours, l'on se fera une fidèle image de la magnificence idéale des extérieurs gothiques, bien digne de leur splendeur intérieure.

On a souvent dit que les différents éléments composant l'extérieur, principalement les arcs-boutants, tels qu'ils apparaissent d'abord, à Notre-Dame et à Canterbury, dans les années 1160 et 1170, ne sont que des nécessités fonctionnelles destinées à rendre possible la perfection mystique de l'intérieur. Ceci est inexact; leur mise en œuvre complexe et fascinante n'est pour autant ni extravagante ni confuse mais reste soumise à une logique qui exprime bien, à l'extérieur, la même tension qu'à l'intérieur.

Cet équilibre est l'expression classique du génie occidental — expression aussi achevée que le temple du Vᵉ siècle par rapport au génie des Grecs. Là, tout était harmonie, béatitude, repos; ici, dynamisme, qui, pour un seul moment, s'arrête et se suspend. Pour dominer les contrastes et

187

188

participer à cet esprit d'équilibre, il faut se concentrer. De même qu'une fugue de Bach, la cathédrale fait appel à toutes nos capacités d'intelligence et d'émotion. Tantôt nous nous trouvons perdus dans l'éclat mystique, pourpre et azuré des vitraux, et tantôt, grâce à la course précise de ces lignes à la fois minces et exactement calculées, nous reprenons vivement conscience du monde. Quel est le secret de ces vastes temples ? Se cache-t-il dans ces intérieurs miraculeux aux larges voûtes de pierre, immensément hautes, posées sur des murs tout de verre et des arcades beaucoup trop élancées et minces pour en supporter le poids ? L'architecte grec réalisa une harmonie de la charge et du support, pleinement satisfaisante pour l'esprit et à jamais ; l'architecte gothique, beaucoup plus audacieux dans ses constructions, avec son âme occidentale d'éternel chercheur et inventeur, toujours en quête d'inédit, visa à créer un contraste entre un intérieur tout spirituel et un extérieur tout rationnel. En effet, lorsque nous sommes à l'intérieur de la cathédrale elle-même, nous ne pouvons pas et ne sommes pas censés comprendre les lois qui la gouvernent dans son ensemble. Au contraire, à l'extérieur, le mécanisme compliqué de la structure nous est franchement exposé.

187
Chartres. Cathédrale, arcs-boutants, côté sud.
188
Le Mans. Cathédrale, arcs-boutants.

106

Les arcs-boutants et les contreforts, bien que doués d'une complexité fascinante, s'adressent à la raison en premier lieu, et donnent au spectateur une impression voisine de celle causée par la vue des accessoires de la coulisse à un amateur de théâtre.

Il n'est pas nécessaire de faire remarquer par un long discours à quel point la cathédrale gothique est, en fait, et de cette manière, un écho de toutes les conclusions de la pensée occidentale au XIIIᵉ siècle, c'est-à-dire de la pensée gouvernée par la scolastique. On appelle « scolastique » un mélange, typiquement médiéval, de théologie et de philosophie. Elle se développe en même temps que l'art roman, les siècles antérieurs au XIᵉ n'ayant, dans l'ensemble, que simplifié, organisé et parfois modifié la doctrine des Pères de l'Eglise et celle des philosophes et poètes latins. Au cours du XIIᵉ siècle, quand fut créé et se répandit l'art gothique, la scolastique devint une doctrine à la fois aussi élevée et aussi complexe que les grandes cathédrales. La première moitié du XIIᵉ siècle vit apparaître les « compendia », résumés de toutes les connaissances humaines et sacrées : la *Somme*, de saint Thomas d'Aquin, les œuvres d'Albert le Grand et de saint Bonaventure, les *Specula* (les miroirs) de Vincent de Beauvais, et en poésie le *Parsifal* de Wolfram von Eschenbach.

Un de ces grands ouvrages encyclopédiques, le *De Proprietatibus Rerum*, composé vers 1240 par le dominicain anglais Bartholomaeus Anglicus, commence par un chapitre sur l'essence, l'unité et les trois personnes de Dieu. Le chapitre suivant a trait aux anges, le troisième à l'homme, à son âme et à ses sens. Puis viennent des chapitres sur les éléments et les tempéraments, sur l'anatomie et la physiologie ; sur les âges de la vie, la nourriture, le sommeil et autres nécessités physiques ; sur les maladies, le soleil, la lune et les étoiles ; sur les signes du zodiaque, le temps et ses divisions, sur la matière, le feu, l'air, l'eau ; sur les oiseaux du ciel, les poissons de la mer, les bêtes de la terre ; sur la géographie, les minéraux, les arbres, les couleurs, les outils.

Vincent de Beauvais, qui écrit vers 1280, divise son œuvre en trois parties : le Miroir de la Nature, le Miroir Moral et le Miroir d'Histoire. Et tandis que le Miroir de la Nature remonte à Dieu et à la création du monde, celui de l'Histoire commence à la chute de l'homme et se prolonge jusqu'au Jugement dernier. La cathédrale — en dehors du fait qu'elle est la pure expression architecturale de l'esprit de son époque — était une autre *Somme* et un autre *Miroir*, une encyclopédie taillée dans la pierre. La Vierge à Reims se tient debout sur le trumeau du portail principal de la cathédrale. Des statues situées sur les piédroits de ce même portail représentent des scènes comme l'Annonciation, la Visitation, la Présentation au Temple. Plus haut, dans les gâbles des trois portails, apparaissent la Crucifixion, le Couronnement de la Vierge et le Jugement dernier. Mais, dans les cathédrales gothiques, figure également la vie du Christ, de la Vierge et des saints, représentée dans le vitraux et dont l'imagerie envahit les socles, les piédroits, les voussures et monte le long des contreforts. Les saints sont sculptés munis des attributs qui permettent de les identifier : saint Pierre avec sa clef, saint Nicolas avec ses trois boules dorées, sainte Barbe avec sa tour, sainte Marguerite et son dragon. On trouve aussi des scènes et des personnages de l'Ancien Testament : la création de l'homme, Jonas et sa baleine, Abraham et Melchisédech, les Sibylles romaines qui avaient, disait-on, prédit la venue du Christ, les vierges sages et les vierges folles, les sept arts libéraux, les mois de l'année et leurs travaux : la greffe des arbres, la tonte des moutons, la moisson, l'abattage des porcs, et aussi les signes du zodiaque et les éléments. Dans cet abrégé de toutes les connaissances, le profane se mélange au sacré, mais tout, comme le dit saint Thomas, « est orienté vers Dieu ». Jonas, en effet, n'est pas représenté parce qu'il appartient à l'Ancien Testament, mais bien parce que les trois jours qu'il passa dans le ventre de la baleine sont le symbole de la mise au tombeau puis de la Résurrection du Christ. De même, Melchisédech offrant le vin et le pain à Abraham, symbolise la Cène. Pour les esprits du Moyen Age, tout était symbole. Ce qui est important, la vraie signification des choses, se cache, pensaient-ils, derrière les apparences. L'image des deux épées, celle du pape et celle de l'empereur, était l'expression symbolique de deux théories politiques. Pour Guillaume Durand, l'église en forme de croix représentait la croix, et le coq du clocher, le prédicateur qui réveille les pécheurs dormant dans la nuit du péché. Le mortier, disait-il, « se compose de chaux, c'est-à-dire d'amour, de sable, c'est-à-dire de labeur terrestre accompli par amour, et d'eau, trait d'union entre l'amour céleste et notre monde de la matière ».

Tout cela nous ne devons jamais l'oublier, pour bien réaliser à quel point cet univers est loin du nôtre, en dépit de tout notre enthousiasme pour les cathédrales et leurs sculptures. A l'intérieur de ces vastes nefs, nous sommes, la plupart du temps, sujets à une réaction beaucoup trop romantique, nébuleuse et sentimentale, alors que pour le clerc du XIIIᵉ siècle, tout était probablement d'une portée précise ; précise mais transcendante. Et voici bien l'antagonisme qui, à notre époque agnostique, nous résiste victorieusement. Au XIIIᵉ siècle, l'évêque et le moine, le chevalier et l'artisan, croyaient fermement — chacun, bien sûr, dans la mesure de ses capacités — que rien n'existe ici-bas qui ne vienne de Dieu et qui ne doive sa signification et son unique intérêt à son contexte divin. La conception médiévale de la vérité était fondamentalement différente de la nôtre. La vérité n'était pas ce qui peut être prouvé, mais ce qui est conforme à une révélation déjà acceptée. La recherche n'étant pas entreprise pour découvrir la vérité mais pour avancer plus avant à l'intérieur d'une vérité préétablie. De ce fait, les autorités reconnues comptaient plus pour un érudit du Moyen Age que pour n'importe lequel d'entre nous aujourd'hui, et de ce fait aussi découlait la confiance des artistes du Moyen Age dans l'« exemplaire », c'est-à-dire dans l'œuvre d'art édifiante proposée en modèle. Ni l'originalité ni l'étude de la nature ne comptaient donc pour beaucoup. Villard de Honnecourt, lui-même, dans son manuel, copiait neuf pages sur dix. Les innovations ne vinrent que peu à peu et furent beaucoup moins recherchées que nous ne pouvons le croire.

Il n'en reste pas moins que le style gothique fut sans aucun doute une création préméditée, œuvre de quelques personnalités fortes et sûres

189

d'elles-mêmes. Ses manifestations nous permettent de le supposer et, en vérité, à l'intérieur même de la doctrine scolastique, principal apport du XIIIᵉ siècle, nous trouvons des conclusions qui divergent nettement de l'attitude purement transcendante qui était celle des siècles précédents et particulièrement de l'époque romane. Saint Pierre Damien, dans la première moitié du XIᵉ siècle, s'était écrié : « Le monde est souillé à un tel point par le vice que tout esprit sain est corrompu par le fait même d'y appliquer sa pensée. » Maintenant, Vincent de Beauvais s'extasie « de la grandeur qui pénètre jusqu'à la plus modeste beauté du monde. Mon esprit tout entier se tourne avec douceur vers le Créateur, roi de ce monde, quand je contemple la magnificence, la beauté et la permanence de Sa création ». Et la beauté, d'après saint Thomas, ou un de ses fidèles disciples, vient de « l'harmonie qui s'établit entre des éléments différents ».

Bien sûr, ce n'est jamais — ce n'est pas encore — la beauté du monde en lui-même que l'on célèbre, mais la beauté de l'œuvre de Dieu. Nous pouvons nous en réjouir sans retenue car Dieu lui-même « se complaît en toute chose, qui se trouve chacune, en elle-même, conforme à Son Essence » (saint Thomas). Les tailleurs de pierre pouvaient donc reproduire les plus merveilleux feuillages, l'aubépine, le chêne, l'érable et les ceps de vigne. Du temps de saint Pierre Damien, la décoration était abstraite ou rigoureusement stylisée. Maintenant, comme les nervures et les colonnes de la voûte, elle est pénétrée d'une vie jeune qui palpite en elle ; toutefois,

189
Gelnhausen. Eglise Notre-Dame, chapiteau, 1230 environ.

109

190

191

même quand elle se rapproche le plus de la nature, la décoration du XIIIᵉ siècle n'est jamais pédante ni gratuite. Elle est encore soumise, ne se débride pas et reste au service, toujours, de la plus grande cause : celle de l'architecture sacrée.

Néanmoins, tout ceci aurait été inconcevable avant l'époque de saint François d'Assise et de son chant « au père soleil, à la sœur terre et au frère vent », avant le « dolce stil nuovo », et les romans de chevalerie français. Les premiers ordres monastiques avaient vécu dans la réclusion de leurs cloîtres ; les ordres nouveaux du XIIIᵉ siècle, dominicains et franciscains, établirent leurs monastères en pleine ville pour prêcher au peuple. Les premières croisades avaient été suscitées pour libérer la Terre Sainte ; la quatrième, celle de 1203, fut détournée vers Constantinople par les Vénitiens qui avaient besoin de contrôler cette ville pour le plus grand bien de leur commerce. Cependant, dans la cinquième croisade, il y eut encore, en la personne du roi de France Louis IX, Saint Louis, un véritable chevalier chrétien, héros chez qui l'idéal de la religion et l'idéal de la chevalerie brûlaient avec

192

193

190
Reims. La communion du chevalier, revers du portail ouest.
191
Chartres. Porche sud 1224-1250 (à gauche saint-Théodore).
192
Naumburg. Cathédrale, statue de Gerburg, chœur occidental, 1250-1260 environ.
193
Bamberg le chevalier.

une même ardeur. Le *Parsifal* de Wolfram est le chant épique le plus marquant de tout le XIIIe siècle. A l'époque où la cathédrale de Reims fut commencée, voici les instructions données au jeune chevalier : il se doit de « garder son âme vouée à Dieu, sans pour autant perdre son empire sur le monde ». On lui dit aussi « de toujours se laisser guider par la modération », que ce soit dans les moments de peine ou de joie. Bien que ce précepte ressemble à l'adage grec « aucune chose en excès », il en est pourtant très éloigné. Là, comme en architecture, il s'agit d'atteindre un état d'équilibre, ultime récompense de ceux qui, sans défaillir, luttent pour leur salut. C'est un idéal élevé et noble, digne des grandes cathédrales et des superbes sculptures de leurs portails. A Chartres, on peut le voir, ce chevalier, doué des vertus de Parsifal, qui, sous le nom de saint Théodore, se tient debout sur le porche du croisillon Sud. A Reims, on le rencontre de nouveau, sous les traits d'un roi inconnu, à l'abri du dais d'un des contreforts ; à Bamberg, il est à cheval et à Naumburg, dans le chœur de la cathédrale, il est accompagné des plus belles femmes de la sculpture occidentale, à la fois virginales et fortes.

194

En Angleterre, les émissaires de Henri VIII et de Cromwell ont détruit la plupart des sculptures qui étaient à l'intérieur des cathédrales. Les quelques fragments qui nous sont restés, par exemple la statue sans tête de Winchester, sont de la même qualité et du même type que leurs équivalents français du XIIIe siècle. Mais ni la façade de Wells ni les statues encore debout à Lincoln ou à Winchester n'égalent la perfection rencontrée à Reims ou à Chartres. Les Anglais ne sont pas une race de sculpteurs. Par contre, leur architecture, est aussi élégante que celle des cathédrales françaises, tout en restant typiquement nationale. Ce style est connu sous le nom de *Early English*, c'est-à-dire Premier Anglais.

Il trouva son origine en France, comme le gothique de tous les pays. Les cisterciens, nouvel ordre réformé du XIIe siècle, ordre auquel appartenait saint Bernard, le favorisèrent. Les bâtiments cisterciens en Angleterre furent parmi les premiers à utiliser les arcs brisés. A Canterbury, Guillaume de Sens, le premier, introduisit le gothique dans la construction des cathédrales. Le caractère des détails est resté français mais, particula-

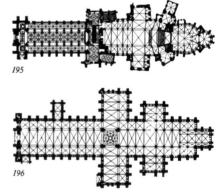

195

196

112

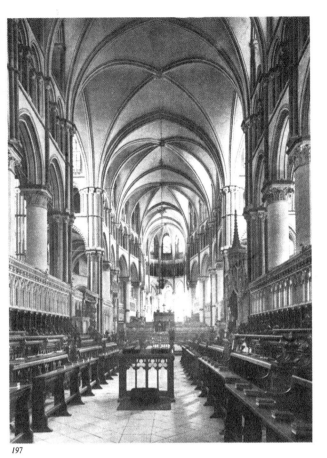

197

198

rité très inhabituelle en France, les transepts, à Canterbury, Lincoln, Wells, Salisbury, et dans bien d'autres cathédrales, sont doublés. Ce trait n'est d'ailleurs pas une invention anglaise. Cluny, comme nous l'avons déjà noté, comportait deux transepts. Le fait que cette disposition à double transept soit restée exceptionnelle en France tandis qu'en Angleterre elle devenait si populaire, illustre au premier chef la différence entre les conceptions architecturales des deux pays. En France, nous l'avons vu, le style gothique tend à une concentration spatiale. L'*Early English* est dépourvu de cette qualité. Une cathédrale comme celle de Salisbury avec son chevet plat et deux transepts, carrés eux aussi, est encore composée comme par une somme d'unités, de compartiments réunis. Si l'on compare, par exemple, Lincoln à Reims, cette différence se manifeste d'une manière éclatante. Reims semble vigoureusement compacte; Lincoln s'étend sans contrainte. Un même contraste peut être trouvé dans les façades occidentales. Les façades anglaises sont relativement sans signification. A leur place, des porches, qui parfois sont devenus de magnifiques morceaux d'architecture indépendante et dé-

113

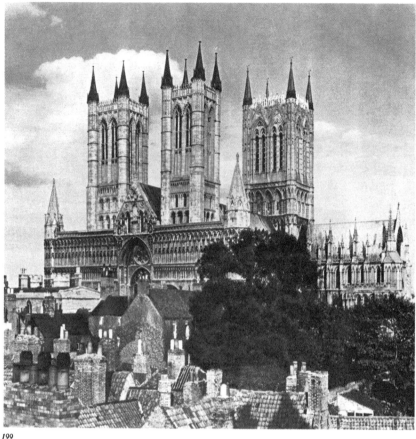

199

200

corative, sont greffés au bas-côté nord ou sud et servent d'entrée principale. Quand les façades, comme celles de Lincoln et de Wells, se déploient pleinement, elles ont une existence sans liaison intime avec l'intérieur qui se trouve derrière; sorte d'écrans placés devant l'église proprement dite, elles ne sont pas comme les façades françaises, l'expression visible et logiquement conçue du système intérieur. On a dit que cette attitude apparemment conservatrice des architectes anglais était due à la survivance de toutes ces grandes cathédrales de style normand, dont on utilisait les fondations et les murs pour construire du neuf. Mais cette explication matérialiste, comme beaucoup d'autres du même genre, ne résiste pas à l'analyse. Salisbury était une nouvelle fondation. Le site où fut posée sa première pierre, en 1220, l'année où l'on entreprit la construction de la cathédrale d'Amiens, était vierge. Or, à Salisbury, le plan est du même type qu'à Lincoln. Cette préférence pour une composition faite de parties ajoutées les unes aux autres, doit donc être tenue pour une particularité nationale. Ceci admis, l'on pourra reconnaître la similitude essentielle avec le plan des églises anglo-saxonnes,

114

201

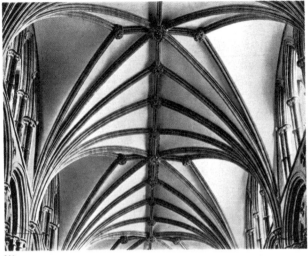

202

telles que Bradford-on-Avon et aussi le rapport avec les élévations spécifiquement nationales de l'*Early English*.

La cathédrale de Canterbury ne peut être sans réserve considérée comme anglaise; par contre, Wells et Lincoln le sont. Wells fut commencée un peu avant 1191, Lincoln en 1192. Si l'on compare la nef de Lincoln, voûtée vers 1233 ou un peu plus tard, avec celle d'Amiens, par exemple, le contraste entre les deux pays est frappant. Pourtant ces deux cathédrales sont toutes deux issues du même génie aristocratique, génie du XIIIe siècle à la fois jeune et discipliné, vigoureux et plein de charmes. A Lincoln, les travées sont larges alors qu'elles sont étroites à Amiens; en outre, les piliers sont calculés largement et aucune colonne ne s'élance du sol jusqu'à la voûte. Celles qui portent les nervures de la voûte reposent sur des corbeaux placés juste au-dessus des chapiteaux des piliers (disposition parfaitement illogique du point de vue français). La tribune comporte de larges ouvertures basses à arcs brisées si ouverts qu'ils nous semblent semi-circulaires [14] (autre inconséquence aux yeux d'un critique français). Mais c'est surtout la voûte qui

115

pourra surprendre quelqu'un parlant le langage d'Amiens ou de Beauvais, car, tandis que la voûte française est le couronnement logique du système des travées, la voûte de Lincoln possède, outre les doubleaux qui séparent les travées et les quatre branches d'ogives, une lierne qui court le long de l'axe central de la voûte, parallèlement aux grandes arcades; il y a aussi ce qu'on appelle les tiercerons, c'est-à-dire des nervures issues des mêmes chapiteaux que les ogives et qui conduisent à d'autres points de la lierne longitudinale ou à une autre qui lui est perpendiculaire. Aussi cette voûte, à Lincoln, prend-elle la forme d'une succession d'étoiles et est-elle plus décorative et moins logique que celle du système français. D'autre part, ces voûtes ont une autre particularité, encore moins rationnelle. En effet, si l'on regarde les voûtes de Lincoln sur plan, la définition d'une succession d'étoiles semble correcte. Toutefois, à l'intérieur même de l'église, l'œil n'en donne plus la même interprétation. Du fait que les doubleaux ne sont pas plus épais que les nervures et ont exactement le même profil, on ne saisit pas l'ensemble comme celui d'une suite de travées, mais plutôt comme un déploiement de palmes, depuis les chapiteaux des colonnes supportant la voûte, à droite et à gauche, jusqu'à la lierne centrale. Ainsi la marche à l'intérieur de l'église ne s'accorde plus au rythme des travées, mais à celui des points de départ de la voûte; ce qui est travées au niveau des grandes arcades, est, à hauteur de voûte et tout du long, rythmé sur la largeur des demi-travées.

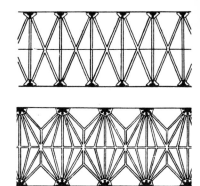

Dans tout ceci, l'*Early English* apparaît comme le reflet fidèle du caractère national, qui ne semble pas, jusqu'à présent, avoir beaucoup changé. Une même méfiance du systématique, du logique et des attitudes entières et sans compromis existe encore chez les Anglais. Comme ces qualités particulièrement britanniques n'ont pas pu être décelées dans l'architecture normande, il est bon de mentionner ici qu'aux environs du milieu du XIIIe siècle, d'autres indices indiquaient également l'éveil d'une conscience nationale. Les Provisions d'Oxford, datées de 1258, sont le premier document officiel établi non seulement en français (ou en latin) mais aussi en anglais. Ces actes proclament qu'à l'avenir, aucun fief dépendant de la couronne ne pourra aller à des étrangers et que les chefs de garnison des châteaux royaux et des ports devront tous être anglais. On sait que la révolte de Simon de Montfort fut un mouvement national et qu'Edouard Ier fut très largement influencé par les idées de Simon. Les mêmes tendances vers des différenciations nationales peuvent être remarquées à cette époque dans d'autres pays européens. Elles étaient liées, probablement, à l'expérience des Croisades pendant lesquelles les chevaliers de l'Occident avaient pour la première fois pris conscience du contraste existant entre les comportements, les sentiments et les usages habituels de leurs pays respectifs.

En ce qui concerne l'architecture, les Croisades ont eu, en outre, un effet plus immédiat. Elles furent la cause d'une réforme complète dans l'organisation et la construction des châteaux forts. Au lieu de mettre toute leur confiance dans le donjon roman, les architectes vont adopter un système de chemises concentriques, avec des tours de place en place. Cette disposition fut employée à l'origine, dès l'an 400, pour la construction des puissants

204

205

206

207

203
Dessins comparés de voûtes. En haut: Chartres, commencée vers 1194. En bas: Lincoln, commencée vers 1192.
204
Château-Gaillard 1196-1197.
205
La Tour de Londres, fin du XIᵉ siècle, vue aérienne.
206
Le Krak des chevaliers XIIIᵉ siècle.
207
Loches. Le donjon, début du XIIᵉ siècle, côté sud-est.

remparts de Constantinople dont le mur intérieur, le plus haut, s'élevait à plus de 12 mètres. L'idée fut ensuite adoptée par les infidèles, puis les Croisés la reprirent, à leur tour, en Syrie et en Terre Sainte. Un des premiers exemples, en France, est Château-Gaillard, construit en 1196-97 par Richard Cœur de Lion, roi d'Angleterre. La Tour de Londres agrandie par Richard Cœur de Lion, puis par Henri III, est un exemple spectaculaire de ce plan concentrique. Cependant, le trait le plus important dans tout ceci est le fait qu'à une disposition fonctionnelle nouvelle correspond, au moins dans un certain nombre de cas, une nouvelle conception esthétique. On redécouvrit la symétrie comme principe d'organisation des châteaux ; symétrie que les Romains avaient utilisée pour leurs villes et leurs camps. La redécouverte appartient

117

aux Français. Les châteaux de Philippe Auguste, le Louvre à Paris, et Dourdan non loin de Paris sont des carrés presque parfaits avec quatre tours rondes aux angles et un portail garni de deux tours sur le milieu d'un côté. Les ingénieurs de l'empereur Frédéric II élevèrent des châteaux semblables, dans le sud de l'Italie (Lucera, Castel Maniace à Syracuse, Castel Ursino à Catane) vers 1240, en rapport ou non avec la France. Au même moment, les villes nouvelles du XIIIe siècle, construites pour des besoins militaires ou commerciaux par les Français ou les Anglais, acquièrent aussi des structures régulières. Aigues-Mortes, aux environs de 1270, la plus grande d'entre elles, est un échiquier avec des murs rectilignes, des tours d'angle et des portes garnies de tours. Les châteaux anglais viennent un peu plus tard, mais Harlech, au Pays de Galles (1286-90) est le plus grandiose de ce type restant en Europe du Nord. Le château le plus accompli de tout l'Occident est le château de Frédéric II, Castel del Monte, en octogone avec des éléments dérivant de la Rome antique aussi bien que de la France gothique.

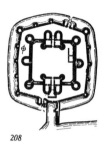

208

Pour l'architecture religieuse anglaise, la réalisation qui se prête le plus aisément à une comparaison avec Harlech est la salle capitulaire du XIIIe siècle. Voici encore quelque chose de spécifiquement anglais, à peine connu à l'étranger, et très insuffisamment apprécié en Angleterre — à cause du complexe d'infériorité qu'ont les Britanniques en matière d'art. A Salisbury, la salle capitulaire qui date des environs de 1275 est bâtie sur plan central. C'est un octogone comportant un pilier central et de larges fenêtres qui occupent la totalité des murs à l'exception d'une arcature aveugle, située juste au-dessus du banc en pierre des chanoines. Mais, tandis qu'en France les murs entièrement vitrés donnent une impression d'union extatique avec un au-delà merveilleux, à Salisbury, les proportions des fenêtres et de leur remplage en rose généreusement marqué, maintiennent à l'intérieur un contact avec le sol, à la fois paisible et rassurant. Une surface ensoleillée est obtenue qui fait paraître Amiens excessive et surexcitée.

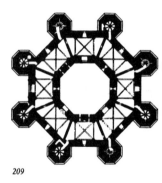

209

L'Early English présente, d'autre part, dans chacun de ses différents motifs, autant de raffinement, de netteté et de noblesse que le style français des grandes cathédrales. En fait, c'est bien cette similitude essentielle qui nous remet sans cesse en mémoire l'ultime identité spirituelle qui existait entre les architectes français et anglais du XIIIe siècle. Pour s'en rendre compte, il suffit de regarder à Salisbury, le pilier central ou, à Lincoln, les colonnes des grandes arcades de la nef, avec leurs minces colonnettes détachées et leurs chapiteaux à crochets (d'un type qui caractérise les années 1200, en France comme en Angleterre); l'on peut également penser à la clarté et à l'élan des fenêtres lancéolées anglaises (anglaises parce qu'elles sont insérées dans un mur relativement important, tandis qu'en France le mur n'existerait plus); il ne faut pas oublier les remarquables sculptures des chapiteaux à feuillage de Reims, de Naumbourg et de la salle du chapitre de Southwell, palpitantes de vie et pourtant soumises au strict contrôle de la discipline architecturale, économes de moyens, franches, sans ostentation et d'une précision qui ne peut se comparer qu'à celle de l'art grec classique du Parthénon.

208
Plan du Château de Beaumaris.
209
Plan de Castel del Monte.
210
Aigues-Mortes. Les remparts vers 1272.
211
Château de Harlech 1286-1290.
212
Castel del Monte construit en 1240.
213
Castel del Monte. Le portail, 1240.

210

211

212

213

119

215

214

214
Paris. La Sainte-Chapelle, 1243-1248.
215
Paris. Sainte-Chapelle, église haute, 1243-1248.
216
Beauvais. Cathédrale, chœur, XIIIᵉ et XIVᵉ siècle.
217
Beauvais. Cathédrale commencée en 1247.
218
Beauvais. Plan de la Cathédrale.

216

217

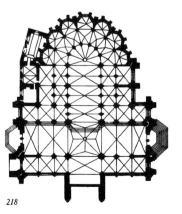

218

Mais chaque civilisation ne connaît qu'un moment de classicisme. C'est à la fin du XIIᵉ siècle que, dans les sociétés les plus avancées de France et d'Angleterre, on y parvint. Les élites, d'ailleurs, s'en fatiguèrent vite et partirent vers de nouvelles aventures peu après le milieu du XIIIᵉ siècle. En France, l'apogée est la Sainte-Chapelle, celle des rois de France (1243-1248) conçue sous la forme d'une seule grande salle, avec des murs entièrement de verre, à l'exception d'un socle de faible hauteur. De la même manière à Beauvais, qui fut commencée en 1247, et plus tôt encore, dans la construction de la nef, du transept et de toutes les parties hautes de St-Denis depuis 1231, le triforium était même extérieurement vitré, de sorte qu'aucune zone de maçonnerie opaque et solide ne subsistait plus nulle part et que l'élévation était désormais à deux étages au lieu de trois. La fin de cette évolution en France est représentée par l'extraordinaire église Saint-Urbain à Troyes où, entre 1261 et 1277, la structure reçut une apparence de fragilité et de sveltesse sans précédent et où fut adopté, pour la première fois dans une église de dimensions importantes, le parti de la Sainte-Chapelle. Puis, aux environs

219

221

220

219
Troyes. Saint-Urbain, façade ouest, 1261-1277 environ.
220
Troyes. Saint-Urbain, l'abside.
221
Troyes. Saint-Urbain, les fenêtres hautes et la claire-voie de l'abside.
222
Saint-Denis. Église abbatiale.
223
Salisbury. Cathédrale, salle capitulaire, 1275.

222

223

de 1275, l'effort français se relâcha. S'il est vrai que plusieurs cathédrales encore furent construites dans des provinces [15] alors récemment conquises par la couronne, ces édifices n'apportèrent aucun élément nouveau, restant simplement conformes aux règles établies à Saint-Denis et à Beauvais ; l'Angleterre, à l'opposé, devait garder son énergie créatrice pendant un siècle encore, et l'architecture anglaise fut même de 1250 à 1350, bien que les Anglais eux-mêmes ne le sachent pas, la plus avancée, la plus importante et la plus inspirée d'Europe.

Le Gothique tardif

(1250-1500)

Le Gothique tardif, bien qu'il appartienne encore par son emploi prédominant de l'arc brisé au style gothique, est absolument différent du gothique classique des grandes cathédrales françaises et anglaises comme Paris, Reims, Amiens, Lincoln ou Salisbury. C'est un phénomène complexe, si complexe en vérité qu'il serait peut-être sage d'en aborder l'étude à travers les changements intervenus dans sa décoration, avant de s'essayer à préciser quelles modifications spatiales le caractérisent. Quant à la décoration, on peut très bien se rendre compte de la différence qui existe entre le début et la fin du XIIIe siècle, à l'intérieur de la cathédrale de Lincoln. L'« arrière-chœur », ou chœur des anges, y fut commencé en 1256. Il est d'une suprême beauté ; mais il ne possède plus la fraîcheur du printemps ou du début de l'été. L'abondance de sa décoration épanouie et riche évoque plutôt la chaleur et la douceur des mois d'août et de septembre, la moisson et la vendange. Mais quelle généreuse plénitude dans le feuillage exubérant des corbeaux, dans les colonnettes et les chapiteaux de la tribune, dans les vigoureuses moulures des arcades et les réseaux de la tribune ! Quelle plénitude, surtout, dans les deux merveilleux écrans des fenêtres hautes, l'un situé dans les fenêtres mêmes, l'autre séparant l'intérieur de l'église d'un couloir de circulation. Alors qu'ici existent encore l'ampleur et la plénitude, l'on peut remarquer dans d'autres œuvres de la même époque, d'un style également avancé, une tendance à la préciosité en même temps qu'à la complication. Cette tendance correspond d'ailleurs à celle qui domine la philosophie contemporaine — c'est-à-dire les méandres compliqués de la pensée de Duns Scot (né vers 1266), et de son disciple Occam (mort vers 1347) —, et aussi à celle de l'architecture française. Mais tandis qu'en France le résultat de ce mouvement est, dans l'ensemble, pauvre et rétrograde, l'Angleterre continuera, avec une extraordinaire profusion, à inventer des formes qui sont simplement décoratives et n'appartiennent plus strictement au domaine architectural. La plus parfaite expression de cet esprit nouveau est le remplage, dit flamboyant, à l'opposé des formes géométriques employées entre les années 1230 et 1300. L'économie d'expression de l'*Early English*, économie propre à toute époque classique, contraste fortement avec l'infinie variété du flamboyant ou « curvilinéaire ». Là où l'on avait exclusivement employé des roses à trois ou quatre feuilles, etc., se voient maintenant des trèfles pointus, des arcs à double courbure, des mouchettes, des soufflets et toutes sortes de systèmes réticulés.

125

Deux églises, l'une à l'est et l'autre à l'ouest du pays permettent d'étudier ce nouveau courant britannique en termes d'espace : la cathédrale de Bristol (à cette époque église abbatiale) et celle d'Ely. Le sanctuaire de Bristol fut commencé en 1298 et sa construction s'étale sur le premier quart du XIVe siècle. Son architecture diffère de celle de toutes les cathédrales anglaises de ·la période antérieure par quatre traits significatifs. C'est une halle, et non pas une basilique (ceci veut dire que les collatéraux sont de la même hauteur que la nef principale, de telle sorte qu'il n'y a pas de fenêtres hautes). Ce type d'élévation d'église s'était déjà rencontré dans le style roman du sud-ouest de la France, mais nulle part n'avait été tenté ce qui se réalise dans le cas présent : la création d'un espace d'un seul tenant, avec des piliers insérés à l'intérieur, création qui remplace le principe gothique classique de l'étagement de la nef et des bas-côtés. Cette tendance à unifier l'espace trouve son origine dans les dortoirs et les réfectoires de l'architecture monastique et dans des « arrière-chœurs » comme celui de Salisbury. L'introduction de ce principe dans la construction du corps même d'une église amena les architectes de Bristol à changer, avec une étonnante assurance étant donné l'époque, à la fois la forme des piliers et celle des voûtes. Les piliers composites — innovation que l'on rencontre aussi en France, en Allemagne et aux Pays-Bas — n'ont de chapiteaux que pour quelques colonnes de moindre importance ; les autres s'élèvent pour se confondre avec les nervures, sans aucune césure [16]. Quant aux voûtes elles-mêmes, dont les arcs doubleaux ne sont plus particulièrement soulignés, elles se présentent comme une suite de compositions en étoile faites de nervures primaires, secondaires et tertiaires, appelées ogives, tiercerons et liernes. Les liernes qui, d'après leur définition même, ne partent ni d'un tailloir sur le mur ni d'une des principales clefs de voûte, sont une innovation caractéristique. D'autre part, pour être en mesure de supporter le poids de la voûte de la nef, poids qui, dans une église gothique basilicale, est transmis par l'intermédiaire d'arcs-boutants aux toits des bas-côtés, et, de ces derniers, par des contreforts jusqu'au sol, les collatéraux comportent, au niveau de la naissance de leurs voûtes, une sorte d'entretoise, ou de pont, tout à la fois naïvement et pourtant singulièrement bien conçue, jetée d'un mur à l'autre, à l'aplomb des arcs doubleaux. Des nervures jaillissent de leur milieu et forment deux séries de voûtes transversales, en berceau brisé, destinées à contrebuter la voûte de la nef principale. Ce système a donc vraisemblablement été conçu pour des raisons techniques, ce qui ne l'empêche pas de produire un effet esthétique des plus saisissants [17]. Un intérieur gothique classique n'est censé susciter notre intérêt que dans deux directions : l'une qui va de la façade jusqu'à l'autel et l'autre qui, perpendiculairement à ce premier mouvement, nous montre, à droite et à gauche, les remplages et les grandes surfaces vitrées. A Bristol, nos yeux sont attirés constamment par des perspectives fugitives et obliques vers le haut et sur les côtés.

Le même effet peut être étudié sur une plus grande échelle dans la cathédrale de Wells où, en 1338, un arc énorme ou entretoise, de dessin et fonction semblables, fut placé entre la nef et le carré du transept pour

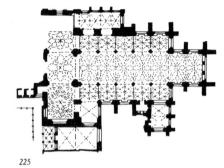

225

225
Bristol. Plan de la Cathédrale.
226
Bristol. Le chœur de la cathédrale comencée en 1298.
227
Bristol, cathédrale. Voûte du bas-côté du chœur 1300-1310 environ.

supporter le poids d'une tour sur la croisée. Elle déconcerte outre mesure mais fait une impression incontestable. A Bristol même, l'architecte de la cathédrale a donné une version plus enjouée des mêmes motifs spatiaux dans le petit vestibule qui précède la chapelle des Berkeley. Des arcs et des nervures, entre lesquels les cantons sont laissés à jour, y supportent un plafond plat en pierre, qui nous apparaît ainsi à travers une grille très séduisante de lignes dans l'espace. Cette disposition n'est commandée par aucune raison fonctionnelle et le maître d'œuvre l'a inventée uniquement pour le plaisir de créer une agréable confusion. Les arcs et les ogives du gothique classique restent, eux, strictement attachés au niveau spatial qui leur est assigné et ne s'aventurent jamais ailleurs.

A Ely, mieux que nulle part ailleurs, cette nouvelle façon d'envisager l'espace trouva sa forme propre. Entre 1323 et 1330, la croisée de cette cathédrale fut reconstruite sur un dessin octogonal. Le responsable du choix de cette figure géométrique fut vraisemblablement Alan de Walsingham, un des principaux desservants de la cathédrale, dont la volonté ne

229

pouvait être que celle de se libérer de la discipline des angles droits, propre au XIIIᵉ siècle. Les axes en diagonale avec leurs vastes fenêtres à remplages flamboyants effacent les limites précises marquées entre la nef, les bas-côtés, le transept et le chœur, limites qui, autrefois, constituaient la base du plan et de l'élévation des églises gothiques classiques. Certains critiques ont avancé que les verrières d'Amiens et de la Sainte-Chapelle sont également en rupture avec l'organisation logique d'un Moyen Age plus ancien, car elles font, disent-ils, déboucher l'espace intérieur sur un monde de mystères et de transcendance. Ceci est inexact; les vitraux peuvent certes donner aux murs une sorte de transparence, mais ils n'en forment pas moins une clôture, et, en réalité, ne permettent pas aux yeux de se perdre en des lointains insaisissables et vagues. A Ely, l'octogone arrive justement à ce résultat, produisant une impression de surprise et d'ambiguïté. Il est en pierre et se trouve, en outre, couronné par un deuxième octogone, celui-là en charpente, qui vient remplacer les habituelles tours carrées dominant la croisée du transept. Cette charpente est l'œuvre de William Herle, maître menuisier du roi, appelé en

228
Wells, cathédrale. Croisée du transept, 1338.
229
Ely, cathédrale. La tour lanterne 1323-1330 environ.

129

230

231

tant qu'expert et qui la décala de vingt-deux degrés et demi par rapport à l'octogone inférieur. Dès que perçu, cela ajoute encore aux autres éléments de surprise que nous trouvons à Ely. Cette croisée polygonale d'Ely avait eu un précédent à Sienne dont la cathédrale, presque terminée en 1264, présentait une croisée en forme d'hexagone. L'effet de surprise est comparable à celui d'Ely, mais à Sienne il nous semble un peu fortuit, à cause de l'implantation irrégulière de la croisée et de la forme irrégulière des travées et des voûtes qui l'entourent.

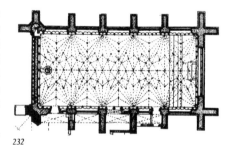

232

La chapelle de la Vierge à Ely (1321-1349) parvient au même résultat d'une façon plus subtile et plus délicate. Cette chapelle rectangulaire est détachée de l'édifice principal, comme seules le sont d'ordinaire les salles capitulaires. La partie basse du mur est décorée d'une merveilleuse suite d'arcs en accolade, décorés de crochets, réunis sous des arcs de décharge plus grands, également en accolade, et tridimensionnels ou jouant dans l'espace (*nodding*). Des quatrefeuilles à courbes et contre-courbes, ornés de personnages assis garnissent les écoinçons. Les arcs eux-mêmes sont recou-

130

233

234

235

230
Sienne, cathédrale. Croisée du transept achevée en 1264.
231
Ely, cathédrale - Détail des arcatures dans la chapelle Notre-Dame, 1335-1349 environ.
232
Ely, Chapelle Notre-Dame. Plan.
233
Ely, Chapelle Notre-Dame.
234
York, cathédrale, la salle capitulaire, 1280 environ.
235
York, plan de la salle capitulaire.

verts d'une abondante et luxuriante végétation qui n'est plus aussi nette que celle du XIIIᵉ siècle, mais qui, à cause de ses ondulations, des protubérances de ses feuilles, de la complexité de ses plus petits détails, est à la fois plus recherchée et, paradoxalement, plus uniforme dans son ensemble. Ceci est dû à la technique de l'artiste qui ne permet absolument pas d'isoler les détails entre eux, comme on pouvait le faire en regardant les feuillages de Reims et de Southwell. A Ely, l'on voit une ondulation, un mouvement perpétuel de lumières et d'ombres défilant rapidement à la surface des sculptures, qui séduit mais reste bien loin de la netteté caractéristique du siècle antérieur.

L'arc en accolade tridimensionnel est un motif d'une grande portée. Il a le même rôle que l'octogone de la cathédrale d'Ely et que celui des piliers sans chapiteaux, des voûtes sans doubleaux et des entretoises des bas-côtés à Bristol : il donne à l'espace un mouvement plus rapide, plus subtil et moins simpliste que tout ce qu'on avait essayé dans les églises de *l'Early English*. La salle capitulaire de la cathédrale d'York, qui date de

1290 environ, annonce déjà cette façon de traiter la surface des murs en trois dimensions ; les sièges ne s'y appuient plus, comme à Salisbury quinze ans plus tôt, sur des arcatures aveugles, mais sont placés à l'intérieur de très petites niches polygonales. Ce ressaut, répété quarante-quatre fois, fait naître un mouvement ondulatoire trop faible encore pour briser la continuité du mur, mais pourtant digne d'attention lorsqu'on a conscience des développement futurs de cette tendance.

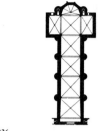

236

Cependant, tandis qu'en Angleterre cette expérience nouvelle d'un espace en mouvement s'exprime d'une manière aussi compliquée, les autres pays, à une ou deux rares exceptions près, tentent d'obtenir un résultat semblable avec des moyens opposés. Une exception très remarquable est l'église Saint-Urbain de Troyes, dont nous avons déjà fait mention. Dans cet édifice élevé aux frais du pape, apparaissent, pour la première fois (tout à fait isolés et sans grande signification) ici, l'arc en accolade, là, de minces colonnes cylindriques supportant la voûte sans chapiteaux intermédiaires, et, là encore, des remplages de fenêtre, travaillés comme de la dentelle en deux zones juxtaposées, de type différent. Le maître d'œuvre de Bristol n'ignorait sûrement pas l'église de Troyes. Cependant, cette dernière est, pour l'architecture française, plutôt un aboutissement qu'un point de départ. Le chœur de la cathédrale St-Nazaire à Carcassonne commencé vers 1270 et celui de St-Thibault-en-Auxois (Côte-d'Or) du début du XIVe siècle sont les seuls édifices comparables. Les tendances maîtresses dans tous les pays continentaux, ne visaient pas à la complexité dans l'espace, mais à de grandes surfaces planes et ininterrompues.

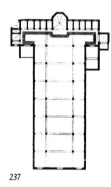

237

Cette évolution en Espagne, en Allemagne, en Italie et en France était surtout liée à l'essor de deux ordres religieux, les franciscains et les dominicains (les frères mineurs et les frères prêcheurs), fondés en 1209 et 1215, essor qui, à partir de 1225, devait devenir aussi rapide que l'expansion des clunisiens et des cisterciens, en leur temps. Au XIIIe siècle, les églises de ces religieux n'avaient pas des plans aussi standardisés que celles des cisterciens. Au contraire, dès 1252, un frère hollandais, Humbertus de Romanis, se plaignait en ces termes : « *Nos autem quot domus tot varias formas et dispositiones officinarum et ecclesiarum habemus* ». Néanmoins toutes ces églises étaient grandes, simples et commodes, et ne comportaient que peu d'éléments propres à suggérer une atmosphère spécifiquement ecclésiastique. Etant donné que beaucoup de frères n'étaient pas prêtres, elles n'avaient pas besoin de comporter un grand nombre de chapelles situées à l'est. Par contre, il fallait absolument de très larges nefs pour abriter les nombreuses assistances venues écouter les prédications populaires.

Les ordres mendiants, on le sait, étaient des ordres du peuple. Ils n'avaient que blâme pour l'existence facile et recluse des autres congrégations dans leurs domaines campagnards ; ils choisissaient pour s'y établir des villes actives et, là, faisaient de leur remarquable technique oratoire un instrument de propagande religieuse, comme personne ne l'avait essayé depuis les jours de Croisade. Ils n'avaient donc besoin que d'un grand local, d'une chaire et d'un autel.

C'est en Italie que se construisit la plus ancienne de toutes les églises franciscaines, Saint-François à Assise, commencée en 1228, et qui est une salle voûtée sans bas-côtés, munie d'un transept voûté et d'un sanctuaire polygonal, tout à fait sur le modèle des églises contemporaines d'Anjou. Plus tard, les églises franciscaines et dominicaines, seront, en Italie, ou bien de vastes salles sans bas-côtés, couvertes de charpentes avec des chevets cisterciens (spécialement à Sienne), ou bien des bâtiments à plafond avec bas-côtés (Sta-Croce, Florence, 1294), ou voûtés, avec collatéraux (Sta-Maria-Novella, Florence, 1278 ; SS. Giovanni-e-Paolo, Venise, fin du XIIIe siècle ; Frari, Venise, 1340). Mais qu'elles soient munies ou non de bas-côtés, voûtées ou non, toutes ces églises ne forment jamais qu'une seule unité spatiale divisée simplement par des piliers (souvent circulaires ou polygonaux). A travers cette disposition transparaît un principe nouveau de première importance. Dans une église du premier gothique ou même du gothique classique, la nef et les bas-côtés étaient les canaux de trois mouvements parallèles à travers l'espace. Désormais, grâce à l'ampleur des travées et à la minceur des supports, la largeur entière et toute la longueur de l'espace intérieur forment un tout unique. Une même intention inspire, en France, l'église à double nef des Jacobins à Toulouse (c. 1260-1304) et, en Espagne, les églises des frères prêcheurs, avec leur large nef, dépourvue de bas-côtés mais bordée de chapelles entre les contreforts. Cette disposition fut adoptée, semble-t-il, pour la première fois, à Sainte-Catherine de Barcelone, commencée aux en-

236
Assise, St-François. Plan.
237
Florence, Santa-Croce. Plan.
238
Assise, intérieur de l'église haute, commencée en 1228.
239
Florence, Santa-Maria-Novella, commencée en 1278.

240

241

virons de 1243. Elle devint ensuite le type de l'église catalane, qu'elle soit abbatiale ou non, même si de minces supports y ont délimité des collatéraux (cathédrale de Barcelone, commencée en 1298). La France subit également l'influence de ce style et l'église la plus spectaculaire de la fin du XIIIe siècle, la cathédrale d'Albi, ne peut s'expliquer qu'en termes catalans. Sa construction fut commencée en 1282 et elle se présente, de l'extérieur, comme un bloc puissant et ramassé, totalement dépourvue de cette articulation compliquée que contreforts et arcs-boutants forment à l'extérieur des églises gothiques classiques [18]. A l'intérieur, les contreforts montaient jusqu'en haut sans tribune ni balcon, ajoutés plus tard. Les travées sont étroites et les voûtes quadripartites donnent un rythme très rapide depuis l'ouest jusqu'à l'abside orientale polygonale avec ses chapelles rayonnantes.

Cette simplicité extérieure est également caractéristique des églises des ordres mendiants en Allemagne (cf. Erfurt) et en Angleterre. Dans ce dernier pays, le dépouillement se trouve souvent atténué par une tour ou un clocher situé au-dessus de la travée entre la nef et le sanctuaire. Autrement, il n'existe aucune division marquée entre ces deux parties. Cependant, presque aucune église de ce type ne s'est conservée intacte en Grande-Bretagne, et c'est probablement pourquoi l'influence de leur style sur l'évolution de l'architecture au XIVe siècle est généralement sous-estimée. Quant aux églises allemandes, elles furent, tout d'abord et comme en Italie, sans bas-côtés, puis, surtout après l'année 1300, elles présentent, comme à Bristol,

240
Carcassonne, St-Nazaire, 1270.
241
St-Thibault, intérieur du choeur, début du XIVe.
242
Toulouse, les Jacobins, 1260-1304 environ.
243
Toulouse, Eglise des Jacobins. Plan.
244
Toulouse, Eglise des Jacobins, la nef.
245
Toulouse, Eglise des Jacobins, pilier du rond-point.

242

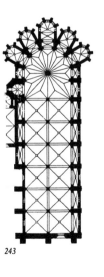

243

244

245

246

247

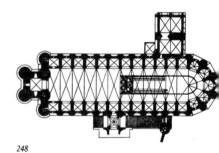

248

une nef et des collatéraux de même hauteur. Il y avait déjà en Allemagne, un long passé de l'église-halle qui remonte au style roman et même, dans un cas, à l'année 1015. Il est donc inutile de supposer des liens de parenté avec les églises-halles romanes du Sud-Ouest français. Là, des églises-halles gothiques furent construites spontanément, ce style ayant été adopté (Lilienfeld) et probablement inspiré (comme en Angleterre) par des réfectoires et autres pièces monastiques. Le type se répandit pendant toute la deuxième moitié du XIIIe siècle. En Allemagne, au XIVe et au XVe siècle, l'église-halle est devenue presque de règle, surtout en Westphalie, dans les pays de brique des villes de la Hanse, en Bavière, et aussi, après la découverte de mines d'argent, dans les villes nouvelles et prospères de la Haute-Saxe. Dans sa forme allemande, l'église-halle avec ses vastes bas-côtés et ses larges arcades, invite l'oeil, plus qu'à Bristol, à s'éloigner des principaux axes de la perspective gothique habituelle. Des échappées en diagonale s'ouvrent de tous côtés. Tandis que nous marchons à l'intérieur de l'église, l'espace semble flotter sans but autour de nous. L'on trouve la preuve des

249

250

251

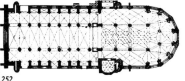

252

246
Albi, cathédrale Sainte-Cécile, chevet et façade sud, commencés en 1282.

247
Albi, cathédrale Sainte-Cécile. La nef, commencée en 1282.

248
Albi, Cathédrale Sainte-Cécile. Plan.

249
Lilienfeld, le chœur de l'église cistercienne consacrée en 1230. Plan.

250
Nuremberg, Saint-Laurent, façade ouest.

251
Nuremberg, Saint-Laurent, le chœur commencé par Conrad Heinzelmann, en 1439 et achevé par Conrad Roritzer.

252
Nuremberg, Saint-Laurent. Plan.

intentions délibérées du maître d'œuvre quand un chœur de ce style nouvellement élaboré se trouve ajouté sans aucune transition esthétique à un vaisseau plus ancien. Ces exemples sont exactement à l'opposé de ce qui s'est passé à Beverley Minster ou à Westminster Abbey en Angleterre, où les architectes du XIVe siècle continèrent l'œuvre de ceux du XIIIe, sans aucune modification essentielle. Ils avaient leur propre style, qui était celui de leur époque, mais en complétant une église plus ancienne ils préférèrent l'oublier pour rester en harmonie avec un style prédéterminé. Ceci est des plus anglais, et rien ne pourrait être plus opposé à l'attitude allemande, telle qu'elle nous apparaît de la façon la plus frappante dans le chœur de Saint-Laurent, à Nuremberg, commencé en 1439 sur les plans de Conrad Heinzelmann. Après s'être avancé tout au long de la nef, selon le rite strictement établi dans les basiliques du roman ou du premier gothique, l'on est étonné, et en même temps ravi, en pénétrant soudain dans le monde plus vaste et plus aérien du sanctuaire où les supports sont minces, la nef, les bas-côtés, et le déambulatoire de même largeur. Les travées, aussi, sont larges et les voûtes dessinent des motifs en étoile (semblables à ceux créés par les Anglais cent cinquante ans plus tôt) qui contiennent l'élan vertical des piliers. Ces derniers n'ont pas de chapiteaux (encore un motif d'origine anglaise) et ainsi leurs lignes d'énergie peuvent, à la fin d'un courant ascendant, se répandre sans entraves à travers des nervures prolongées de tous côtés [19]. La décoration sculptée du chœur souligne la liberté de ces mouvements. La splendide flèche en pierre du tabernacle, isolé et non situé dans l'axe de la nef, s'élève vers la voûte; l'énorme médaillon en bois sculpté de Veit Stoss, qui représente l'Annonciation, se balance, allègre et transparent, dans l'espace en face de l'autel, de telle sorte qu'il est vu à contre-jour de la haute fenêtre centrale. Il y a sur tout le pourtour une double rangée de fenêtres et ceci, de même que le motif serré de la voûte en étoile, souligne l'horizontalité. Le contraste entre des murs extérieurs simples, aux fenêtres sans décoration, et le *Waldweben* (ou mouvement de forêt) intérieur est hautement caractéristique de l'état d'esprit du gothique tardif, surtout en Allemagne. C'est un mélange de piété mystique et de sens pratique bien compris, foi dans une vie divine dès ce bas monde, réunion des idées d'où devait naître la réforme luthérienne. Luther naquit avant que le tabernacle et l'Annonciation soient commandés. L'opposition entre les intérieurs aux courbes fluides, parmi lesquelles l'individu peut se perdre comme à travers les arbres d'une forêt et les extérieurs puissants et solides avec leurs murailles continues et leur double rangée de baies, annonce l'esprit même de la réforme allemande, déchirée entre l'introspection mystique et une passion nouvelle et enthousiaste pour le monde d'ici-bas. En outre, les nouveaux intérieurs du gothique allemand tardif avaient un avantage pratique: ils étaient beaucoup mieux adaptés aux sermons prolongés que les intérieurs anciens avec leurs allées séparées.

On ne peut pas dire, toutefois, que ces considérations pratiques furent suffisantes pour créer le nouveau style, pas plus que l'esprit de la prochaine Réforme ne suffit, à lui seul, à l'expliquer. En effet, on le remarque en Espagne aussi bien qu'en Allemagne; l'architecture espagnole du XVe siècle subit d'ailleurs assez fortement l'influence allemande. Des maîtres d'œuvre originaires de Cologne et de Nuremberg furent appelés à Burgos et y donnèrent droit de cité à des motifs germaniques, comme la voûte en étoile ou en réseau. Cependant, le succès de ces maîtres maçons et de ces tailleurs de pierre venus du Nord n'aurait pas été aussi grand, et de loin, s'il ne s'était trouvé, dans l'école nationale espagnole, des tendances qui l'orientaient déjà vers ce nouveau langage flamboyant La voûte en étoile ne semblait rien de plus qu'une variation sur le thème de la coupole musulmane avec ses nervures déployées formant des étoiles de toute sorte. La concision de la classique croisée d'ogives française, comme d'ailleurs l'ensemble des idées françaises classiques, n'avait pas d'attrait pour les Espagnols. Comme en Allemagne, les imitations du Gothique classique français sont rares et comme en Allemagne, il y a de larges bas-côtés, bien que ces derniers soient moins élevés que la nef (ce qui est le type basilical). Des chapelles se trouvent entre les contreforts, disposition introduite, comme nous l'avons vu, par les

253

254

frères prêcheurs. C'est peut-être à Gérone qu'on peut le mieux se rendre compte de l'intensité du goût espagnol pour des espaces unifiés. En 1312, la cathédrale avait été commencée à la manière française, avec chœur, déambulatoire et chapelles rayonnantes. Quand ces parties orientales furent terminées, le travail s'arrêta pour une quelconque raison et ce n'est qu'en 1416 que le maître d'œuvre Guillermo Boffiy suggéra d'ajouter la nef qui manquait. Son idée, audacieuse, était d'élever un vaisseau sans bas-côtés, d'une largeur égale à celle de l'abside et du déambulatoire réunis. Certains membres du chapitre de la cathédrale s'y opposèrent et — de manière très moderne — on désigna un comité pour trancher la question. Douze architectes en renom en firent partie et leurs réponses nous sont parvenues. Sept furent d'avis de prolonger vers l'ouest le plan basilical, cinq soutinrent l'idée de Boffiy. En fait, Boffiy fut, en 1417, désigné pour exécuter son plan. Le résultat est un chef-d'œuvre de technique architecturale, ayant une portée franche de 22 mètres, un des plus larges espaces voûtés de l'Europe médiévale. L'intérieur est quelque peu nu, mais a beaucoup de puissance et donne incontestablement, par le contraste marqué qui existe entre la nef unifiée et le chœur, bâti d'après trois unités spatiales de hauteur et de largeur échelonnées, la preuve la plus convaincante du changement de style intervenu entre le gothique classique et le gothique tardif.

Mais à quel moment se termina la première période pour que l'autre commence? Nos exemples allemands ou espagnols se répartissent à travers tout le XVᵉ siècle, nos exemples anglais se limitent aux premières années du XIVᵉ. Et il existe une sensible différence entre Gérone et Saint-Laurent de Nuremberg, d'une part, et Bristol et Ely, d'autre part. On ne trouve ni à Bristol ni à Ely le contraste entre un extérieur aux volumes carrés et un espace intérieur non délimité. D'ailleurs, même à la date avancée de la construction du chœur de Saint-Laurent à Nuremberg, la Grande-Bretagne n'a pas été aussi loin. Néanmoins, peu de temps après Bristol et Ely, le style architectural britannique se transforma encore et cette fois assez radicalement. Cette transformation est si marquée que, tandis que sur le continent les termes « gothique classique » et « flamboyant » suffisent à désigner les principales périodes du gothique, la tradition, depuis plus de cent ans, a préféré, en Angleterre, une division de ce style en trois époques successives : *Early English*, style curvilinéaire et style perpendiculaire. L'*Early English* touchait à sa fin quand fut entreprise à Lincoln la construction du chœur des Anges. Le « curvilinéaire » est le style de Bristol et d'Ely. Le style « perpendiculaire » correspond au gothique tardif rencontré en Allemagne et en Espagne et est une contribution nationale d'une égale vigueur. Une fois créé par quelques architectes résolus et à l'esprit clair, le « style perpendiculaire » balaya les divagations du « curvilinéaire » et se mit à développer longuement et sans prendre trop de risques un langage simple, sobre et très conscient. Certains ont essayé d'établir un rapport entre ce nouveau style et la peste noire de 1349. Ils se trompent, car, à la cathédrale de Gloucester, le « style perpendiculaire » existe bien déjà dans toute sa perfection dans le transept sud, (1331-37) et dès 1337-1377, dans le sanctuaire. Les lourds piliers cylindriques du chœur normand furent respectés, mais leurs tribunes furent dissimulées par un écran aux lignes minces, horizontales et verticales, le morcelant en rangées de panneaux. A l'est, le mur fut percé par une immense fenêtre qui, excepté les quelques subdivisions principales, n'est rien d'autre qu'un ensemble de panneaux vitrés. Les nombreuses divisions horizontales viennent effacer tout ce qui aurait été laissé de l'élan vertical propre à l'architecture du premier gothique. C'est ici la même tendance nouvelle que celle déjà vue dans les doubles rangées de fenêtres des églises allemandes. Mais, tandis que sur le continent, on insiste sur l'importance des murs, ceux du perpendiculaire anglais restent des écrans vitrés. De cette manière, la structure des murs fut changée avec moins de rigueur qu'en Espagne ou qu'en Allemagne et le caractère spatial du perpendiculaire revint — à cause, semble-t-il, d'une nouvelle influence des édifices français élevés entre les années 1240 et 1330 — à la netteté du gothique classique. Le plan basilical ne fut que très rarement abandonné en faveur de la solution plus riche en développements spatiaux éventuels, employée

255
Gloucester, cathédrale, chœur 1337-1357.
256
Gloucester, cathédrale, voûte du chœur 1355 environ.

à Bristol et en Allemagne : celle de la nef munie de collatéraux de même hauteur qu'elle. La seule note de fantaisie à Gloucester, et en vérité dans beaucoup d'autres parties de style perpendiculaire des cathédrales ou d'églises abbatiales, est la décoration des voûtes. Ces dernières font preuve d'autant d'imagination que les voûtes espagnoles ou allemandes. En fait, aucun de ces deux pays, sans parler de la France, n'a produit, à une époque aussi ancienne, des dessins aussi compliqués que ceux de Bristol et de Gloucester. En revanche, la décoration des voûtes de style perpendiculaire a moins de souplesse que celle du flamboyant continental et les remplages perpendiculaires sont plus rigides que ceux utilisés en Allemagne, en Espagne et en France vers 1500 (ou en Angleterre vers 1320). Les nervures de Gloucester forment des motifs aussi abstraits et anguleux que les bâtons brisés sur les murs du donjon d'Earl's Barton, trois cents ans auparavant ; ces dessins, d'ailleurs, sont aussi loin de la luxuriance d'Ely et des rebondissements de Lincoln que de la structure logique des voûtes d'ogives du gothique classique français.

257

Il n'y a surtout aucune logique fonctionnelle dans les voûtes du style perpendiculaire. Ces réseaux serrés de nervures n'ont plus rien à voir avec la technique proprement dite de la voûte. Les ogives, pas plus que les doubleaux, ne sont distinctes des innombrables tiercerons (nervures reliant le départ des voûtes à des points variés de la lierne axiale) et des innombrables liernes (nervures qui ne sont pas issues des piliers de la voûte et qui ne conduisent à aucune des intersections principales). En fait, l'ensemble est une voûte en berceau brisé, solidement construite, plaquée d'une abondante décoration. L'emploi du terme « voûte en berceau » implique que les voûtes du « perpendiculaire » soulignent l'horizontalité (si l'on veut le caractère-couvercle de la voûte), tout autant que les voûtes en étoile d'Allemagne ou d'Espagne. Cette interprétation est confirmée par la substitution, générale dans les extérieurs du perpendiculaire anglais, de toits bas souvent bordés d'une balustrade aux toits très aigus du XIIe et du XIIIe siècle.

De toutes les cathédrales anglaises, Gloucester est l'exemple le plus complet du style perpendiculaire. A Canterbury et à Winchester, les nefs, qui datent dans leur ensemble de la fin du XIVe, sont d'un style moins absolu. Dans d'autres cathédrales, la fin du Moyen Age produisit peu d'œuvres majeures. Pour trouver la meilleure architecture anglaise entre 1350 et 1525, il ne faut visiter ni des cathédrales ni des églises abbatiales, mais, pour l'harmonie de l'ensemble, des manoirs et des églises paroissiales ou, pour l'ambition architecturale la plus élevée, des chapelles royales. Ce change-

258

259

257
Penshurst (Kent), grande salle, vue du sud, commencée en 1341.
258
Penshurst (Kent), grande salle.
259
Kenilworth, la grande salle de John of Gaunt, 1390 environ.

ment dans l'importance relative des bâtiments les uns par rapport aux autres s'explique par des raisons historiques et sociales.

Prenons d'abord l'architecture privée : ce qui s'est passé entre l'époque de Harlech par exemple, et celle de Penshurst dans le Kent (commencée, semble-t-il, en 1341) c'est qu'un demi-siècle de paix intérieure a amené les propriétaires des grandes maisons de campagne à négliger certaines considérations d'ordre défensif pour rechercher plus de confort dans les installations. La disposition extrêmement resserrée des pièces, constante dans les châteaux plus anciens, ne s'imposait plus. On en garda l'essentiel : la grande salle, centre de la vie domestique, une vaste table pour le seigneur et sa famille à l'une de ses extrémités, l'entrée et un passage dissimulé à l'autre, un parloir ou chambre avec, peut-être, un *solar* au-dessus, du côté de la partie seigneuriale ; les cuisines, offices, garde-manger, laiteries, de l'autre côté du passage intérieur. Mais on ajoute d'autres pièces et le « hall » est muni de plus larges fenêtres et d'une baie au niveau de la grande table. Le plus grand « hall » connu du XIVᵉ siècle est celui de John of Gaunt à Kenilworth, qui mesure 28 mètres sur 14. A cette époque, il existait probablement déjà des « salles à manger » séparées dans quelques maisons. C'est ce qui ressort d'un passage de « *Piers Plowman* ». C'est un premier pas vers l'abandon du « hall » en tant que salle commune et salle à manger pour tous, maîtres et serviteurs. Cependant, il fallut encore attendre trois siècles après la construction de Penshurst pour que le « hall » devînt un vestibule et rien de plus.

143

260

261

Il fallut d'ailleurs une période presque aussi longue pour que soient retrouvés les principes de symétrie qui avaient guidé les plans de Harlech et de Beaumaris, avec un si magnifique succès. Au XIVᵉ et au XVᵉ siècle, un manoir anglais, aussi bien qu'un *château* français ou qu'un *Burg* allemand, n'était qu'une agglomération pittoresque de pièces. La symétrie au XVᵉ siècle et au début du XVIᵉ, se limitait parfois à établir entre le porche monumental et l'entrée de la grande salle un axe rectiligne. Mais la « salle » n'était pas le centre exact du bâtiment principal et, de toute manière, son entrée était excentrique. Le porche monumental, même dans les cas où il est situé au milieu de la façade extérieure, ne séparait pas le bâtiment en deux moitiés identiques. Les résultats de cette constante habitude sont, en Angleterre, comme en Allemagne, d'un très grand charme. Toutefois les qualités strictement esthétiques n'en sont certainement pas d'un niveau aussi élevé que celles de Harlech.

En Angleterre, une comparaison entre les cathédrales du XIIIᵉ siècle et les églises paroissiales du XVᵉ, montre les mêmes changements, dus en grande partie à l'évolution sociale. Une classe nouvelle avait pris conscience d'elle-même, classe à laquelle nous sommes redevables de la construction de centaines d'églises paroissiales en Allemagne et dans les Pays-Bas. C'est à cette classe qu'appartiennent, en France, les administrateurs royaux, habiles hommes d'affaires, du type Guillaume de Nogaret ; en Italie, les Médicis, leurs amis et leurs concurrents ; en Allemagne septentrionale, les gens importants de la ligue hanséatique. En Angleterre, Richard Cœur de Lion était sur le trône quand Lincoln et Wells furent construits ; sous le règne de Henri III, que Rome appelait le Saint Roi, on éleva Salisbury et la nouvelle église abbatiale de Westminster. Simon de Montfort, héros de la cause nationale anglaise contre une politique par trop dévouée à la papauté, défia Henri III quand le chœur des Anges fut ajouté à la cathédrale de Lincoln. Moins d'un siècle plus tard, Edouard III, qui fut couronné en 1327 et mourut en 1377, accepta avec plaisir l'honneur d'appartenir à la corporation londonienne des marchands tailleurs, c'est-à-dire des marchands de drap. Ce fait nous paraît de toute première importance, surtout si on l'envisage dans le contexte du développement commercial et industriel des Pays-Bas, de l'Allemagne, de la Toscane et de la Catalogne. En Angleterre, l'époque d'Edouard III marqua le début du développement rapide de beaucoup d'entreprises commerciales. L'on fit venir des tisserands des Flandres et les intérêts économiques jouèrent un rôle considérable tout au long des vicissitudes de la guerre de Cent Ans. De grandes fortunes furent acquises par des hommes comme Dick Whittington et John Poulteney, dont Penshurst était la maison de campagne. En vérité, les négociants ou leurs petits-neveux possédaient, à la fin du Moyen Age, un nombre beaucoup plus grand de manoirs qu'on ne croit généralement. Après que la vieille aristocratie eut été décimée par les guerres des Deux-Roses, la proportion de *nouveaux riches* parmi les pairs du royaume augmenta très rapidement, jusqu'au jour où, dans le conseil des seize régents nommés par Henri VIII pour régner à la place de son fils, aucun des membres n'eut plus de douze ans de pairie.

Ainsi, vers les années 1500, les plus actifs protecteurs des arts étaient le roi lui-même et les cités. Entre 1291 et 1350 environ, la couronne avait fait construire au palais de Westminster la chapelle Saint-Etienne qui brûla en 1834. A en juger par les dessins qui nous en restent, c'était un bâtiment de grande importance. Puis, au XVe siècle, Henri VI et Henri VII édifièrent la chapelle du collège d'Eton (commencée en 1441) et la chapelle de King's College à Cambridge (1446-1515) ; Henri VII et Henri VIII, la chapelle Saint-Georges au château de Windsor (commencée en 1481), et Henri VIII la chapelle de Henri VII derrière l'abside de l'abbaye de Westminster (1503-1519). Extérieurement et par leur plan, ce sont des constructions extrêmement simples mais qui comportent une décoration abondante et magistralement exécutée. A Cambridge, le contraste est spécialement saisissant. Pour dessiner les plans de cette chapelle universitaire en forme de coffret, haut, long et étroit, aucune interprétation générale de l'espace n'était nécessaire. Il n'y a aucune différenciation entre le chœur et la nef et la même décoration est répétée partout, que ce soit pour le remplage des vingt-quatre fenêtres ou pour les panneaux des voûtes en éventail. Les hom-

262

260
Cambridge, Chapelle de King's College, 1446-1515.
261
Cambridge, Chapelle de King's College, intérieur.
262
Cambridge, chapelle de King's College. Plan.

mes qui élevaient ces constructions et en étaient satisfaits étaient des rationalistes, des bâtisseurs fiers d'eux-mêmes et d'une hardiesse comparable à celle des Catalans. Ils réussirent pourtant — et nous nous trouvons ici en face du même problème que dans les églises allemandes contemporaines — à allier à cet esprit pratique et terre à terre un sens du mystère, une effusion décorative quasi orientale. Debout à l'extrémité ouest de la nef, on peut à peine se rendre compte de la suprême économie de moyens avec laquelle fut créée cette impression d'exubérance. La voûte en éventail, surtout, contribue, partout où elle est employée, à créer une atmosphère de lourde opulence. Pourtant, c'est une voûte rationnelle et une invention de technicien, on est enclin à le supposer. Elle trouve son origine dans le dessin des salles capitulaires évoluant depuis le bouquet de nervures s'étalant comme des feuilles de palmier jusqu'aux liernes aux lourdes clés, dans le chœur (début du XIVe) et la nef de la cathédrale d'Exeter. Ceci représente l'imagination spatiale du « curvilinéaire » à son époque la plus hardie. Puis le perpendiculaire vint systématiser et figer tous ces éléments et ceci, pour la première fois encore, à Gloucester dans l'allée est du cloître (après 1357). En donnant à toutes les nervures une même longueur, en les plaçant à des distances égales les unes des autres, en les incurvant de la même manière et en divisant les tympans d'une façon partout répétée, on passa, à Gloucester, de la voûte en palmier d'Exeter à la voûte en éventail.

Transposer la voûte en éventail de la petite échelle d'un cloître jusqu'aux dimensions de hauteur et de largeur d'une nef, ne fut pas tenté, semble-t-il, avant les dernières années du XVe siècle. Un peu plus tard, dans les premières années du XVIe siècle, John Wastell, maître maçon d'Ely (de Bury St Edmunds) choisit la voûte en éventail pour couvrir la chapelle de King's College. Le fait qu'il n'était pas maître maçon du roi, mais seulement chargé des travaux royaux, montre combien la position et la réputation d'un maître maçon éminent s'étaient élevées. Cependant sa formation professionnelle restait la même que celle, disons, de Villard de Honnecourt. Si nous prenons un maître maçon renommé de la fin du XIVe siècle, tel que Henri Yevele (mort en 1400), maître maçon des travaux du roi, il apparaît plus encore comme l'entrepreneur londonien à la mode, comme un membre respecté, plutôt que comme un architecte royal au sens actuel du terme. Son nom est associé dans un document à celui de Chaucer, dans un autre à celui de Dick Whittington, lord-maire de Londres. Ainsi, nous pouvons très bien l'imaginer dans son majestueux vêtement doublé de fourrure (qui, d'ailleurs, faisait partie du traitement qu'il recevait du roi), dans sa maison de la paroisse Saint-Magnus, près du pont de Londres, ou dans l'un de ses deux manoirs du Kent. De lui, nous connaissons la nef de Westminster, dont nous avons déjà parlé parce qu'elle reprend curieusement un style vieux de cent cinquante ans, et le gros œuvre de Westminster Hall (1394-1402). De tels hommes, dignitaires de leur corporation et des fraternités auxquelles ils appartenaient, bâtirent les hôtels de ville et les halles des corporations à travers l'Angleterre et les Pays-Bas, dans les cités italiennes et celles de la ligue hanséatique. Il faut se promener à travers des villes comme Lou-

263
Londres. Abbaye de Westminster, voûte de la Chapelle de Henry VII, 1503-1519.
264
Exeter, Cathédrale, la nef, 1224-1369.
265
Gloucester, le cloître de la cathédrale, construit après 1357.
266
Ypres, Les Halles, avant 1914, 1260-1380 environ.

263

264

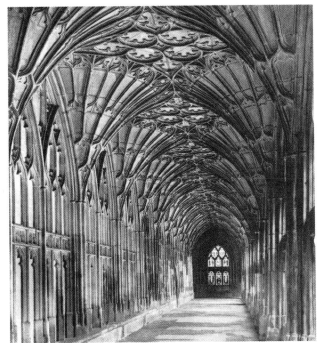

265

266

147

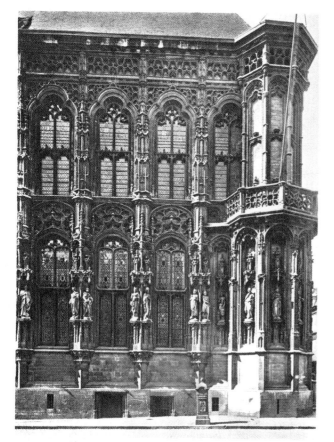

267

268

vain, Ypres ou Malines, pour bien réaliser la pleine importance du commerce à la fin du Moyen Age. La plus impressionnante de toutes ces halles flamandes était la halle aux draps à Ypres commencée à la fin du XIIIe siècle, rectangulaire et d'une écrasante dignité, mais qui fut malheureusement presque complètement détruite pendant la première guerre mondiale. Les hôtels de ville plus récents de Bruges, Gand, Bruxelles, Louvain, Oudenaarde, Middelburg, etc., sont moins sévères mais d'une égale fierté. En Italie, le « Palazzo della Ragione » à Padoue (années 1306 et suivantes), est incomparable par sa taille, l'hôtel de ville de Sienne (1288-1309) par la régularité de son ordonnance et la hauteur de sa tour, le palais des Doges (1345 env. - 1365 env., prolongé le long de la Piazzetta entre 1423 et 1438) par sa splendeur.

    Quant au domaine de l'architecture sacrée, la puissance des cités s'y manifeste par la prédominance et les dimensions des églises paroissiales dont nous avons déjà parlé. Leurs clochers comptent parmi les traits les plus importants du style flamboyant. Ils ne sont plus groupés, comme le réclamaient les conceptions équilibrées du gothique classique, mais ce sont

267
Gand, Hôtel de Ville, XVe siècle.
268
Bruges, Hôtel de Ville, fin du XIVe siècle.
269
Venise, le Palais des Doges, 1345-1438 environ.
270
Ulm, Cathédrale, la flèche achevée suivant le dessin de Matthäus Böblinger de 1877 à 1890.
271
Ulm. Dessin de la flèche par Böblinger - 1482.

269   270   271

des tours isolées s'élançant vers des hauteurs jamais atteintes. La plus haute de ces flèches médiévales — 190 mètres — est celle de la cathédrale d'Ulm, simple église paroissiale. La cathédrale d'Anvers avec ses 93 mètres était aussi une église paroissiale [20]. En Angleterre, Louth a 91 mètres de haut, Boston 90 mètres. La diversité des clochers dans les comtés anglais est infinie et nous étonne si nous la comparons à la standardisation relative des élévations et des plans — au moins dans les églises construites en une seule fois. Certaines des ces églises paroissiales recouvrent une surface plus grande que beaucoup de cathédrales. Sainte-Marie-Redcliffe à Bristol est de toutes la plus spectaculaire. Certaines petites villes prospères, comme Lavenham en Suffolk et des douzaines d'autres, avaient des églises paroissiales où, non seulement toute la population locale mais encore les villageois du voisinage pouvaient se réunir et trouver de la place. York possède (ou possédait avant la deuxième guerre mondiale) vingt et une églises médiévales encore debout, sans compter l'église abbatiale, Norwich possède trente-deux églises paroissiales du Moyen Age.

149

272

273

274

275

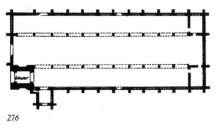

276

Quand les églises plus anciennes n'étaient pas entièrement démolies à dessein, on les agrandissait; leurs collatéraux étaient élargis, leurs nefs surélevées, on ajoutait de nouveaux bas-côtés et de nouvelles chapelles et il en résultait cette irrégularité insouciante et pittoresque, propre au plan et à l'élévation de la plupart des églises paroissiales anglaises. Cependant, s'il est vrai que ces églises peuvent être le reflet fidèle de l'histoire de leurs cités depuis les Anglo-Saxons jusqu'aux Tudor, elles ne reflètent spécialement la vision esthétique d'aucune époque en particulier. Nous pouvons nous rendre compte de l'aspect que les Anglais du XVe siècle voulaient donner à la principale église paroissiale d'une cité prospère en regardant un édifice comme l'église Saint-Nicolas à King's Lynn. Saint-Nicolas fut élevée de 1414 à 1419 pour servir de chapelle de secours. Un seul plan a été donné pour la totalité du bâtiment et il est aussi peu compliqué que celui des chapelles royales contemporaines. Il consiste en un rectangle de 21 mètres sur 50 mètres, à l'intérieur duquel sont compris nef et bas-côtés aussi bien qu'un sanctuaire muni de collatéraux. Il n'y a aucune articulation particulière entre les parties orientales et occidentales. L'uniformité de la ligne générale n'est rompue que par la tour conservée d'un bâtiment ancien, le porche et l'abside très légèrement saillante. Cette simplicité pleine de vigueur est sans aucun doute le résultat d'un changement de goût, changement dû à l'architecture des frères prêcheurs. Ceci se rapproche évidemment du style des extérieurs des églises allemandes. Pourtant, l'intérieur d'églises comme Saint-Nicolas à King's Lynn ou la Sainte-Trinité à Hull n'a rien du romantisme de Nuremberg. Il se conforme en tout à l'élévation traditionnelle des basiliques: les piliers sont minces, les moulures sèches, étirées et les remplages ont la rigidité du perpendiculaire. Nul recoin n'est laissé dans une semi-obscurité mystérieuse, et il n'y a aucune perspective qui puisse surprendre. C'est dans les jubés et les charpentes en bois que se manifeste, à l'intérieur de ces églises paroissiales anglaises, la fantaisie du dessinateur flamboyant. A l'origine, une profusion presque inconcevable de clôtures séparait les nefs des chœurs, les chapelles latérales des chapelles réservées aux différents corps de métier, du public. Les jubés les plus abondamment décorés se trouvent en Devonshire, d'une part, au nord-est de Londres, de l'autre. Mais la plus grande gloire des églises paroissiales anglaises réside dans leurs couvertures en bois, construites par le charpentier avec autant d'audace que n'importe quelle voûte gothique par le maître maçon et d'un aspect aussi compliqué; aussi passionnantes techniquement que n'importe quel agencement d'arcs-boutants autour du chevet d'une cathédrale. Il existe toutes sortes de variétés de couvertures en bois: la charpente à tirants, la fausse voûte, les plafonds à arcs diaphragmes (hammerbeam) — Hugh Herland, charpentier du roi et collègue de Yevele, utilisa ce dernier type en 1380 à Westminster Hall — la charpente à diaphragmes et double décrochement, et beaucoup d'autres. Le plus ingénieux de tous est celui de Needham Market, église sans bas-côtés, qui ressemble à une construction à triple nef planant au-dessus des visiteurs, sans l'aide d'aucun support visible. Rien sur le continent ne peut rivaliser avec les réalisations de ce pays constructeur de na-

272
Strasbourg, cathédrale. Façade ouest commencée en 1276 par Erwin von Steinbach, Tour 1399-1439.
273
Boston (Lincolnshire), église paroissiale, 1350 environ.
274
Bristol, Sainte-Marie-Redcliffe, XIVe et XVe siècle.
275
Needham Market - charpente de l'église paroissiale - 3e quart du XVe siècle.
276
King's Lynn - Eglise Saint-Nicolas, début du XVe siècle. Plan.

277

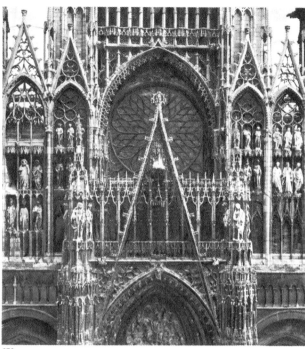

278

vires, et ces plafonds, d'ailleurs, évoquent d'une manière irrésistible la quille renversée d'une embarcation.

De telles charpentes apportent une qualité de richesse structurale aux églises anglaises, qu'elles auraient perdue autrement. Cependant, si on les examine en détail, ces charpentes nous apparaissent, avec leurs lignes très nettes de solives de pannes et d'étrésillons, dures et angulaires — aussi anglaises en fait que les nervures du sanctuaire de Gloucester et la décoration du clocher d'Earl's Barton — dès qu'on les compare à des œuvres contemporaines de France, d'Allemagne, d'Espagne et du Portugal.

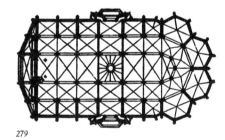

279

Car même la France du XVe siècle finit par accepter les principes qui, en Angleterre, avaient été assimilés par le style « curvilinéaire ». L'emprise des cathédrales classiques du XIIIe avait été telle que leurs proportions, leurs voûtes d'ogives quadripartites, leurs claires-voies étaient encore universellement acceptables au XIVe et même au XVe siècle. La décoration, aussi, était restée stricte et les remplages essentiellement géométriques. La contre-courbe et le libre flot de lignes entrelacées qu'elle permet ne trouvèrent grâce que tardivement. Les exemples les plus anciens du flamboyant sont une cheminée dans le palais des Ducs de Bourgogne, à Dijon, et la célèbre cloison à claire-voie qui décore l'extrémité sud de la grande salle du Duc de Berry, à Poitiers ; toutes deux sont de la fin du XIVe siècle, c'est-à-dire deux ou trois générations après que de telles formes firent fureur en Angleterre. La France a-t-elle reçu l'inspiration de l'Angleterre, cela reste un point discutable. C'est

280

281

en Normandie et dans les régions voisines qu'on trouve le plus grand nombre de manifestations majeures de style flamboyant, mais il y a des façades flamboyantes remarquables dans d'autres régions aussi (Vendôme), et on trouve partout des jubés, des morceaux de décoration flamboyants. Pour la conception de l'espace, la contribution française est négligeable. La Chaise-Dieu est une église-halle commencée vers 1342. Le chevet de St-Séverin à Paris, de 1489-94, est aussi du type halle. On y trouve un pilier à faces concaves, et même une pile torse tout comme dans quelques églises-halles du gothique tardif allemand. La façade de St-Maclou, à Rouen, ajoutée en 1500-14 à une église commencée en 1434, a une forme polygonale relevant vraiment du gothique tardif, introduisant des diagonales dans le parallélisme classique des trois portails. Mais même là, l'abside a encore un déambulatoire et des chapelles rayonnantes, comme c'est le cas pour St-Séverin.

Quant à l'Espagne, il suffit de rapprocher une église paroissiale anglaise ou même la chapelle de King's College avec, par exemple, la décoration de la façade de l'église Saint-Paul, à Valladolid (commencée peu après 1486, probablement par Simon de Cologne) pour réaliser le contraste qui existe entre la retenue anglaise et l'outrance espagnole. Remplacez le portail de Saint-Laurent à la cathédrale de Strasbourg par celui de Valladolid et le contraste anglo-germanique vous apparaîtra d'une manière aussi éclatante. L'on pourrait dire que la décoration flamboyante allemande est aussi excessive que l'espagnole. Ceci d'ailleurs n'est pas si surprenant puisque

282   *283*

l'Allemagne et l'Espagne sont situées, contrairement à la France, à l'Angleterre et à l'Italie, aux deux extrémités de la civilisation européenne. Il existe
toutefois entre les styles décoratifs des deux pays des différences très marquées. Depuis l'occupation musulmane, l'Espagne a toujours eu la passion des
larges surfaces couvertes d'ornements entrelacés très plats. Les Allemands
partagent cette horreur du vide mais leur décoration indique toujours une
forte curiosité pour les ornements se développant dans l'espace. Ce dernier
trait rattache le flamboyant germanique au rococo allemand ; de leur côté,
les mouvements sans épaisseur, et comme frénétiques, que l'on peut voir à
la sacristie du couvent des Chartreux à Grenade, qui date du milieu du
XVIIIe siècle, semblent exister déjà en puissance dans les détails de la façade
à Valladolid. Sur cette dernière, il n'y a aucun motif dominant. Les personnages sculptés sont de petite taille. Des arcs en accolade et des arcs « Tudor »,
c'est-à-dire en anse de panier, se succèdent les uns aux autres. Le fond est
divisé depuis le haut jusqu'en bas par une série de motifs, différents d'un
étage à l'autre. L'ensemble évoque assez bien les taillis broussailleux, à côté
desquels le « perpendiculaire » anglais a l'air pur et vigoureux. Impossible
d'hésiter : on devine déjà lequel de ces deux pays va s'ouvrir au puritanisme
et lequel deviendra le bastion du catholicisme baroque.

Le point culminant de cette frénésie dans le gothique tardif fut
atteint au Portugal, sous le règne remarquablement prospère du roi Manuel Ier
(1495-1521). Le décor manuélin est, à Batalha et à Tomar, d'une richesse

154

282
*Strasbourg, cathédrale, portail St-Laurent, 1495
environ.*
283
*Valladolid, Eglise St-Paul, façade ouest commen-
cée après 1486, par Simon de Cologne.*
284
*Tomar. Couvent du Christ, fenêtre de la Salle
capitulaire 1520 environ.*

285

sans mesure, sorte de poussée exubérante de formes, inspirées dirait-on
tantôt par des coquillages, tantôt par la végétation tropicale. Une bonne
partie de l'ornementation portugaise fut influencée par l'Espagne et la France,
mais ici on ne peut la rapprocher que de l'architecture des Indes et des
Indes portugaises. Si cette relation est exacte, c'est la première fois dans
l'histoire occidentale qu'une influence extra-européenne vint peser sur l'architecture européenne.

Toutefois, aucune influence ne peut jamais intervenir si l'une des
deux parties n'est pas mûre pour recevoir le message de l'autre. Si les pays
de la péninsule ibérique n'avaient pas déjà eu cette passion pour une décoration excessive, l'art des colonies n'y aurait trouvé aucun écho. Quand les
Indes orientales passèrent sous contrôle hollandais, leur style commença, au
bout de quelque temps, à influencer véritablement celui des meubles néer-
landais, auxquels il contribua à donner une curieuse opulence baroque, mais
les architectes, eux, se tinrent sagement à l'écart. Les Hollandais du XVIIe
siècle n'auraient, en aucun cas, su tirer un parti semblable à celui obtenu

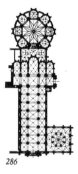

286

287

par les Portugais du XVIe, époque qui précédait immédiatement le temps où l'imagination décorative de la fin du Moyen Age allait être disciplinée par le joug de la Renaissance.

D'un autre côté, la Renaissance n'aurait jamais pu apparaître dans un pays qui se serait complu sans réserve dans les fantaisies décoratives, comme le Portugal ou l'Espagne, ou qui aurait, comme l'Allemagne, exploré audacieusement les mystères de l'espace. C'est pour cette raison qu'en Italie n'existe aucun exemple de flamboyant — exception faite du cas spécial de la cathédrale de Milan. Commencée en 1387, elle est dans le nord du pays et fut visitée par de nombreux experts français et allemands qui discutèrent sur elle, sans succès. Cette absence de Gothique tardif dans les régions d'Italie centrale est la preuve la plus éclatante qu'aux environs du XVe siècle, les divisions naturelles de l'Europe d'aujourd'hui étaient pratiquement acquises. Le Roman avait été un style international malgré ses différentes écoles, comme le Saint Empire romain et l'Eglise aux XIe et XIIe siècles. Par la suite, au XIIIe siècle, la France devint véritablement une nation et créa le style gothique.

157

288

289

L'Allemagne traversa la crise de l'interrègne et adopta une politique nationale en réaction contre la politique internationale pratiquée jusque-là ; la même décision fut prise en Angleterre tandis qu'en Italie se développa, sur un mode complètement différent, un ensemble de petites cités souveraines. Le gothique était arrivé en Allemagne, Espagne, Angleterre et Italie comme une mode française, que les couvents cisterciens, d'abord, puis Canterbury, Burgos et Léon, Cologne et Castel del Monte avaient imitée de très près. Pourtant, déjà dans les constructions italiennes de Frédéric II, l'on peut voir à côté des nouvelles voûtes d'ogives françaises, des frontons qui sont purement antiques. La manière dont sont traités les motifs romains de la porte de Capoue, construite par Frédéric II, est sans équivalent dans le nord de l'Europe, et ne peut être comparée qu'au style des chaires sculptées de Niccolo Pisano. Ce dernier fut le premier des grands sculpteurs italiens à donner, dans son œuvre, une place plus importante au tempérament de son pays qu'aux conventions internationales. En même temps qu'il introduisait en sculpture un style plus immobile et plus harmonieux, l'architecture gothique suivait une évolution similaire. Nous avons déjà insisté sur le rôle joué par les ordres mendiants dans cette transformation. Il n'y a pas d'élan dans leurs constructions aérées, larges et sans bas-côtés. Les grandes églises avec collatéraux, comme Santa-Maria-Novella et Santa-Croce à Florence, ont généralement des arcades si larges et des bas-côtés si peu profonds que l'unité de leur espace intérieur n'est, pour ainsi dire,

288
Florence, Ste-Marie-des-Fleurs, commencé en 1296
- consacrée en 1436.
289
Florence, Ste-Marie-des-Fleurs. Plan.

158

pas mise en cause. La cathédrale de Florence — cathédrale, mais qui fut construite sous le contrôle de la corporation des marchands de laine « en l'honneur de la commune et du peuple de Florence » — appartient à cette famille de bâtiments. Ses piliers, aux bases massives et munis de lourds chapiteaux, ne s'élancent pas vers le ciel. Une corniche ininterrompue crée une division horizontale fortement marquée. Les voûtes d'ogives sont bombées ce qui contribue à séparer plus nettement les travées entre elles. Les éléments structuraux en pierre sombre, qui se détachent sur les surfaces blanchies à la chaux des murs et des voûtes, parlent eux aussi un langage plein de clarté.

D'autre part, cette impression de clarté est encore renforcée par l'ordonnance des parties orientales de l'église, bâties sur un plan centré avec une croisée de transept qui a la largeur de la nef et des bas-côtés réunis (comme à Ely), des croisillons et un sanctuaire de formes identiques (cinq côtés d'un octogone) sans chapelles ni déambulatoire. Cet ensemble monumental, vaste et sans mystère, fut tout d'abord conçu par l'architecte Arnolfo di Cambio qui en entreprit la construction en 1296, puis continué, sur une échelle encore plus grande, par un groupe d'artistes qui comprenait les peintres Taddeo Gaddi et Andrea da Firenze, appelés en tant que conseillers; il fut finalement achevé, après modifications, par Francesco Talenti après l'année 1367.

Au voyageur venant du Nord, les intérieurs italiens du XIVe siècle, comme celui-là, devaient apparaître merveilleusement calmes et sereins. Le style de la Renaissance ne pouvait naître qu'ici, nous le verrons, dans ce pays des traditions romaines, pays du soleil et de la mer toujours bleue, de nobles collines, de vignobles, de champs d'oliviers, de bois de pins, de cèdres ou de cyprès.

290

290
*Florence, Santa-Maria-Novella, façade de
L.B. Alberti, détail, 1456-1470.*

La Renaissance et le Maniérisme

Env. 1420 - Env. 1600

Le style gothique fut créé pour Suger, abbé de Saint-Denis et conseiller de deux rois de France ; le style de la Renaissance, pour les marchands de Florence, banquiers des rois d'Europe. C'est dans le cadre de la plus prospère de toutes les républiques marchandes méridionales que le nouveau style fit sa première apparition, aux environs de l'année 1420.

Une firme comme celle des Médicis avait des représentants à Londres, à Bruges et à Gand, à Lyon et à Avignon, à Milan et à Venise. A Florence, un Médicis avait été maire en 1296, un autre en 1376, et un autre encore en 1421. En 1429, Cosme de Médicis devint l'associé principal de l'affaire ; un siècle plus tard, un de ses descendants sera fait premier duc de Toscane. Pourtant Cosme, surnommé par les Florentins le Père de la Patrie et, après lui, son petit-fils Laurent, dit le Magnifique, n'étaient que de simples citoyens, sans titre officiel, pas même celui de premier dans leur cité. C'est grâce à eux et à ces autres somptueux marchands, les Pitti, les Rucellai, les Strozzi, que la Renaissance, accueillie d'emblée avec enthousiasme, put, à Florence, faire preuve d'une si merveilleuse unité d'intention et de style, trente ou quarante ans avant que les autres cités d'Italie, à plus forte raison les autres nations, aient commencé à comprendre sa signification.

Les conditions sociales de la Toscane, à cette époque, ne suffisent pas à expliquer cette prédisposition. Au XVe siècle, les villes flamandes et, dans une certaine mesure, la cité de Londres, présentaient une structure sociale très voisine. Pourtant le style des Pays-Bas à cette époque était un gothique flamboyant ; celui de l'Angleterre, le gothique perpendiculaire. A Florence, il arriva qu'une organisation sociale particulière se trouva coïncider avec une certaine nature de race et de pays, et aussi avec une certaine tradition historique. Le caractère géographique et national des Toscans avait trouvé dans l'art étrusque son expression la plus ancienne. Au XIe et au XIIe siècle, on pouvait de nouveau le reconnaître facilement sur la façade élégante et raffinée de San-Miniato, et au XIVe siècle, à l'intérieur des grandes églises gothiques, largement dessinées, que sont Santa-Croce, Santa-Maria-Novella, et la cathédrale de Santa-Maria-del-Fiore. Evidemment, l'idéal de florissantes républiques marchandes est plus tourné vers le matériel que vers le transcendantal ; vers l'action plus que vers la méditation ; vers la clarté plus que vers l'obscurité. Puisque le climat était clair, vif, salutaire, que l'esprit des habitants était clair, vif et fier, c'est là que le génie de l'Antiquité romaine, clair, fier, matériel, pouvait être redécouvert ; là, que son opposition avec la foi chrétienne ne gênerait pas son développement, que sa conception de la beauté physique dans le domaine des arts et de la proportion en architecture trouverait un écho ; là, que sa grandeur et son humanité seraient comprises. Les vestiges du passé romain en art et en littérature y avaient toujours été présents et jamais complètement oubliés. Mais l'état d'esprit qui fut atteint au XIVᵉ siècle rendait seul possible le culte de l'Antiquité. Pétrarque — premier poète lauréat des temps modernes, couronné sur le Capitole en 1341 — était toscan de même que Boccace et Leonardo Bruni qui traduisit Platon. Les Médicis, qui honoraient les philosophes et les conviaient à partager l'intimité de leur cercle ; qui, poètes eux-mêmes, fêtaient les poètes, considéraient les artistes dans un esprit très différent de celui du Moyen Age. La conception moderne de l'artiste et le respect dont son génie est entouré sont ainsi d'origine toscane.

Sept ans avant le couronnement de Pétrarque à Rome, les autorités civiles chargées de nommer un nouveau maître d'œuvre pour la ville et la cathédrale de Florence, décidèrent d'élire Giotto, le peintre, persuadés que l'architecte en chef de la ville devait être avant toute chose un « homme célèbre ». C'est donc uniquement parce qu'ils croyaient que « nul être au monde n'était supérieur à Giotto en ceci et en beaucoup d'autres domaines » qu'ils le choisirent. Giotto, pourtant, n'avait pas la formation d'un architecte. Une soixantaine d'années plus tard, nous l'avons vu, il y eut deux peintres parmi les experts appelés à établir les plans pour l'achèvement de la cathédrale de Florence. Ces événements marquent le début d'une nouvelle période dans l'histoire de l'architecture, en tant que profession, de même que le couronnement de Pétrarque est à la naissance d'une nouvelle étape dans l'histoire de la situation sociale des écrivains. Dorénavant — ce trait est une des caractéristiques de la Renaissance — les grands architectes ne seront plus, en règle générale, des architectes de formation. Les artistes réputés seront comblés d'honneurs et occuperont de droit des positions importantes en dehors de leur métier, simplement à cause de leur qualité d'artiste. Cosme de Médicis fut vraisemblablement le premier à qualifier un peintre de divin, en reconnaissant son génie. Cet adjectif devait plus tard être universellement attribué à Michel-Ange, qui, d'ailleurs, en tant que sculpteur, poète, architecte et travailleur acharné, sans faiblesse pour lui-même, était profondément convaincu que ce titre lui était dû. Le jour où, dans une des antichambres du Vatican, il eut l'impression qu'un des valets du pape lui avait manqué, il quitta Rome sur-le-champ, désertant son poste sans arrière-pensée. Il laissa un message pour dire que le Saint-Père pourrait bien l'envoyer chercher s'il le désirait. A l'époque où cet incident eut lieu, Léonard de Vinci développait sa théorie sur la nature idéale de l'art. Il s'efforçait de démontrer que la peinture et l'architecture sont des arts libéraux et non pas des métiers comme on le pensait au Moyen Age. Cette théorie avait une double conséquence : elle supposait d'abord une nouvelle attitude des « clients » par rapport aux artistes et ensuite une nouvelle attitude des artistes par rapport à leur art. Seul celui qui envisageait son œuvre dans un esprit académique, c'est-à-dire en y recherchant les lois, pouvait s'attendre à être considéré par les savants, les lettrés et les écrivains humanistes, comme un égal.

Léonard n'a pas grand-chose à dire au sujet de l'Antiquité. Mais, la fascination universelle qu'exerçait cette Antiquité était, bien sûr, à la fois esthétique et sociale; esthétique dans la mesure où les formes de l'architecture et des arts décoratifs romains plaisaient aux artistes et aux amateurs du XVᵉ siècle; sociale parce que l'étude de ce passé romain n'était accessible qu'à l'élite intellectuelle. Aussi l'artiste et l'architecte, qui, jusque-là, s'étaient contentés d'apprendre de leur maître un métier, pour ensuite s'y appliquer selon la tradition et la puissance de leur imagination, allaient désormais s'appliquer à l'étude de l'art antique, non seulement parce que cette étude leur plaisait mais aussi parce qu'elle leur conférait un prestige social. Les lettrés, depuis le XVIᵉ siècle jusqu'au XIXᵉ siècle, furent si fortement impressionnés par ce renouveau qu'ils baptisèrent toute cette période du nom de « Rinascita » ou Renaissance. Au début, on entendait par ce terme la véritable renaissance des arts et des lettres, au sens large. Mais, au XIXᵉ siècle (siècle qui fit revivre une multitude d'anciens styles) l'accent fut mis plus spécialement sur l'imitation des formes, des motifs romains. Aujourd'hui, si l'on examine de nouveau les œuvres de la Renaissance, on doit, toutefois, se demander si cette nouvelle attitude par rapport à l'Antiquité en fut véritablement l'innovation essentielle.

La toute première construction dans le style de la Renaissance est l'hôpital des Enfants-Trouvés de Filippo Brunelleschi, commencé en 1419. Brunelleschi (1377-1446) était orfèvre de formation et pourtant il fut choisi pour terminer la cathédrale de Florence. C'est lui qui couvrit la croisée du transept d'une coupole, chef-d'œuvre de construction et de style, mais de caractère nettement gothique. Simultanément, toutefois, il conçut les plans

291
Florence, Hôpital des Enfants-Trouvés, par Brunelleschi 1421, achevé en 1445 par Francesco della Luna.

291

163

292

293

de la façade de Enfants-Trouvés. Cette œuvre d'un genre absolument différent, se compose, au rez-de-chaussée, d'une rangée de délicates colonnes corinthiennes et de larges arcs semi-circulaires, de manière à laisser lumière
et chaleur pénétrer en quantité suffisante sous la loggia, et, au premier étage,
d'une succession de fenêtres rectangulaires, assez petites et peu serrées, surmontées par des frontons de faible saillie correspondant exactement à chacune des arcades. Des médaillons en terre cuite de couleur, d'Andrea della
Robbia (les fameux bébés emmaillotés dont les marchands de souvenirs florentins vendent tant de mauvaises répliques), sont placés dans les écoinçons
des arcades. Une architrave, subtilement calculée, sépare le rez-de-chaussée
du premier étage. Sans aucun doute les frontons qui coiffent les fenêtres
sont un motif romain, de même, semble-t-il, que les colonnes corinthiennes.
Mais les arcs reposant sur des colonnes aussi minces sont, dans leur expression, aussi différents de ceux du Colisée, par exemple, que de n'importe quelle
arcade gothique. Leur présence ici s'explique, comme celle d'un certain nombre de motifs sur cette façade, par des antécédents rencontrés dans le style
toscan protorenaissant de San-Miniato, des Saints-Apôtres et du Baptistère,
c'est-à-dire exclusivement dans l'architecture florentine des XIᵉ et XIIᵉ siècles.
Constatation très significative : les Toscans, en effet, sans bien sûr s'en rendre
compte, se préparaient à assimiler le style de l'Antiquité en revenant d'abord
à leur propre roman protorenaissant.

164

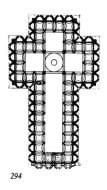

294

Les liens qui unissent les églises de Brunelleschi au passé sont très similaires. Sto-Spirito, dont il établit les plans en 1435, est une basilique avec les arcades en plein cintre et un plafond; l'on peut dire que, dans son ensemble, cet édifice est de style roman. Pourtant, la base des colonnes corinthiennes, leurs chapiteaux et les fragments d'entablement qui les surmontent, sont indiscutablement romains et rendus avec une fidélité et une intelligence esthétique dont les architectes de la proto-Renaissance n'auraient certes pas été capables. Les curieuses niches des bas-côtés sont également d'inspiration romaine, bien qu'elles soient traitées d'une manière très originale. Mais, s'il est vrai que tous les motifs mentionnés se rattachent soit au Moyen Age, soit à l'Antiquité, l'expression spatiale qu'ils contribuent à créer est absolument neuve et possède toute la sérénité de la Renaissance à ses débuts. La hauteur de la nef est exactement le double de sa largeur. Les arcades et l'étage des fenêtres hautes sont de hauteur égale. Les bas-côtés sont constitués d'une série de travées carrées deux fois plus hautes que larges. La nef se décompose exactement en quatre carrés et demi et cette moitié insolite devait être utilisée à des fins précises, dont nous reparlerons; marchant à l'intérieur de l'église, on peut très bien ne pas prendre immédiatement conscience de ses proportions; ces dernières n'en contribuent pas moins à créer une impression d'ordre et de sérénité. Aujourd'hui il nous est difficile d'imaginer l'enthousiasme qui saisit les artistes de la Renaissance à ses débuts, à la vue de rapports spatiaux aussi simples mathématiquement. Pour bien les comprendre, rappelons-nous qu'à cette époque (aux environs de 1425), les peintres florentins étaient en train de découvrir les lois de la perspective. Le traitement arbitraire de l'espace dans leurs tableaux ne pouvait plus les satisfaire; de leur côté, les architectes voulaient maintenant donner des proportions rationnelles à leurs constructions. On ne peut comparer les efforts du XVe siècle pour maîtriser l'espace qu'à ceux accomplis par le monde moderne, avec cette différence que les recherches de la Renaissance s'appliquaient à un monde idéal, tandis que les nôtres sont cantonnées dans le monde de la matière.

L'invention de l'imprimerie au milieu du siècle, devait s'avérer une des plus importantes victoires de l'homme sur l'espace. A la fin du XVe siècle, la découverte de l'Amérique eut des résultats presque aussi importants. Ces deux événements, en même temps que la découverte de la perspective, sont les manifestations de l'enthousiasme occidental pour la conquête de l'espace, attitude absolument étrangère à l'Antiquité, et sur laquelle ce livre a plus d'une fois attiré l'attention.

A ce point de vue, le plan de la partie orientale de Sto-Spirito est du plus grand intérêt, car Brunelleschi, suivant pas à pas Arnolfo di Cambio et Francesco Talenti, s'est ici délibérément écarté de l'ordonnance habituelle des églises romanes ou gothiques. La similitude des croisillons et du chœur, les bas-côtés qui les enveloppent tous trois, la coupole située au-dessus de la croisée du transept, donnent l'impression, si le regard se tourne vers l'est, que l'on se trouve dans un bâtiment construit sur plan central, disposition courante en architecture romaine, qu'elle soit civile ou sacrée, qui reste, malgré la cathédrale de Florence et quelques autres bâtiments, très exceptionnelle pour les églises chrétiennes au Moyen Age.

A Sto-Spirito, même l'extrémité occidentale était à l'origine conçue de manière à souligner cette tendance centralisatrice et cela au mépris de toute considération pratique. En effet, Brunelleschi avait l'intention de continuer à l'ouest, sans marquer d'interruption, le bas-côté qui, déjà, entourait les extrémités est, nord et sud. Ceci l'aurait amené à prévoir non pas trois mais quatre entrées, correspondant aux quatre arcades intérieures. Ç'aurait été une rupture absolue avec tous les usages jusque-là en vigueur, sacrifice à une logique purement esthétique et à un principe abstrait : le désir de centraliser l'espace. D'ailleurs, l'année même où fut entreprise la construction de Sto-Spirito, Brunelleschi avait dressé les plans d'une église, sur plan central, la première de toute la Renaissance : Santa-Maria-degli-Angeli. Au bout de trois ans, en 1437, les travaux furent suspendus et il ne subsiste aujourd'hui que les murs du rez-de-chaussée. Mais le plan est resté très lisible et nous pouvons le comparer avec des gravures assez fidèles, semble-t-il, aux dessins originaux. Santa-Maria-degli-Angeli devait être une construction massive d'un type romain très marqué. Sa conception fut sans doute le résultat d'un long séjour de Brunelleschi à Rome, que nous pouvons, presque avec certitude, dater de 1433. Les colonnades légères de ses autres bâtiments sont ici remplacées par des pilastres engagés dans de solides piliers, à chacun des angles de l'octogone. Huit chapelles, disposées sur le pourtour, comportent toutes des niches creusées dans l'épaisseur du mur. Le dôme, de son côté, devait être d'une seule pièce comme un dôme romain, ne comportant pas deux coupoles superposées, une intérieure, une extérieure, disposition gothique encore respectée par Brunelleschi à la cathédrale de Florence. Il ne reste plus, ici, nulle trace des influences romanes ou protorenaissantes. Nous ne pouvons pas déterminer plus exactement quelles sont les constructions romaines qui inspirèrent Brunelleschi. Au XVe siècle, beaucoup de vestiges de l'Antiquité existaient encore, que les architectes dessinaient et qui, depuis, ont disparu.

Toutefois, peu de temps après Santa-Maria-degli-Angeli, fut entreprise une construction sur plan central qui devait être menée à bien ; partie ajoutée à une autre église, cette réalisation est, en elle-même, la réplique exacte d'un monument romain connu. Michelozzo di Bartolommeo (1396-1472) commença, en 1444, d'ajouter au sanctuaire médiéval de la SS. Annunziata, un chœur circulaire muni de huit chapelles ou niches, rappelant exactement le temple de Minerva Medica, à Rome.

On n'insistera jamais assez, en parlant des premières œuvres de Brunelleschi, sur leur indépendance par rapport aux formes de l'Antiquité romaine. Et pourtant c'est bien dans les années 1430 et 1440 que fut découvert ce que Rome pouvait apporter pour aider à satisfaire les besoins esthétiques de l'époque. Que ceci apparaisse avec le maximum d'évidence dans les édifices bâtis sur plan central est des plus caractéristiques. En effet, le plan central n'est pas une conception mystique mais terrestre. La raison d'être de l'église médiévale était d'entraîner le fidèle jusqu'à l'autel. Dans

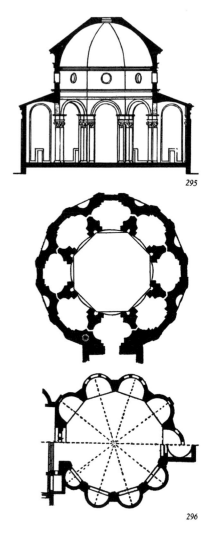

295

296

295
Florence, Santa-Maria-degli-Angeli, commencée en 1434 par Brunelleschi.
En haut : coupe.
En bas : plan.
296
Plan du chœur de SS Annunziata, commencé en 1444.
297
Cette figure est un montage qui permet de comparer deux plans centraux.
Partie supérieure : temple de Minerva Medica à Rome.
Partie inférieure : chœur de SS Annunziata à Florence.

Avanzo del Tempio di Minerva Medica. B. ... ... posteriore al Tempio, la quale lo investi... all' intorno. Piranesi Archit. dis. fec.

297

un édifice de plan central, un tel mouvement est impossible et l'intérieur ne prend son entière signification que s'il est vu d'un endroit précis où l'on s'arrête pour l'examiner. Le spectateur immobile en ce point devient alors lui-même « la mesure de toutes choses ». A la signification religieuse de l'église se substitue une signification humaine. Dans l'église, l'homme se ne porte plus en avant pour atteindre un but transcendant, mais jouit de la beauté qui l'entoure et de la sensation exaltante d'être le centre même de cette beauté.

On ne pouvait pas concevoir de symbole plus éclatant pour exprimer la nouvelle attitude des artistes et de leurs protecteurs par rapport à l'homme et à la religion. Pic de la Mirandole, un des plus éminents philosophes de l'entourage de Laurent le Magnifique, écrivit en 1486 un placet sur la *Dignité de l'homme*. Machiavel, un peu plus tard, publia *le Prince* pour glorifier la volonté humaine et l'opposer en tant que force déterminante aux pouvoirs de la religion qui, jusqu'à cette époque, avaient entravé la pensée pratique. Quelque temps après, Balthazar Castiglione composa *le Courtisan*, révélant à ses contemporains leur propre idéal de l'homme universel. Le courtisan, disait-il, doit avoir des manières agréables, être gracieux, bon « causeur », bon danseur, cependant alerte et vigoureux, expert aux pratiques de la chevalerie, à l'équitation, à l'escrime et à la lutte. En même temps, il doit connaître la poésie et l'histoire, se familiariser avec Platon et Aristote, apprécier tous les arts, et faire lui-même de la musique et du dessin. Parmi les artistes, Léonard de Vinci fut le premier à mener une vie conforme à cet idéal ; il fut à la fois peintre, architecte, ingénieur, musicien, un des savants les plus remarquables de son temps et, de plus, séduisant et versé dans les belles manières. Seul le christianisme semblait ne pas le préoccuper du tout. Un humaniste romain, Lorenzo Valla, avait fait paraître, quelque temps auparavant, un dialogue, *De voluptate*, dans lequel il vantait sans détours le plaisir des sens. Le même Valla fit la preuve, avec une sagacité scientifique inconnue jusqu'à l'apparition de l'humanisme, que le document, dit de la Donation de Constantin, sur lequel s'appuyaient les prétentions des papes à la domination universelle, était un faux. Ceci ne l'empêcha nullement de mourir chanoine de la cathédrale du Latran à Rome. Les philosophes de Florence avaient fondé une académie sur le modèle de celle de Platon, ils célébraient la date supposée de l'anniversaire de ce dernier et prêchaient une religion mi-grecque, mi-chrétienne où l'amour du Christ se trouvait confondu avec le principe platonicien de l'amour divin qui nous pousse à rechercher passionnément dans les autres humains la beauté du corps et celle de l'âme.

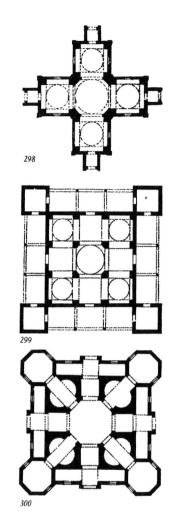

298

299

300

Sur l'une des fresques du chœur de Santa-Maria-Novella, une inscription affirme que ces peintures furent terminées en 1490 « à l'époque où ce pays, le plus beau de tous, distingué par ses richesses, ses victoires, ses beaux-arts et ses édifices, goûtait l'abondance, la santé et la paix ». C'est à peu près en ce temps-là que Laurent le Magnifique écrivit son plus fameux poème qui commence ainsi :

Quant'è bella giovinezza,
Che si fugge tuttavia.
Chi vuol esser lieto sia ;
Di doman' non c'è certezza.

Ces vers sont justement célèbres. Ils sont ici transcrits en italien pour permettre au lecteur d'apprécier leur rythme et leur mélodie propre. En voici la traduction :

Comme elle est belle la jeunesse
Qui loin de nous s'en va.
Si tu veux ton bonheur, n'attends pas
Car demain n'est que promesse.

Quand ils construisaient une église, ces hommes ne voulaient pas que l'architecture leur rappelât cette incertitude du lendemain ou celle de l'au-delà. Bien au contraire, ils désiraient éterniser le moment présent et bâtirent des sanctuaires qui sont des temples érigés à leur propre gloire. La rotonde orientale de l'Annunziata était destinée à perpétuer à Florence la mémoire des Gonzague, princes de Mantoue. A Milan, Francesco Sforza, pensait, lui aussi, à se faire construire un temple. Grâce à un médaillon dû

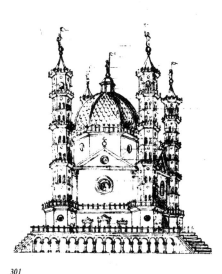

301

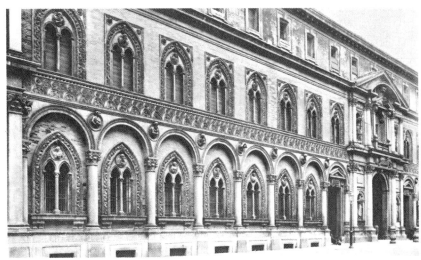

302

au sculpteur Sperandio et qui date des environs de 1460, nous avons une idée de ce projet. Il semble représenter une construction sur plan rigoureusement symétrique : une croix grecque surmontée de cinq coupoles, à la manière de Périgueux ou de Saint-Marc de Venise, datant de trois cents ou quatre cents ans. Ce projet fut peut-être l'œuvre de ce mystérieux sculpteur et architecte florentin Antonio Filarete (mort aux environs de 1470) qui travailla pour Francesco Sforza de 1451 à 1465 ; sa renommée est due principalement à l'hôpital de Milan, *l'Ospedale Maggiore*, commencé en 1457, vaste entreprise dont le plan actuel est conforme aux dessins originaux. L'ordonnance générale est remarquable en ce sens qu'elle compose le premier de ces grands édifices symétriques aux nombreuses cours intérieures — neuf à Milan — qui, aux XVIe et XVIIe siècles, inspirèrent la construction d'ensemble royaux tels que l'Escurial, les Tuileries et Whitehall.

Toutefois, les ambitions de Filarete en ce qui concerne les plans en général ne s'arrêtaient pas là. Il écrivit un traité sur l'architecture, dont un exemplaire fut dédié à Francesco Sforza et un autre à l'un des Médicis de Florence, ville où l'architecte retourna après avoir quitté Milan. La partie la plus intéressante de ce traité est peut-être la description d'une ville idéale, Sforzinda ; c'est, dans l'histoire occidentale, la première ville conçue sur un plan rigoureusement symétrique ; un octogone régulier coupé le rues radiales. Un palais et une cathédrale se dressent sur la place carrée, au centre — nouvelle manifestation de cette idée fixe de la centralisation, propre à ce premier siècle délivré des liens de l'autorité médiévale.

Il n'est donc pas étonnant que les églises de Sforzinda, de Zagalia (autre projet de ville dans le même traité) et de l'hôpital — cette église n'a jamais été construite — aient été prévues sur plan central. Elles nous font d'ailleurs connaître de nouvelles variantes. La cathédrale de Sforzinda, de même que la chapelle projetée pour l'hôpital de Milan, devait être carrée,

303

304

surmontée d'un dôme central et flanquée de quatre petits dômes au-dessus de chacune des chapelles secondaires, aux quatre coins. Nous avons, plus haut, exposé les antécédents de ce plan aux premiers temps du christianisme et la popularité qu'il connut plus tard à Byzance. A Milan, il était apparu en 876 dans la construction de la chapelle du Saint-Sépulcre de San-Satiro. En Toscane, il ne devait pas non plus être inconnu car Michelozzo l'utilisa en 1452 à Sta-Maria-delle-Grazie, de Pistoia. Ainsi Filarete peut-il avoir été inspiré autant par des réalisations toscanes que par des constructions milanaises. L'église de Zagalia était conçue avec un dôme central octogonal et des chapelles de même forme aux quatre angles. Toutes ces églises devaient être munies de quatre grands minarets, d'une hauteur fantastique, situés soit au-dessus de chacune des quatre chapelles d'angle, soit quelque part entre celles-ci et le point central (sur ce point, les dessins ne sont pas très clairs)[21]. A S.-Eustorgio de Milan, il existe un oratoire construit vers 1462 d'après les plans de Michelozzo: il est carré, surmonté d'un dôme, et présente aux quatre coins de petites tours sans que celles-ci recouvrent des chapelles secondaires. Le même Michelozzo établit aussi les plans d'un palais pour la banque Médicis à Milan. La construction de cet édifice fut commencée dans les formes de la Renaissance florentine, mais, par la suite, emprunta des détails les plus irrationnels au gothique de l'Italie du Nord. Il en fut de même pour l'hôpital.

Evidemment, les Lombards n'étaient pas encore mûrs pour comprendre la Renaissance. A Milan, on continua, pendant tout le XV° siècle, à construire la cathédrale dans un style gothique flamboyant. A Venise, la Porta della Carta au palais des Doges et la *Ca d'Oro* datent des années 1430 et 1440 et les premières constructions renaissantes dignes d'attention ne furent commencées qu'après 1455 (la porte de l'Arsenal, 1457, et la Ca del Duca). Leur style d'ailleurs est toscan, comme étaient toscans, également, les plus grands architectes de tout le « Quattrocento » et celui qui devait en faire adopter le style par tous les petits princes de l'Italie du Nord, mécènes soucieux de leur propre gloire.

Leone-Battista Alberti (1404-1472) appartenait à une famille patricienne de Florence. Dans notre contexte, il représente un autre type d'architecte. Brunelleschi et Michel-Ange sont des architectes-sculpteurs, Giotto et Léonard de Vinci, des architectes-peintres. Alberti, lui, est le premier des grands architectes dilettantes, un homme pour qui les beaux-arts et l'architecture jouaient un rôle conforme aux règles que Balthazar Castiglione devait énoncer beaucoup plus tard. Alberti était un cavalier prestigieux, doublé d'un athlète — on rapporte qu'il pouvait sauter à pieds joints par-dessus la tête d'un homme. Sa conversation brillante était réputée. Il écrivait des pièces de théâtre et composait de la musique ; il peignait ; il étudiait les sciences physiques et les mathématiques ; c'était un juriste de premier ordre et ses livres ont trait aussi bien à l'économie domestique qu'à la peinture ou à l'architecture. Son traité *Della Pittura* est le premier livre que traite de la peinture d'un point de vue d'homme de la Renaissance. La première partie tout entière est exclusivement consacrée à la géométrie et à la perspective ; ses *Dix livres de l'Architecture* sont écrits en latin et suivent de très près Vitruve, l'historien latin de l'architecture, que l'on venait de redécouvrir. Ces ouvrages nous prouvent qu'Alberti, en tant que membre de l'administration papale à Rome, disposait d'un temps considérable pour étudier les ruines de l'Antiquité. Ses fonctions sans aucun doute lui permettaient de voyager à son gré et de rester de longs moments loin de Rome.

Avant l'avènement de la Renaissance, un tel personnage n'aurait guère pu prendre un intérêt actif à l'art de bâtir. Mais du jour où l'on considère que l'essence même de l'architecture était de nature philosophique, mathématique (les lois divines d'ordre et de proportion) et archéologique, (les monuments de l'Antiquité), théoriciens et dilettantes prirent une importance que, jusque-là, ils n'avaient pas. Pour connaître l'architecture romaine dans son esprit général et ses détails, on s'aperçut qu'il fallait en dessiner et étudier les monuments, le système caché derrière les styles de l'Antiquité fut rapidement expliqué — avec l'aide de Vitruve — par les « ordres », c'est-à-dire par les proportions des colonnes et des entablements, doriques, ioniques, corinthiens, composites et toscans. A l'aide d'ouvrages savants sur ces ordres, les nations étrangères apprirent les règles de la construction classique.

Alberti n'était pas un théoricien sec : à un esprit érudit, il joignait, chose rare et précieuse, des dons authentiques d'imagination et de pouvoir

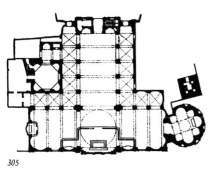

305

303
Pistoia, l'Eglise Sta-Maria-delle-grazie.
304
Milan, Chapelle Portinari par Michelozzo, 1462-1468.
305
Milan, Plan de Sta-Maria presso San Satiro.

171

306

307

créateur. La façade de Saint-François de Rimini, commencée en 1446 et jamais achevée, est la première en Europe où l'arc de triomphe romain fut adapté à l'architecture sacrée. Alberti s'était, beaucoup plus que Brunelleschi, attaché à faire revivre l'Antiquité. Et il ne se bornait pas aux simples motifs. Toujours à Saint-François, les sept niches en plein cintre situées à l'extérieur sur le côté de l'église et séparées les unes des autres par de lourds piliers, participaient, plus peut-être que toute autre construction du XVᵉ siècle, à la gravité de la Rome des Flaviens. Dans ces niches, se trouvent aujourd'hui des sarcophages, tombeaux des humanistes de la cour de Sigismond Malatesta. A l'est, un vaste dôme, aussi important semble-t-il que celui de l'Annunziata à Florence, devait être élevé pour célébrer la gloire de Sigismond et de son épouse Isotta. Sigismond était le type du tyran de la Renaissance, cruel, sans scrupules, mais sûrement fasciné par les beaux-arts et les sciences nouvelles. L'église Saint-François est d'ailleurs connue sous le nom de Temple de Malatesta. Une inscription en grandes lettres s'étale sur toute la façade portant son nom et la date — un point, c'est tout.

C'est exactement du même orgueil que fit preuve Giovanni Rucellai, marchand florentin pour qui Alberti dressa le plan de sa deuxième façade d'église. Son nom se détache avec autant d'orgueilleuse assurance sur la façade de Sta-Maria-Novella. Quand il entreprit, dans sa vieillesse, d'écrire ses *Mémoires*, il écrivit au sujet des travaux d'architecture et de décoration commandés par lui pour les églises de sa cité natale bien-aimée : « Toutes ces œuvres m'ont donné et me donnent encore la plus grande des satisfactions et les émotions les plus douces. En effet, elles honorent le Seigneur, Florence, et ma propre mémoire. » C'est un tel état d'esprit qui permet aux donateurs des fresques de figurer en habits d'époque et grandeur naturelle, comme des acteurs, dans les scènes de l'histoire sacrée représentées à l'intérieur du chœur de la même église. C'est encore lui qui incita les pa-

306
Rimini. Saint-François (Temple Malatesta), commencée en 1446 par L.B. Alberti.
307
Rimini. Temple Malatesta, façade latérale.
308
Florence. Palais Strozzi commencé par Benedetto da Majano en 1489, continué dès 1497-1507 par Cronaca.
309
Florence, Palais Médicis commencé par Michelozzo en 1444 achevé par Cronaca.

triciens florentins et les cardinaux romains à bâtir leurs palais. Celui des Médicis, commencé par Michelozzo en 1444, fut le premier de tous. Celui des Pitti, dessiné, d'après certains, par Brunelleschi peu de temps avant sa mort en 1446, d'après d'autres par Alberti en 1458, et qui fut en tout cas considérablement agrandi un siècle plus tard, est, avec celui des Strozzi, le plus célèbre. Tous deux sont massifs et pourtant strictement proportionnés ; leurs façades comportant de lourds appareils rustiques, sont couronnées de corniches fortement accusées. Leurs fenêtres disposées symétriquement sont divisées en deux par de gracieuses colonnettes (nous nous trouvons de nouveau en présence d'un motif roman). La délicatesse et l'articulation, qualités essentielles qu'on attend de la Renaissance, se manifestent là surtout dans les cours intérieures du rez-de-chaussée s'ouvrant comme des cloîtres, par de ravissantes arcades qui rappellent celles de l'hôpital des Enfants-Trouvés et de l'église de Sto-Spirito. Les étages supérieurs sont animés soit par une loggia ouverte aux travées séparées par des pilastres, ou par quelque autre motif.

309

308

En revanche, à Rome, se développa une conception plus sévère de la cour intérieure. Cette tendance apparaît pour la première fois au palais de Venise, aux environs de 1465-70. Elle se manifeste par la reprise d'un motif romain classique : colonnes engagées dans de lourds piliers, telles qu'on peut en voir au Colisée ou sur la façade de Saint-François de Rimini, œuvre d'Alberti. D'ailleurs, c'est peut-être lui qui eut à Rome l'idée de ressusciter ce thème, bien qu'on ne puisse trouver trace de son nom dans les documents concernant le palais de Venise. Un compromis des plus séduisants entre les systèmes romain et florentin se voit au palais ducal d'Urbin, centre d'une des petites cours princières d'Italie, des plus actives dans le domaine de l'architecture et de l'esthétique en général. Piero della Francesca, le peintre dont les décors architecturaux sont le reflet si fidèle de l'esprit d'Alberti, y a travaillé, et ce dernier, lui-même, a dû y passer au cours de ses nombreux voyages. Là encore, nous trouvons dans les années 1470, Francesco di Giorgio, l'un des plus intéressants architectes de la fin du Quattrocento, que nous rencontrerons plus tard, à d'autres propos. Le dessin de la cour et la charmante décoration intérieure du palais ne sont probablement pas son œuvre, mais celle de Luciano Laurana qui travailla à Urbin de 1466 à 1479, année de sa mort. La cour intérieure rappelle la légèreté aérienne des arcades florentines, mais les angles y sont renforcés par des pilastres. Comparées à cette ordonnance, les successions de colonnes et d'arcs pratiquées par Michelozzo et ses disciples, nous paraissent instables et sans consistance. Quant à la cour du Palais de Venise à Rome, elle semble lourde par rapport à l'équilibre heureux des motifs de Laurana.

Alberti lui-même dressa les plans d'un des palais de Florence : le palais Rucellai, commencé en 1446 pour le même personnage que la façade de Sta-Maria-Novella. La cour intérieure n'en est pas l'élément le plus important. En revanche, l'architecte a su employer un nouveau et merveilleux

310

311

312

313

310
Rome, Palais de Venise, la cour, par Giovanni da Majano après 1455.
311
Urbin, Palais Ducal, Luciano Laurana, la cour 1470-1475.
312
Urbin. Palais ducal - Terrasse du duc Frédéric. 2ᵉ moitié du XVᵉ siècle.
313
Florence, Palais Rucellai, édifié de 1446 à 1451 par Bernardo Rossellino d'après des dessins d'Alberti.

procédé pour régler l'ordonnance d'un mur et, particulièrement, d'une façade : le pilastre [22]. Ici, les trois ordres se superposent, tous librement interprétés : dorique au rez-de-chaussée, ionique au premier étage et corinthien au sommet.

A ces pilastres qui rythment la façade dans le sens de la hauteur, correspondent des corniches dessinées avec beaucoup de goût et qui soulignent les séparations horizontales. Celle du sommet est vraisemblablement la première du genre à Florence et précède même celle de Michelozzo au Palais Médicis. Avant ces corniches, on se contentait d'utiliser, comme au Moyen Age, l'auvent formé par le toit. Les fenêtres du Palais Rucellai sont géminées, comme celles des autres palais, mais le rectangle principal est séparé des deux demi-cercles supérieurs par un linteau. Les proportions entre la hauteur et la largeur sont les mêmes, dans les parties rectangulaire des fenêtres et dans chaque travée, ce qui semble commander l'emplacement des moindres détails. Aucun changement n'est possible. Selon les écrits théoriques d'Alberti, c'est dans cet équilibre que se trouve l'essence même de la beauté : « Harmonie et concorde, nous dit-il, de toutes les par-

175

ties entre elles, établies de telle sorte que rien ne pourrait être ajouté ou retranché sans dégrader l'ensemble. »

De telles définitions font apparaître d'une façon éclatante le contraste qui existe entre le Gothique et la Renaissance. Dans l'architecture gothique, prédomine une sorte d'exubérance végétale. La hauteur des piliers n'est pas déterminée par la largeur des travées, ni l'épaisseur d'un chapiteau, ou plutôt d'un corbeau, par la hauteur du pilier. Ajouter des chapelles, voire des bas-côtés, aux églises paroissiales du Moyen Age risque, beaucoup moins que dans un bâtiment de la Renaissance, d'abîmer l'ensemble. Car, dans le style gothique, les motifs surgissent les uns après les autres, à la manière des branches sur un arbre.

Pouvait-on imaginer un bienfaiteur du XIVe siècle décrétant, comme le fit le pape Pie II, quand il fit construire la cathédrale de sa ville natale (rebaptisée Pienza pour perpétuer son nom) qu'à l'avenir nul ne pourrait, dans son église, ériger de monuments funèbres, fonder de nouveaux autels, faire peindre les murs à fresque, ajouter des chapelles ni modifier la couleur des murs ou des piliers? Du point de vue gothique, un bâtiment est, par essence, inachevé. Son destin demeure vivant et est influencé par la piété des générations successives. Ni son commencement ni sa fin ne sont fixés dans le temps pas plus qu'ils ne sont délimités dans l'espace. Dans le style de la Renaissance, l'édifice est un tout esthétique composé de parties indépendantes. Une composition à plat ou en relief s'obtient en groupant ces différentes parties selon les lois d'un système statique.

Le style roman lui aussi, nous avons essayé de le montrer, est un style statique. C'est également un style composé essentiellement par la juxtaposition d'unités spatiales clairement définies. Quelle est donc la différence de principe entre une église romane et une église de style renaissance? Dans l'une comme dans l'autre, les murs ont de l'importance alors que le Gothique tend à les supprimer. Mais le mur roman est, dans son principe, inerte. Si, par hasard, il est décoré, les motifs décoratifs semblent distribués arbitrairement. On n'a pas du tout l'impression que le fait d'ajouter un ornement, d'en enlever un, de le déplacer légèrement vers le haut ou vers le bas, modifiera l'ensemble radicalement. Il n'en est pas ainsi dans un édifice de style Renaissance. Les murs, là, sont actifs, animés par des éléments de décoration dont la taille et l'emplacement répondent à des lois intellectuelles. Finalement, c'est bien cet humanisme, cette attitude raisonnée, qui contribuent à faire d'un bâtiment de la Renaissance ce qu'il est. Les arcades sont plus légères et plus ouvertes qu'autrefois. Les colonnes, pleines d'élégance, ont la beauté des êtres animés. De plus, elles respectent l'échelle humaine et, comme elles relient les différentes parties entre elles, le visiteur, même dans un bâtiment de très grande taille, n'est jamais écrasé par les proportions. L'architecte roman, lui, cherchait justement à créer cette impression de force surhumaine. Il concevait son mur comme un tout, puis restait fidèle à cette expression de puissance et de masse, même dans les plus petits détails. C'est pour cette raison, évidemment, que les sculpteurs romans ne pouvaient pas redécouvrir la beauté plastique du corps humain.

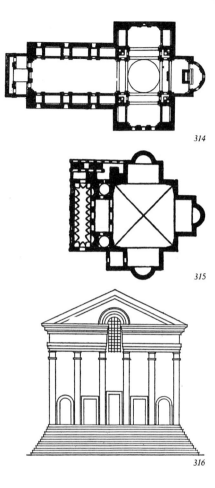

314

315

316

314
Mantoue - Saint-André. Plan.
315
Mantoue - Saint-Sébastien. Plan.
316
Mantoue - Saint-Sébastien, reconstitution de la façade d'après le projet d'Alberti (1460).
317
Mantoue - Saint-André, pilastre de la façade par Alberti.
318
Mantoue - Saint-André, la façade commencée en 1463 par Fanalli sur les dessins d'Alberti.

317   318

Cette redécouverte, comme celle de la perspective linéaire devait appartenir à la Renaissance. Sto-Spirito ou le palais Rucellai le prouvent à quiconque est sensible à leur originalité intrinsèque.

    Pour illustrer le principe de l'ordonnance rigoureuse qu'Alberti veut voir respecter également dans les intérieurs d'église, analysons le plan de St-André à Mantoue, sa dernière création. De même qu'à Sto-Spirito, les parties orientales sont une composition sur plan central. En fait, Alberti, lui aussi, s'était déjà intéressé au brûlant problème des architectes de ce temps-là : la construction sur plan complètement central. Toujours à Mantoue, nous lui devons une église, Saint-Sébastien, qui a la forme d'une croix grecque. Il en avait établi les plans en 1460, c'est-à-dire juste un peu avant ou juste un peu après le temple des Sforza de la médaille de Sperandio. Quelle qu'en soit la date, la solution d'Alberti est originale, austère, hautaine à la fois, avec sa façade curieusement païenne. Il n'est pas étonnant qu'un cardinal fut amené à écrire à son sujet, en 1473 : « Je ne me rends pas très bien compte si, finalement, cet édifice sera une église, une mosquée ou une syna-

319

320

gogue. » Du point de vue pratique des fonctions du culte, ces bâtiments sur plan central sont manifestement peu commodes. C'est pourquoi, dès le début de la Renaissance, on essaya de combiner le plan basilical traditionnel avec une disposition centralisée, esthétiquement souhaitable. Sto-Spirito est l'exemple d'une initiative de ce genre, mais, dans ce domaine, St-André à Mantoue reste déterminant. L'architecte y remplaça la disposition traditionnelle de la nef et des bas-côtés par une succession de chapelles latérales, occupant l'espace réservé autrefois aux collatéraux et reliés au vaisseau par des ouvertures qui sont alternativement hautes et larges, puis basses et étroites. Les bas-côtés cessent donc de participer au mouvement général vers l'est et deviennent une suite de centres d'intérêt secondaire qui accompagnent simplement la grande nef voûtée en berceau. On peut voir sur les murs intérieurs de cette nef une même intention se manifester, car, à la simple succession de colonnes propre aux basiliques, on a substitué une alternance, rythmée sur le principe a b a, de baies ouvertes et fermées. L'usage des colonnes est abandonné et celles-ci remplacées par des pilastres géants. Jusqu'à quel point doit-on à ce souci de respecter partout les mêmes proportions, la calme sensation d'harmonie qui se dégage de l'intérieur de St-André? La réponse est évidente si nous nous rendons compte que ce rythme a b a est appliqué dans les plus petits détails et que ces pilastres géants (les premiers avec ceux de St-Sébastien dans l'histoire de l'architecture occidentale) forment le principal motif de la façade. Il faut également noter que les arcs de la croisée du transept ont les mêmes proportions que ceux des chapelles latérales.

Alberti ne fut pas le seul architecte à essayer de tels rythmes à l'intérieur d'églises longitudinales. En Italie du Nord, on se passionna pour l'application de ces principes aux églises à nef et bas-côtés, après qu'un architecte florentin eut indiqué le chemin à suivre à la cathédrale de Faenza (1474). Ferrare, Parme et d'autres cités, suivirent à leur tour la mode, et bientôt nous voyons cette école se confondre avec celle qui prônait le plan central sur le modèle byzantino-milanais d'une coupole centrale flanquée de coupoles, plus basses et plus petites, aux quatre coins. A Venise et en Vénétie, on avait entrepris la construction d'églises à plan central de ce style peu avant l'année 1500 (St-Jean-Chrysostome). En 1506, un architecte, par ailleurs peu connu, Spavento, trouva la solution classique d'adaptation du plan central aux basiliques. L'église Saint-Sauveur à Venise, consiste en une nef, formée par deux unités de type milano-vénitien, et par une croisée de transept, exactement identique à chacun des éléments de la nef; mais les croisillons et les absides sont surajoutés à l'ensemble d'une façon un peu incongrue.

Historiquement, l'église du Saint-Sauveur est à l'église d'Alberti, St-André de Mantoue, ce qu'est, dans le domaine de l'architecture civile, le palais de la Chancellerie à Rome au palais Rucellai d'Alberti. La Chancellerie fut construite de 1486 à 1498, pour servir de résidence au cardinal Riario, neveu de Sixte IV, l'un des papes les plus représentatifs de la Renaissance. Ces pontifes se considéraient presque plus comme des chefs temporels que comme des prêtres. Pour la ville de Bologne, Jules II, autre neveu de Sixte IV, sous le pontificat duquel furent entreprises la construction de

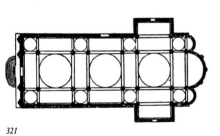

321

319
Mantoue. Saint-André: l'intérieur.
320
Venise - Eglise Saint-Sauveur - intérieur. Spavento et Tullio Lombardo.
321
Venise - Eglise Saint-Sauveur. Plan.

322

RAPHAEL RIARIVS SAVONENSIS S ANC

323

Saint-Pierre de Rome, les fresques de la Sixtine par Michel-Ange, et les Chambres du Vatican par Raphaël, Jules II demanda à Michel-Ange une statue qui le représentât une épée à la main au lieu d'un livre, car, dit-il, « je suis un soldat et non pas un lettré ». Sous ce rapport il suffit de mentionner les noms d'Alexandre VI et de son neveu, César Borgia.

Le rez-de-chaussée du palais Riario est dénué de pilástres : il paraissait indiqué de respecter l'intégrité de l'appareil rustique du mur, là où seules étaient nécessaires de simples petites fenêtres. En revanche, au premier et au deuxième étage, nous trouvons des pilastres, mais qui ne se suivent plus régulièrement comme au palais Rucellai. Là encore, on a utilisé le rythme a b a pour animer et ordonner la façade. Il faut également remarquer que, contrairement à Alberti, dont les divisions horizontales servent à la fois de corniches et d'appuis de fenêtre, l'architecte inconnu de la Chancellerie a donné à chacune de ces parties une expression architecturale propre. De plus, les travées d'angles sont légèrement en saillie par rapport à toutes celles de la façade pour éviter toute imprécision dans l'ordonnance générale.

324

325

322
Rome. Palais de la Chancellerie, 1496-1498, Armoiries de Jules II.
323
Rome, Palais de la Chancellerie, élévation.
324
Milan. Eglise San-Satiro, clocher de 876. La petite église a été reconstruite après 1477.
325
Milan. Sacristie de San-Satiro, œuvre de Bramante.

La Chancellerie est le premier bâtiment de style renaissance à Rome qui ait eu une importance plus que locale. A peu près à l'époque où il s'achevait, Rome succéda à Florence et devint la capitale de l'architecture et des beaux-arts. Ce passage marque le début de la Renaissance classique. La première Renaissance ayant été essentiellement toscane, la Renaissance classique est romaine, parce que, à cette époque, Rome était le seul centre international de civilisation, et cette Renaissance est si purement classique, qu'elle se fit admettre dans tous les pays et y régna en maîtresse absolue pendant des siècles. La place qu'occupe Rome, dans l'histoire du style de la Renaissance, correspond exactement à celle qu'occupent Paris et les cathédrales de l'Ile-de-France dans l'histoire du style gothique. Nous ignorons à quelles provinces françaises se rattachaient par naissance et éducation les architectes de Notre-Dame, Chartres, Reims ou Amiens, mais nous savons que Donato Bramante venait d'Ombrie et de Lombardie, Raphaël d'Ombrie et de Florence, Michel-Ange de Florence. Ces derniers sont les trois plus grands architectes de la Renaissance classique et aucun d'entre eux n'était

181

architecte de métier — cas que nous avons déjà rencontré. A l'origine, Bramante et Raphaël étaient peintres, Michel-Ange sculpteur.

Bramante était le plus âgé des trois. Il était né en 1444 près d'Urbino où il grandit tandis que Piero della Francesca y peignait, que Laurana y travaillait au palais ducal, et que Francesco di Giorgio y écrivait un traité d'architecture. Dans ce traité, le troisième de la Renaissance après ceux d'Alberti et de Filarete, l'auteur s'intéressait de très près au plan central. Entre 1477 et 1480, Bramante se rendit à Milan et sa première œuvre dans cette ville, l'église de S.-Satiro, nous laisse à penser qu'il connaissait Saint-André à Mantoue, commencée par Alberti seulement quelques années plus tôt. Il semble qu'il en ait étudié les plans avec le plus grand soin. N'ayant pas la place suffisante pour doter sa propre église d'un sanctuaire, il décida — enchanté de faire étalage de ses connaissances en matière de perspective linéaire — d'en dessiner un en trompe-l'œil. Si l'on se tient placé au bon endroit, l'artifice se révèle parfaitement efficace.

S.-Satiro possède une sacristie sur plan central et Sta-Maria-delle-Grazie, deuxième ouvrage de Bramante à Milan, comporte une abside également sur plan central, très voisin de celui d'Alberti à l'église Saint-Sébastien de Mantoue. Cependant, quand, en 1492, Sta-Maria-delle-Grazie fut commencée, il y avait déjà neuf ans que vivait à Milan un autre artiste, le plus universel qui vécût jamais et qui devait avoir sur Bramante, de quelques années son aîné, une influence considérable. Léonard de Vinci y était arrivé en 1482, comme ingénieur, sculpteur, peintre, musicien, tout sauf architecte. Cependant, les problèmes d'architecture n'avaient cessé de hanter son esprit fertile en inventions. A Florence, il avait déjà relevé les plans de Brunelleschi pour Sto-Spirito et pour Sta-Maria-degli-Angeli, et, à Milan, il avait étudié avec soin les solutions typiquement milanaises proposées par Filarete. Le résultat de ses réflexions se manifeste dans ses carnets, par une suite de croquis qui nous montrent plusieurs types de structures complexes, toutes sur plan central ; l'une de celles-ci, par exemple, propose un octogone central, flanqué de huit chapelles, toutes de type byzantino-milanais, c'est-à-dire dotées d'un dôme central et de quatre petites travées carrées aux angles. Aux plans centraux imaginés antérieurement par les architectes de la Renaissance, où un élément très important contraste avec un certain nombre de parties rayonnantes plus petites, s'oppose ici un étagement d'éléments de trois dimensions différentes subordonnés les uns aux autres. Pour des raisons historiques, un autre projet est encore plus intéressant. Il apparaît comme une rapide esquisse dans le manuscrit B de Léonard, conservé à Paris, et se compose d'une croix grecque à quatre absides, entièrement entourée d'un déambulatoire. De petites travées carrées sont installées dans les angles rentrants, et des tours d'angle ou des clochetons s'avancent en diagonale au-delà des pièces d'angle. Bramante a dû voir ce croquis et devait s'en souvenir bien des années après qu'il eut quitté Milan pour s'établir à Rome.

C'est le passage en 1499 de l'ambiance milanaise à l'ambiance romaine qui, en dehors des leçons de Léonard, transforma le style de Bramante d'une manière décisive. Son architecture devint, sur-le-champ, plus dépouil-

326

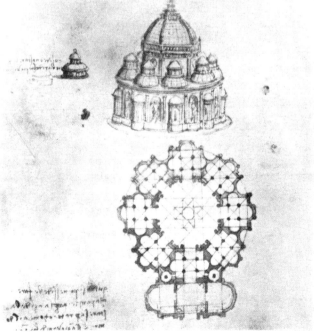

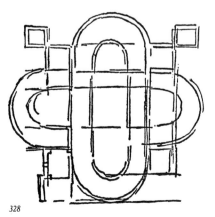

328

329

330

lée et plus austère que tout ce qu'il avait exécuté déjà à Milan. Cette tendance se manifeste dans ses premiers ouvrages, le cloître de Sta-Maria-della-Pace et le petit temple de S.-Pietro-in-Montorio. A Sta-Maria-della-Pace, la cour comporte, au rez-de-chaussée, des piliers et des colonnes engagés, dans le style romain, et, au premier étage, une galerie ouverte dont les colonnettes portent des architraves horizontales et non plus des arcades. A S.-Pietro-in-Montorio, Bramante montre une rigueur plus grande encore. Ce petit temple, qui date de 1502, est le premier monument de la Renaissance classique qui s'oppose à la première Renaissance, et c'est aussi un monument, au sens strict, c'est-à-dire une réussite plus strictement sculpturale qu'architecturale. Edifié sur le lieu supposé de la crucifixion de saint Pierre, on peut donc le considérer comme un reliquaire de très grande taille. En fait, à l'origine, Bramante voulait faire de la cour où il se trouvait, une sorte de cloître circulaire qui l'enchâsserait. Comparé aux églises et aux palais du XVᵉ siècle, S.-Pietro fait, à première vue, une impression presque choquante.

La colonnade appartient à l'ordre dorique toscan et c'est la première utilisation moderne de cet ordre sévère et dépouillé. L'entablement correct et classique qu'elle supporte est un élément qui ajoute à l'ensemble un poids et une précision supplémentaires. D'autre part, en dehors des métopes et des coquilles au fond des niches, les surfaces extérieures sont dénuées de toute décoration. Ceci va bien d'ailleurs avec la simplicité parlante des proportions. Le rapport largeur-hauteur du rez-de-chaussée se retrouve à

331

l'étage supérieur et donne au temple une dignité sans commune mesure avec ses dimensions. Ici, en une fois, la Renaissance classique a parfaitement rempli son ambition : être l'émule de l'Antiquité classique. En effet, par-delà les motifs décoratifs et même par-delà l'expression formelle, nous sommes en présence d'un monument au volume aussi pur que celui d'un temple grec. Il semble qu'ici l'espace — cet élément tout-puissant de l'architecture occidentale — soit maîtrisé.

Mais Bramante ne devait pas s'arrêter en chemin. Quatre années seulement après avoir exprimé l'idéal de la Renaissance en ce qui concerne le volume architectural, il entreprit de concilier cette expression avec la version renaissante de l'espace idéal, dégagé par les architectes du XVe siècle de Brunelleschi à Léonard. En 1506, Jules II le chargea de reconstruire Saint-Pierre, la plus sacrée de toutes les églises d'Occident. A cette époque, Saint-Pierre survivait essentiellement dans sa forme première, celle de Constantin. Nicolas V, le premier d'entre les papes à sympathiser avec l'humanisme de la Renaissance, avait entrepris la réfection extérieure de la vieille abside dans un style tellement proche de celui de St-André à Mantoue qu'on doit peut-être en attribuer la première idée à Alberti lui-même. Mais, à la mort de Nicolas V, en 1455, seules les fondations étaient prêtes et l'entreprise n'alla pas plus loin. Le Saint-Pierre de Jules II fut conçu sur un plan rigoureusement central, décision surprenante d'une part à cause de la forte tradition qui existait alors en faveur des églises longitudinales ; d'autre part,

330
Rome. Cloître de Sta-Maria-della-Pace, Bramante 1504.
331
Rome. Tempietto de San-Pietro-in-Montorio - Bramante 1502.

185

en raison de l'immense importance religieuse qu'avait la basilique Saint-Pierre. Du jour où le pape lui-même choisit pour sa propre église ce symbole tout « terrestre », l'esprit de l'humanisme avait pénétré dans la forteresse la plus fermée de la résistance chrétienne.

Bramante avait plus de soixante ans quand fut posée la première pierre de la nouvelle église. Saint-Pierre est une croix grecque, à quatre absides, tellement symétriques que rien n'indique, sur le plan, la position future du maître-autel. Le dôme central devait être flanqué par des dômes de moindre importance, situés au-dessus des chapelles d'angles, et par des tours, encore plus excentriques aux quatre coins. Cette disposition se situe nettement dans la tradition milanaise et dans celle de Léonard. Mais Bramante en amplifie le rythme en transformant les chapelles d'angles en croix grecques (ce que Léonard n'avait pas mis dans son croquis de Paris) : deux de leurs absides sont visibles, les deux autres supprimées par les croisillons de l'église elle-même. De cette manière, on obtient un déambulatoire carré (tandis que celui de Léonard enserrait les absides dans des courbes)[23] en-serrant une énorme coupole centrale qui devait être hémisphérique, comme celle de S.-Pietro-in-Montorio. Quatre tourelles d'angles (semblables à celles de Léonard) donnent au plan une forme extérieure carrée, et seule fait saillie l'extrémité des quatre absides principales. Jusque-là, le plan de Bramante n'est que le magnifique développement d'idées apparues, déjà au XVe siècle. Le seul élément nouveau propre au XVIe siècle est la façon dont sont traités les murs et surtout les piliers supportant le coupole centrale. C'est d'ailleurs la seule intention de Bramante qui ait été exécutée et qui soit encore en partie visible. Ce qui caractérisait la première Renaissance, moulures mo-dérées et souci de rester à l'échelle humaine, n'a pas été conservé. Les murs et les piliers sont de gigantesques masses de maçonnerie hardiment creusées, comme par la main du sculpteur. Cette conception des possibilités plastiques de la paroi qui, à l'origine, était propre au style romain tardif, fut retrouvée (il en fit d'ailleurs un usage modéré) par Brunelleschi à Sta-Maria-degli-An-geli. Cette découverte devait être de la plus grande importance pour le déve-loppement futur de l'architecture italienne.

L'avenir immédiat, cependant, appartenait au Bramante maître de l'harmonie et de la grandeur classiques, plutôt qu'au Bramante précurseur du Baroque. Raphaël (1483-1520) fut l'architecte qui suivit le plus fidèlement le Bramante de S.-Pietro-in-Montorio et des cours St-Damase et du Belvé-dère au Vatican (années 1503 et suivantes), ses autres chefs-d'œuvre ro-mains. Les réalisations architecturales de Raphaël ont laissé peu de traces dans les archives. Parmi les bâtiments qu'on lui attribue avec de sérieuses présomptions, il faut citer le palais Vidoni Caffarelli à Rome qui rappelle beaucoup le palais Caprini, dessiné en 1514 par Bramante juste avant sa mort, et que Raphaël avait achevé en 1517. Il est aujourd'hui méconnais-sable et ne correspond plus du tout à l'idée première de Raphaël. A une date ultérieure, le palais fut, en effet, considérablement élargi et surélevé. Ici encore, le changement d'échelle caractéristique de la Renaissance classique est remarquable. L'équilibre et l'harmonie restent les principaux objectifs à

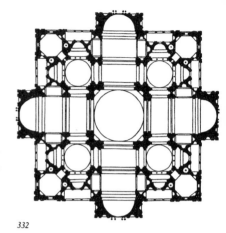

332

333

334

atteindre mais ils s'allient maintenant à un sens de la grandeur et de la solennité ignoré du XV⁰ siècle. Des colonnes d'ordre dorique toscan remplacent les pilastres du palais Rucellai et de la Chancellerie, et le rythme a b a, d'un bel effet, se contracte en un mouvement a b plus lourd. Le a se trouve souligné par de doubles colonnes, le b par des larmiers rectilignes, au-dessus des fenêtres. Au rez-de-chaussée, le bossage rustique est disposé de manière à souligner l'horizontalité, c'est-à-dire la gravité de la composition.

L'évolution de la première Renaissance vers la Renaissance classique, de la délicatesse à la grandeur, et d'une subtile ordonnance des surfaces aux murs hardiment modelés en haut-relief, fut à l'origine d'études de plus en plus approfondies des vestiges de l'antiquité impériale. Cette dernière époque ne fut vraiment comprise qu'à ce moment-là et alors pour la première fois des humanistes et des artistes essayèrent de se représenter cette Rome comme un ensemble cohérent et peut-être même de la faire revivre. La villa Madame comme l'avait prévue originellement Raphaël, est, avec sa cour intérieure circulaire et ses pièces aux multiples absides et niches, la tentative la plus audacieuse qui fut jamais faite pour rivaliser avec la grandeur des thermes romains. Sa merveilleuse décoration est directement issue des vestiges de la Rome impériale, tels que la Maison d'Or de Néron. Ces vestiges avaient été enfouis sous terre — d'où le terme de « grotesques » donné à ces motifs, mis en faveur par Raphaël et ses élèves.

Si l'on considère le plan et la décoration de la villa Madame, il est évident que la nomination de Raphaël, en 1515, par Léon X, le pape Médicis, au poste de surintendant des antiquités romaines, est plus qu'une simple coïncidence. De même, n'oublions pas non plus que Raphaël fit traduire Vitruve par un humaniste de ses amis et qu'il supplia le pape de faire mesurer exactement les ruines romaines, leur plans, leurs élévations, et toutes leurs différentes parties, pour restaurer tous ceux des bâtiments qui pouvaient être *infallibilmente* reconstitués.

C'est là précisément, et au sens académique du terme, le début de l'archéologie, expression d'une attitude vis-à-vis de l'architecture romaine, sans rapport avec celle des admirateurs de l'Antiquité au XV⁰ siècle Nous nous trouvons maintenant devant des érudits qui connaissent et apprécient l'Antiquité de mieux en mieux mais qui sont des artistes de moins en moins sûrs d'eux-mêmes ; ils sont « classicistes » alors que Bramante et Raphaël étaient des classiques.

Avant de continuer, il serait bon de souligner la confusion possible entre les trois sens de l'adjectif « classique »[24]. Classique, tout d'abord, est un adjectif attaché aux éléments appartenant à l'Antiquité ou s'en inspirant (*Classical*). C'est aussi un mot employé pour caractériser un état d'équilibre entre les forces contraires et qualifier l'apogée d'un mouvement artistique, quel qu'il soit (*Classic*). Le troisième sens est plus difficile à définir (*Classicist*). Nous allons essayer de nous faire comprendre par un chemin quelque peu détourné. Les deux derniers sens du mot « classique » ne s'attachent pas précisément à des styles historiques tels que le Roman, le Gothique ou le style Renaissance. Ils se rapportent plutôt à des attitudes

335

335
*Rome. Villa Madame, pilastre orné de stuc par
Giovanni da Udine et Jules Romain.*

esthétiques et, dans la mesure où ces attitudes changent en même temps que les styles, les deux nuances peuvent se rattacher à un même objet. En Angleterre, jusqu'à une époque récente, on considérait que le terme « Renaissance » caractérisait l'histoire de l'art du XVᵉ siècle jusqu'au début du XIXᵉ siècle. Toutefois, il y eut, au cours de ces trois siècles tant de bouleversements de styles qu'un seul mot était évidemment impropre à couvrir toutes ces attitudes esthétiques différentes. C'est pourquoi, suivant la mode continentale, on commença par distinguer le Baroque de la Renaissance; le « Baroque » couvrait les œuvres d'artistes tels que le Bernin, Rembrandt et Vélasquez. Au cours des cinquante dernières années, nos connaissances et notre sensibilité aux distinctions esthétiques s'élargissant, il est devenu de plus en plus évident que la Renaissance et le Baroque ne définissaient pas les qualités de toutes les formes importantes d'art aux XVᵉ, XVIᵉ et XVIIᵉ siècles : le contraste entre Raphaël et le Bernin ou Rembrandt saute aux yeux, mais l'art de la période qui va de 1520-1530 à 1600-1620 n'appartient ni à la Renaissance ni au Baroque. Il y a trente ou trente-cinq ans environ, un nouveau mot fit donc son apparition : le Maniérisme. Ce n'est d'ailleurs pas exactement une invention car ce terme avait déjà été employé pour désigner, avec un certain mépris, certaines écoles de peinture du XVIe siècle. Aujourd'hui, le sens exact de ce mot commence à être connu. Son emploi est extrêmement commode et nous aide à voir les différences très marquées qui existent entre l'art de la Renaissance classique et celui des soixante-quinze années qui ont suivi.

Si l'équilibre et l'harmonie sont les principales qualités de la Renaissance classique, le Maniérisme se situe à l'opposé ; c'est en effet un art de déséquilibre et de dissonance, tantôt déformé par l'émotion (Tintoret, le Greco), tantôt presque effacé par la contrainte (Bronzino). La Renaissance classique est épanouie, le Maniérisme est maigre. Nous trouvons chez Titien une beauté luxuriante, chez Raphaël une noble gravité, chez Michel-Ange une force titanesque ; les personnages du Maniérisme sont élégants et fragiles. Ils ont une conscience excessive d'eux-mêmes qui, à ce point développée, était une expérience nouvelle en Occident. Le Moyen Age et la Renaissance étaient beaucoup plus naïfs. Réforme et Contre-Réforme vinrent troubler cet état d'innocence et c'est pour cela que le Maniérisme est plein de manières. L'artiste, en effet, et ceci pour la première fois, se rendait compte des possibilités de l'éclectisme. Raphaël et Michel-Ange étaient reconnus comme les maîtres incontestés de l'âge d'or, les égaux des Anciens ; les imiter devint la règle, mais d'une manière toute nouvelle. Au Moyen Age, l'artiste imitait ses maîtres mais ne doutait pas un instant de ses capacités (ou de celles de son temps) à les surpasser. Au XVIe siècle, cette confiance, a disparu. A cette époque, furent fondées les premières académies et toute une littérature, ayant trait à l'histoire de l'art et aux théories esthétiques, fit son apparition. Vasari est le plus célèbre représentant de ce mouvement. A partir de ce moment, le fait de ne pas respecter les règles édictées par Michel-Ange et Raphaël ne fut pas frappé d'ostracisme mais fut considéré comme une attitude fantaisiste, ou révolutionnaire : c'était toucher aux plaisirs interdits. Il n'est pas étonnant de constater que le XVIe siècle suscita à la fois les plus sévères ascètes et les premiers écrivains, les premiers dessinateurs enclins à se laisser aller aux délices cachées de la pornographie (l'Arétin - Jules Romain).

Jusqu'à présent, nous n'avons mentionné que des peintres car les qualités de la peinture du XVIe siècle sont, en général, plus familières au public que celles de l'architecture. Mais, si nous nous tournons vers les édifices et comparons le palais Farnèse avec le palais Massimi alle Colonne qui, respectivement, sont les exemples les plus parfaits de l'architecture de la Renaissance classique et du Maniérisme, le contraste qui existe entre leur langage émotionnel se révèlera aussi marqué que dans la peinture. Le palais Farnèse fut conçu d'abord en 1517 puis redessiné sur une plus grande échelle en 1534 par Antonio da San Gallo le Jeune (1485-1546). C'est le palais le plus monumental de toute la Renaissance romaine, rectangle isolé d'une cinquantaine de mètres de façade, au fond d'une place. Le bossage rustique n'est employé que pour souligner les angles. Les fenêtres du rez-de-chaussée sont

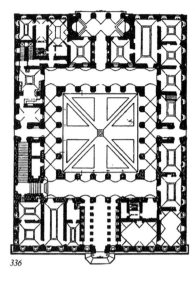

336

336
Rome. Palais Farnèse, plan d'après Sandrart.
337
Rome. Palais Farnèse, portail principal par Michel-Ange après 1546.
338
Rome. Palais Farnèse 1530, Antonio da San Gallo, le Jeune.
339
Rome. Palais Farnèse, le vestibule d'entrée.
340
Rome. Palais Farnèse, la cour, l'étage du haut est de Michel-Ange 1548.

337

338

339

340

surmontées de larmiers rectilignes, celles du premier étage de frontons alternativement triangulaires et curvilignes, supportés par des colonnes (formant des fenêtres à édicules), motif romain repris par la Renaissance classique. L'étage supérieur et la corniche trop puissante qui le couronne furent ajoutés plus tard et dans un esprit différent. La symétrie et les vastes dimensions de l'intérieur méritent d'attirer l'attention, particulièrement l'entrée principale et le passage voûté en berceau menant à la cour intérieure. Comme dans tous les palais de la Renaissance la cour est bordée, au rez-de-chaussée, de galeries à arcades, mais en accord avec la tradition de Bramante, les légères colonnes du XVe siècle sont remplacées par des piliers d'ordre dorique toscan supportant une frise correcte de triglyphes et de métopes. Le premier étage ne comporte pas de tribune mais de nobles fenêtres à frontons encadrées par une arcature aveugle et un ordre ionique. Tout ceci est parfaitement conforme aux normes latines (cf. le théâtre de Marcellus). Le dorique toscan, plus robuste, doit être au rez-de-chaussée, les élégantes colonnes ioniques au premier étage, les colonnes corinthiennes somptueuses au second ; en ceci (mais seulement en ceci) le dernier étage du palais Farnèse, élevé plus tardivement, respecte la règle archéologique.

Le palais Massimi dû à Baldassare Peruzzi de Sienne (1481-1536), architecte qui fréquentait Bramante et Raphaël à Rome, fut commencé en 1535 et ignore résolument les canons antiques ; sans être pour autant, plus influencé par les réalisations de Bramante ou de Raphaël. Les palais Vidoni et Farnèse avaient été ordonnés avec logique ; une seule de leurs parties suffisait à expliquer l'ensemble. Au palais Massimi, par contre, la loggia d'entrée avec ses colonnes géminées d'ordre toscan et sa lourde corniche, n'annonce en aucune façon les étages supérieurs. Les palais Vidoni et Farnèse sont modelés en un relief généreux mais non surchargé. Au palais Massimi il y a contraste poignant entre la profonde obscurité de la loggia du rez-de-chaussée et la platitude et l'épaisseur de feuille de papier des parties hautes. Les fenêtres du premier étage, à l'encontre des normes de la Renaissance classique, sont en léger relief et celles des étages supérieurs sont petites et entourées de curieux motifs, imitant les cuirs. Elles sont toutes exactement de même taille et de même importance, contrairement à l'usage de la Renaissance. En outre, toute la surface de la façade se trouve légèrement incurvée, ce qui lui donne élégance et animation, tandis que la rectitude des façades de la Renaissance produisait surtout une impression d'inébranlable solidité. Sans doute, le palais Massimi ne possède pas la dignité et la grandeur des palais Vidoni et Farnèse, mais, en revanche, il exprime une élégance raffinée, propre à plaire au connaisseur intellectuel, civilisé et presque blasé.

Ceci nous ramène au terme « classicisme », attitude esthétique qui commença à être véritablement appréciée dans cette phase du maniérisme. La première Renaissance avait découvert l'Antiquité et s'était complu à en imiter certains détails et à reconstituer, avec une liberté naïve, des ensembles interprétés autour de ces motifs. La Renaissance classique ne fut pas beaucoup plus fidèle, quand elle les utilisait, aux formes romaines, mais le génie de l'Antiquité fut, pendant un court espace de temps, réincarné par

341

elle dans la maturité de Bramante et de Raphaël. Après leur mort, un parti pris d'imitation vint inhiber les initiatives. Le classicisme se fit fort d'imiter non seulement l'Antiquité, mais aussi la Renaissance dans son moment classique, aux dépens de l'expression spontanée. Cette attitude servile atteignit son apogée, cela va sans dire, à la fin du XVIIIe siècle, et au début du XIXe siècle, dans cette phase du classicisme par excellence qui s'appelle en italien et en allemand purement et simplement « classicisme » mais néo-classique en France et, en Angleterre *Classical Revival*. L'idée de copier fidèlement l'extérieur d'un temple antique dans son ensemble (ou sa façade en entier) représenta la quintessence du classicisme. Le XVIe siècle n'alla pas tout à fait aussi loin, mais c'est lui qui inventa ce mélange de rigidité académique et de méfiance vis-à-vis de l'expression sensible qui préparait la voie au classicisme radical de l'avenir.

Un élève de Raphaël, Jules Romain (1494-1546), chef des entreprises artistiques du duc de Mantoue, se construisit une maison vers 1544. C'est un exemple éclatant de ce classicisme maniériste et c'est aussi la première demeure d'un architecte à présenter des dimensions aussi ambitieuses. La façade y est plate, trop plate pour être dans le style de la Renaissance. Les détails comme ceux de l'encadrement des fenêtres et ceux de la frise supérieure sont nets et bien découpés. Le bâtiment semble tout imprégné d'une réserve, sinon d'une froideur, aristocratique et d'un formalisme sévère qui évoquent l'étiquette espagnole, respectée dans toutes les cours d'Europe pen-

341
Rome. Palais Massimo alle colonne, commencé en 1535 par Baldassare Peruzzi.

193

342   343

dant les trois quarts du XVIᵉ siècle. Pourtant, cette apparente correction est entachée, ici et là, par des licences occasionnelles et pour ainsi dire subreptices (on a déjà signalé semblable licence dans l'œuvre de dessinateur de Jules Romain). Au rez-de-chaussée, le bandeau lisse au-dessus des fenêtres du rez-de-chaussée à appareil, semble disparaître derrière les claveaux de chaque fenêtre. La porte d'entrée présente un élément tout à fait irrégulier : un arc en anse de panier ; le fronton sans base qui le couronne n'est autre que le bandeau, déployé à hauteur d'appui des fenêtres du premier étage qui, soudain, se trouve surélevé par la poussée des claveaux de l'arc. Ces fenêtres, comme celles du palais Farnèse, sont insérées dans des arcatures aveugles mais, au lieu de comporter un encadrement et des frontons qui soient satisfaisants d'un point de vue logique et structural, elles sont entourées sur leur côté, leur sommet et leur fronton, d'un bandeau décoratif, plat et continu. Le dessin est raffiné mais d'une contrainte excessive qui rappelle celle des sculptures contemporaines de Benvenuto Cellini.

      Ce style, tout d'abord inventé à Rome et à Florence, conquit presque sur-le-champ les faveurs de l'Italie du Nord et des régions transalpines. Jules Romain fut le premier à l'introduire au nord des Apennins ; Sammicheli, bien que de quinze ans son aîné, suivit le mouvement, en partie parce qu'il était directement soumis à l'influence romaine, en partie parce qu'il était inspiré par le premier chef-d'œuvre de Jules Romain à Mantoue, le Palazzo del Tè (1525-1535). Il entreprit donc, dans l'esprit du Maniérisme, de remodeler la ville de Vérone. De son côté, à Bologne, Sebastiano Serlio, un élève de Peruzzi de six ans son aîné et de vingt-quatre ans plus vieux que Jules Romain, prôna le nouveau style. En 1537, il publia la première partie d'un traité d'architecture qui s'avéra une source durable d'inspiration pour les esprits imbus de classicisme de l'autre côté des Alpes. Serlio, lui-même, se rendit en France en 1540, pour y être nommé presque aussitôt

344

345

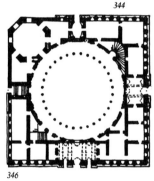

346

« peintre et architecte du roi ». L'école de Fontainebleau, que Serlio, Rosso et le Primatice créèrent, fut le centre transalpin du Maniérisme. Nous y reviendrons plus tard. L'Espagne avait adopté ce nouveau style, par suite d'une réaction vigoureuse contre les débordements de son gothique tardif. A Grenade, le palais inachevé de Charles Quint, à l'Alhambra (commencé en 1526 par Pedro Machuca), a l'air d'être, avec sa vaste cour circulaire intérieure bordée d'une colonnade et les motifs déployés sur les soixante-cinq mètres de sa façade, le résultat d'une interprétation quelque peu provinciale du Raphaël de la villa Madame et de Jules Romain. L'Angleterre et l'Allemagne furent plus longues à se soumettre à la dictature du classicisme et ce style ne fut apprécié dans tous ses détours que dans la seconde décennie du XVIIe siècle avec Inigo Jones et Elias Holl. (De ceci nous reparlerons aussi.) D'ailleurs, ce ne sont pas les formes problématiques de Jules Romain et de Serlio qui plurent aux Anglais, mais bien les motifs dus au plus heureux et au plus serein de tous les architectes de la seconde partie du XVIe siècle, Andrea Palladio (1508-1580).

Palladio, bien qu'influencé d'abord par Jules Romain, Sammicheli, Serlio et, autant que faire se peut, par les théories obscures et souvent mal interprétées de Vitruve, cette autorité en matière d'architecture romaine, atteint un style des plus personnels. Pour juger son œuvre, il faut aller à Vicence et dans ses environs. Il n'y construisit aucune église, bien qu'à Venise ses deux églises : Saint-Georges-le-Majeur et le Rédempteur, aient été conçues dans un style maniériste, comme nous le montrerons plus tard. A Vicence, on ne lui demanda de construire que des maisons de ville ou de campagne, palais ou villas, et le fait qu'on puisse très bien mesurer l'influence étendue de son style, sans tenir compte de ses églises, est très significatif. Car, à partir de la Renaissance, l'architecture civile va devenir aussi importante, en tant que moyen d'expression plastique, que l'architecture sacrée, et cela jusqu'au XVIIIe siècle, jusqu'au jour où les bâtiments civils prendront le pas définitivement sur les édifices religieux. Dans un livre comme celui-ci, il était inutile de s'étendre longuement sur les châteaux, maisons et édifices publics du Moyen Age. Pour la Renaissance, la moitié des bâtiments que nous étudions sont civils. Nous retrouverons cette même proportion pendant deux siècles dans les pays catholiques. Dans les pays protestants, l'architecture civile deviendra prépondérante un peu plus tôt.

Les constructions de Palladio, malgré leur élégance et leur sérénité, n'auraient certainement pas connu un tel succès, sans la publication d'un ouvrage dans lequel il expliquait ses plans en même temps que sa théorie de l'architecture. *L'Architettura* de Palladio eut dans les bibliothèques sa place à côté des œuvres de Serlio et, plus tard les éclipsa, surtout quand les Anglais s'y intéressèrent, au début du XVIIIe siècle. Ce style convenait au sens mesuré et à la culture de la *gentry* « georgienne ». Palladio n'est jamais sec ou d'un académisme pesant. Il tempère la gravité de Rome par l'inspiration ensoleillée de l'Italie du Nord, et cela, avec une aisance toute personnelle qu'aucun de ses contemporains ne sut égaler. Dans son palais Chiericati, commencé en 1550, l'on peut reconnaître un dorique toscan et un ionique très correct, propres à l'école de Bramante, avec leurs entablements rigides. Mais l'initiative qui consiste à utiliser, pour les façades, des motifs jusque-là réservés à Rome aux seules cours intérieures, à ouvrir ainsi presque toute la façade, ne retenant qu'une partie pleine au centre du premier étage entourée d'air de tous côtés, est une invention propre à Palladio. Pour les maisons de campagne, il adorait se servir de colonnades destinées à relier la partie centrale principale cubique à des ailes largement déployées et lointaines.

Le contraste entre une masse compacte et un cadre architectural presque impalpable le fascinait absolument. Dans un de ses projets les plus achevés, la villa Trissino à Meledo, en Vénétie continentale, la maison est presque exactement symétrique. La villa Capra ou Rotonda, qui s'est conservée intacte aux environs de Vicence, est un autre exemple d'une réalisation académique aussi parfaite (commencée vers 1567). En tant qu'habitation, cette demeure n'a rien du confort informel des manoirs nordiques ; en revanche, ses minces portiques ioniques, ses frontons, ses quelques fenêtres à fronton savamment disposées et son dôme central lui donnent de la noblesse et une apparence de majesté sans ostentation. Pour bien saisir l'ensemble de ces compositions campagnardes de Palladio, il faut ajouter à ce noyau central, les colonnades incurvées et les ailes basses qui sont un lien indissoluble entre la villa et le paysage. Cette manière de penser la maison en fonction du jardin est d'une grande importance historique.

En effet, pour la première fois dans l'histoire de l'architecture occidentale, l'édifice et son site furent considérés comme une seule entité. Ici, les axes principaux de la maison se prolongent dans la nature elle-même. Le visiteur qui vient de l'extérieur voit le bâtiment se déployer tout entier sous ses yeux, comme un tableau, fermant agréablement la perspective. Mentionnons qu'à peu près à cette époque Michel-Ange à Rome imagina un plan

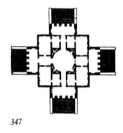

347

348

350

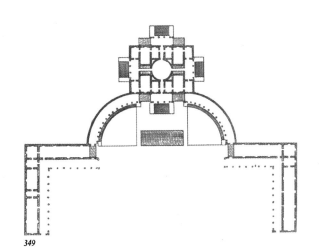

349

351

du même ordre : il proposa de réunir le palais Farnèse, dont on lui avait demandé d'achever la construction, aux jardins Farnèse situés sur l'autre rive du Tibre.

Le fait que la famille Farnèse se soit tournée vers Michel-Ange le sculpteur, après la mort de San Gallo, peut nous surprendre. Toutefois, n'oublions pas que Giotto, Bramante et Raphaël étaient peintres et que Brunelleschi était orfèvre. En tout cas, la manière dont Michel-Ange devint architecte mérite d'être racontée, car elle est caractéristique à la fois de son époque et de lui-même. Dans sa prime jeunesse, il avait été en apprentissage chez un peintre jusqu'au jour où Laurent le Magnifique le découvrit, le logea dans son palais et l'introduisit dans la société de ses intimes. Bertoldo, le sculpteur favori de Laurent, devait l'initier à son art d'une manière assez libre et assez peu moyenâgeuse. Son art de sculpter rendit Michel-Ange fameux ; à vingt-six ans, il entreprit son énorme *David*, symbole de la fierté civique de la Florence renaissante. Quelques années plus tard, le pape Jules II le chargea de préparer les plans d'un tombeau monumental qu'il se destinait

351
Florence. Tombeau de Julien de Médicis par Michel-Ange avec les statues du Jour et de la Nuit.

198

et qu'il voulait faire construire de son vivant. Michel-Ange considéra long-temps cette œuvre comme son *magnum opus*. Dans son premier projet, plus de quarante statues, de grandeur nature ou même plus grandes, étaient pré-vues. Le fameux *Moïse* est du nombre. L'architecture, naturellement, devait être l'enveloppe du monument, toutefois elle n'était considérée que comme un accompagnement. Cependant, quand Jules II décida de reconstruire Saint-Pierre suivant les plans de Bramante, il se désintéressa de son tombeau et contraignit Michel-Ange à peindre le plafond de la chapelle Sixtine. Michel-Ange ne devait jamais pardonner à Bramante d'avoir été, comme il le sup-posait, à l'origine de cette volte-face. Pendant plus de cinq ans — il travail-lait sans aide aucune — il dut s'astreindre à la peinture.

Ensuite, il s'attaqua de nouveau au tombeau du pape. Ayant réussi à harmoniser les grandes statues du monument avec le mur qui leur sert de fond, il en retira sans doute l'intuition architecturale nécessaire pour s'in-téresser au projet des Médicis d'achever l'église St-Laurent en lui donnant une façade. Cette église était l'œuvre de Brunelleschi. Michel-Ange, en 1516, fit les plans d'une façade à deux étages ; deux ordres y étaient prévus et la sculpture devait s'y trouver à l'honneur. Il reçut la commande et il travailla pendant plusieurs années dans les carrières mêmes, activité qu'il adorait. Toutefois, en 1520, les Médicis trouvant trop de difficultés dans le transport des marbres, annulèrent le contrat. Ils en conclurent d'ailleurs immédiate-ment un autre avec Michel-Ange, pour la construction d'une chapelle privée ou un mausolée, près de Saint-Laurent. Les travaux furent commencés en 1521 et achevés en 1534, selon des plans plus modestes que ceux prévus à l'origine. La chapelle des Médicis est donc le premier ouvrage architectural de Michel-Ange, œuvre de quelqu'un qui ne fut jamais, il faut bien le dire, initié ni aux secrets techniques de la construction ni au dessin d'architecte. Elle porte déjà, bien que conçue avant tout pour servir de fond à la sculpture, la mar-que de son style personnel.

Pour voir le premier exemple d'une architecture de Michel-Ange, qui ne doive rien à la sculpture, il faut aller à la bibliothèque de Saint-Lau-rent, autre réalisation commandée par les Médicis. La bibliothèque elle-même fut dessinée en 1524, le vestibule en 1526 (à l'exception de l'escalier qui ne fut terminé selon les plans qu'en 1557).

Le vestibule est étroit et tout en hauteur, ce qui suffit à nous don-ner une impression de contrainte. L'idée de Michel-Ange était d'établir un contraste avec la bibliothèque elle-même, longue, relativement basse et plus sereine. Les murs sont divisés en panneaux par des colonnes jumelées. A la hauteur du rez-de-chaussée, ces panneaux renferment de fausses fenêtres surmontées de fausses niches à encadrement. Les couleurs sont austères : un blanc mort qui se détache contre le gris sombre des colonnes, des fenê-tres, des architraves et des autres motifs fonctionnels ou décoratifs. Quant aux principaux éléments de la structure, les colonnes, on pourrait s'attendre à les voir former des saillies pour supporter les architraves, ce qui, jusqu'à présent, avait été le rôle de toutes les colonnes. Il inversa les rapports : fit saillir ses panneaux et plaça ses colonnes en retrait de telle sorte que ces dernières se trouvent encadrées par la surface du mur. Les architraves elles-mêmes avancent au-dessus des panneaux et sont en retrait au-dessus des colonnes. Cela semble arbitraire, tout autant qu'au palais Massimi les rapports entre la loggia du rez-de-chaussée et la façade plate qui la surmonte, ou ceux existant entre les fenêtres du deuxième et du troisième étage. Dans son ensemble, cette disposition est illogique car elle donne l'impression que la force portante des colonnes est gaspillée. De plus, leurs bases reposent sur des corbeaux qui n'ont pas l'air assez forts pour les porter et, de fait, ne les portent pas. La maigreur de la façade du palais Massimi se retrouve dans les fausses fenêtres avec leurs pilastres évasés, cannelés, sans raison apparente, sur une partie seulement. Le fronton qui domine la porte principale vers la bibliothèque ne repose que sur le mince bandeau qui entoure la porte et qui, à cet endroit, forme deux ressauts carrés. L'escalier parle le même langage d'originalité voulue ; mais l'acuité du détail qui caractérisait le Michel-Ange des années 1520 est ici remplacée par une lourde et lassante coulée de lave.

On a souvent dit que les motifs des murs font de Michel-Ange le père du Baroque parce qu'ils expriment le combat surhumain entre des forces vives et la toute-puissance de la matière. Je ne pense pas que cette opinion soit partagée par quiconque se donne la peine d'analyser sans parti pris les impressions qu'il ressent à l'intérieur du vestibule. Pour ma part, je ne constate pas de tension, bien que, partout, apparaisse une discordance concertée. Nous avons déjà rencontré cette austère aversion de l'harmonie, bien que masquée par un formalisme pointilleux, chez Jules Romain. En fait, la bibliothèque laurentienne de Michel-Ange illustre le Maniérisme le plus sublime dans sa forme architecturale. Le Maniérisme et non le Baroque : monde de frustration beaucoup plus tragique encore que le Baroque, univers de luttes entre l'esprit et la matière.

Dans l'architecture de Michel-Ange, chaque force semble paralysée. Le fardeau ne pèse pas, les supports ne portent pas, les relations naturelles ne jouent jamais. C'est un système artificiel conçu dans la plus sévère des disciplines [25].

Dans le traitement de l'espace, la Laurentienne est tout à fait nouvelle et caractéristique. Michel-Ange a abandonné les proportions équilibrées des salles de la Renaissance et construit un vestibule étroit et profond comme un puits. Quant à la bibliothèque proprement dite, l'escalier franchi, elle apparaît aussi longue et étroite qu'un couloir. Quoi que nous en ayons, nous nous abandonnons à ces impulsions, d'abord vers le haut, puis en avant. Cette tendance à diriger le mouvement à travers l'espace à l'intérieur des limites très rigides est la principale qualité spatiale du Maniérisme. On la retrouve en peinture, par exemple dans les dernières Madones du Corrège ou dans les *Cènes* du Tintoret, avec la figure du Christ tout à fait à l'une des extrémités de la toile. De tous ces exemples, le plus mouvant est l'*Invention du corps de saint Marc* par le Tintoret (Brera, Milan, vers 1565). Ici, plus que nulle part ailleurs, l'espace maniériste nous charme et nous accapare. En architecture cet effet magique de succion est introduit dans la très sévère cathédrale de Mantoue, due à Jules Romain, avec ses doubles bas-côtés, l'un

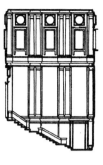

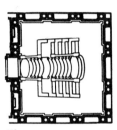

352

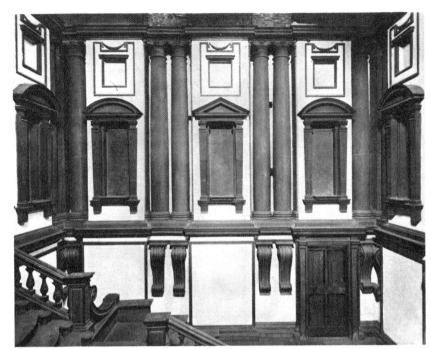

353

352
Florence. Plan et élévation du vestibule de la Bibliothèque laurentienne.
353
Florence. Vestibule de la Bibliothèque laurentienne dessiné par Michel-Ange en 1526.
354
Florence. Escalier de la Bibliothèque laurentienne dessiné par Michel-Ange.

354

355 356

en berceau, l'autre à plafond comme la nef. Le rythme ininterrompu et monotone de ses colonnes est aussi irrésistible que celui des basiliques paléochrétiennes. Dans le domaine de l'architecture civile, l'exemple équivalent le
plus connu et le plus facile d'accès est le palais des Offices à Florence, œuvre
de Vasari. Commencé en 1560 pour abriter les services de l'administration
du grand-duc, il se compose de deux grandes ailes disposées face à face le
long d'une cour intérieure, étroite et longue. Les éléments formels nous sont
familiers : pas de gradation des étages, unité d'ensemble avec des détails hérétiques, consoles frêles, étirées, d'une grande élégance, supportant des pilastres géminés qui ne sont là que pour l'œil, etc. Il faut particulièrement
noter la façade qui limite la composition du côté de l'Arno. Là, Vasari remplaça le mur plein, au rez-de-chaussée, par une loggia ouverte par un vaste
arc palladien et, à l'étage supérieur, par une colonnade aujourd'hui détruite.
Cette manière de lier les espaces entre eux est chère au Maniérisme qui évite
par là aussi bien l'ordonnance logique de la Renaissance que le libre écoule-
ment du Baroque. Les deux églises vénitiennes de Palladio sont également
dans cet esprit. Elles sont toutes deux limitées à l'est non par une abside
fermée mais par des colonnades — droite à Saint-Georges-le-Majeur (1565),
semi-circulaire au Rédempteur (1577) — derrière lesquelles se devinent des
salles aux dimensions indéfinissables. Toujours guidé par ces mêmes principes, Vasari, aidé de Vignole (1507-1573) dressa les plans de la villa Giulia,
résidence de campagne du pape Jules III (1550 à 1555). C'est une succession

357

358

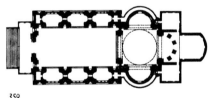

359

de bâtiments à loggias donnant sur des cours semi-circulaires. La vue depuis l'entrée traverse la première loggia puis découvre la deuxième loggia, de celle-ci la troisième, et enfin s'étend sur un jardin clos par un mur à l'autre extrémité.

Car, les jardins du XVIe siècle sont encore clos de murs. Il peut y avoir des perspectives lointaines et variées, comme à la villa d'Este de Tivoli ou à Caprarola, mais elles ne se prolongent pas jusqu'à l'infini comme ce sera le cas à Versailles, parc baroque. Les colonnades un peu écrasées au rez-de-chaussée des palais maniéristes, le palais Massimi et les Offices, par exemple, ne cherchent pas, elles non plus, à nous donner une impression d'infini, qu'évoquerait un fond sombre, aussi impénétrable que le fond des tableaux de Rembrandt. Le mur du fond est trop proche. La continuité de la façade est rompue par de telles colonnades — cela est contraire aux normes de la Renaissance — mais l'espace que l'on aperçoit entre les fûts reste sans profondeur. Le palais Chiericati, dû à Palladio, fournit un des meilleurs exemples de cette technique d'écran dans l'architecture civile. Pourtant, ce palais, par sa sérénité, s'éloigne du Maniérisme romain ou florentin et surtout du style de Michel-Ange. Il est peut-être empreint d'une certaine froideur, mais ne rappelle en rien l'aspect glacial de la Laurentienne.

On n'associe pas d'habitude le style de Michel-Ange avec la notion d'une contrainte impitoyable. C'est pourquoi, il est bon d'insister sur cette idée, surtout parce que certains manuels représentent encore Michel-

203

360

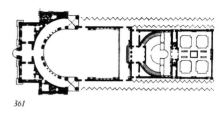

361

Ange comme un maître de la Renaissance. A la vérité, il n'appartient à la Renaissance que pendant les toutes premières années de sa carrière. Sa *Pietà* de 1499 peut être une statue de la Renaissance classique, son *David* participe du même esprit. Si on ne peut le dire sans restrictions de son plafond de la Sixtine, son œuvre postérieure à 1515, elle, est en dehors de la Renaissance. Par tempérament, Michel-Ange était incapable de respecter pendant long-temps l'idéal de la Renaissance. Sauvage, méfiant, travailleur acharné, in-souciant de son apparence extérieure, profondément croyant, d'un orgueil ombrageux, il était l'opposé même du « courtisan » Castiglione et de Léo-nard de Vinci, d'où son antipathie pour Léonard, Bramante et Raphaël, an-tipathie qui est un mélange de dédain et de jalousie. Pour la première fois dans l'histoire de l'art, nous avons sur la vie et sur le caractère d'un artiste des renseignements aussi précis. Il fut l'objet d'un véritable culte et deux biographies furent publiées de son vivant; toutes deux sont une compilation fidèle de ses faits et gestes. Elles nous sont précieuses car, pour bien com-prendre l'art de Michel-Ange il est indispensable de connaître l'homme. Au Moyen Age, le caractère d'un architecte n'aurait jamais influencé son style, du moins à ce point. Brunelleschi, dont le caractère nous est plus connu que celui des maîtres d'œuvre gothiques, fait encore preuve, dans ses formes, d'une étonnante objectivité. Michel-Ange, le premier, fit de l'architecture un moyen d'expression personnel. Nous retrouvons dans ses œuvres, que ce soit un édifice, un dessin, une sculpture ou un sonnet, la même puissance drama-

360
Rome. Villa Giulia, entrée monumentale du Nymphée par Vasari, Vignole et Ammanati, commencée en 1552.
361
Rome. Villa Giulia. Plan.

tique — *la terribilità* — qui se dégageait de sa personne et effrayait ses contemporains.

Poète, il l'était, et l'un des plus grands de son époque, dont les écrits sont, pour la postérité, le reflet de ses combats : ceux d'une âme déchirée entre l'idéal platonicien de la beauté et une fervente foi chrétienne ; crise de conscience à l'image de la lutte qui opposait la Renaissance de sa jeunesse à la Contre-Réforme et au Maniérisme de son âge mûr, apparus juste avant le sac de Rome en 1527. A ce moment-là, des ordres religieux nouveaux plus stricts, furent fondés : les capucins, les oratoriens, et, surtout, les jésuites (1534). De grands saints se révélèrent : saint Ignace de Loyola, sainte Thérèse d'Avila, saint Philippe de Néri, saint Charles Borromée. En 1542, l'Inquisition retrouva ses pouvoirs et, en 1543, la censure littéraire fut rétablie. En 1555, l'empereur Charles Quint abdiqua pour se retirer dans le silence d'un monastère espagnol. Quelques années plus tard, Philippe II entreprit la construction du palais de l'Escurial, gigantesque et morne demeure, mi-palais, mi-monastère. L'étiquette espagnole maintenait une discipline aussi rigide que celle des premier jésuites, et que celle du Vatican en ces mêmes décennies. A Rome, la gaieté de la Renaissance paraissait oubliée. Même les carnavals, écrivaient à leur chancellerie les ambassadeurs vénitiens, étaient froids et guindés. Pie V, le plus ascétique de tous les papes, ne tolérait de viande sur sa table que deux fois par semaine.

Michel-Ange, lui aussi, fut toujours d'une frugalité et d'un détachement exemplaires. Il avait pris l'habitude de peu dormir et se couchait sans enlever ses souliers. Au travail, il se contentait parfois de manger du pain sec, tout en maniant ses outils. Beaucoup mieux que les architectes insouciants de la Renaissance, il comprenait à quoi l'engageait son génie. A un critique qui lui reprochait d'avoir sculpté Julien de Médicis sans sa barbe, il répliqua par ces paroles, inconcevables avant la grande libération artistique de la Renaissance : « Qui, dans mille ans, se souciera de ce détail ? » Au Moyen Age, on ne recherchait pas la ressemblance, car, dans la nature humaine, elle ne représente qu'un accident. La première Renaissance, au contraire, s'y attacha car elle découvrit les moyens artistiques de l'obtenir. Michel-Ange, lui, refusa de s'y intéresser, de peur de devoir limiter sa liberté d'expression. Toutefois, son sens religieux et son expérience du sacré, peu à peu approfondis, exigeront de lui des sacrifices de plus en plus grands jusqu'au moment où, devenu vieux, au milieu de ce siècle vieillissant, il abandonnera presque totalement peinture et sculpture, lui, le plus grand sculpteur de l'Occident, l'artiste le plus admiré de son époque. A l'architecture seule il restera fidèle, refusant tout salaire pour l'édification de Saint-Pierre de Rome.

Michel-Ange atteignit la dernière étape de son évolution spirituelle, après soixante-dix ans. Entre les années 1520 (construction des bâtiments Médicis) et 1547, il ne dessina, semble-t-il, que les fortifications de la ville de Florence, en 1529, travail d'ingénieur dans lequel Léonard de Vinci et San Gallo, son prédécesseur à Rome, étaient passés maîtres. En 1534, il s'éloigna de Florence pour s'installer à Rome. En 1535, Paul III le nomma

362

surintendant des bâtiments pontificaux, titre, qui, à l'origine, n'était qu'honorifique. En 1537, il fut consulté au sujet d'un embellissement éventuel des palais municipaux du Capitole, mais l'affaire n'eut aucune suite. Ce n'est qu'à la mort de San Gallo, en 1546, qu'on fit appel à lui, presque coup sur coup, pour terminer le palais Farnèse, rebâtir Saint-Pierre et remodeler le Capitole. Ce dernier est un des exemples les plus anciens d'urbanisme qui veut que les bâtiments soient disposés en fonction de la place qu'ils entourent et des abords de celle-ci. Bernardo Rossellino (adjoint d'Alberti, pour l'édification du palais Rucellai et architecte en titre du nouveau Saint-Pierre de Nicolas V) avait précédé Michel-Ange dans cette voie en dressant, pour le pape Pie II, en 1460, les plans de la place, de la cathédrale et du palais de la ville de Pienza. De leur côté, les architectes de Venise avaient, pendant la première moitié du XVIᵉ siècle, réalisé la Piazza et la Piazzetta, l'ensemble urbain le mieux venu, le plus libre et le plus élégant de toute la Renaissance.

En effet, dans l'œuvre de Michel-Ange, l'urbanisme ne pouvait pas jouer un rôle aussi important. Pour lui, l'architecture était surtout l'expression directe d'une émotion qui se traduisait plastiquement dans le modelage et l'arrangement de la pierre. Le palais Farnèse, la basilique de Saint-Pierre, savent mieux que le Capitole, nous émouvoir et nous attacher. Si bien que nous pouvons maintenant très bien analyser son Maniérisme dans les seuls détails du deuxième étage du palais Farnèse. Les pilastres détriplés, l'organisation singulière et discordante des fenêtres, avec, sur les côtés, des

362
Rome. Place du Capitole dessinée par Michel-Ange en 1537.
363
Rome. Palais Farnèse, façade sur cour.
364
Rome. Palais Farnèse, la cour.
365
Rome. Palais Farnèse, la façade sur le jardin.

363

364

365

366

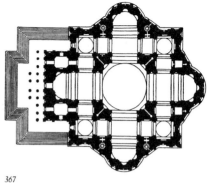

367

corbeaux ne supportant rien et, au-dessus de l'imposte, d'autres corbeaux destinés à supporter des frontons surbaissés, tous ces éléments constituent le langage original de Michel-Ange. Une expression aussi libre était inconcevable avant que ne soient abolis l'ordre transcendant du Moyen Age et les conceptions purement esthétiques de la Renaissance.

      Le dôme et la partie arrière de Saint-Pierre, chefs-d'œuvre architecturaux de Michel-Ange, sont, eux aussi, en réaction violente contre Bramante et l'esprit de la Renaissance. Toutefois, leur style n'est pas maniériste au même degré. Quand Michel-Ange fut nommé par Paul III, le pape Farnèse, architecte de Saint-Pierre, il trouva la basilique telle que Bramante l'avait laissée en mourant. Raphaël, puis San Gallo, avaient chacun dressé les plans d'une nef pour satisfaire les exigences religieuses de la génération d'après la Renaissance, mais ces deux projets étaient restés lettre morte. Michel-Ange, lui, revint au plan central, mais il le priva de son équilibre, qui régissait tout. Il conserva la croix grecque, mais tandis que Bramante avait prévu des centres d'intérêt secondaires, reprenant sur une moindre échelle le

368

369

thème de l'ensemble, Michel-Ange supprima les croix grecques subsidiaires. Il ramena ainsi la composition à une coupole centrale reposant sur des piliers colossaux dont Bramante aurait détesté les dimensions inhumaines. Un déambulatoire carré en fait le tour. A l'extérieur, rien non plus ne subsiste du plan de Bramante. La diversité heureusement équilibrée de motifs nobles et tranquilles, fit place à un ordre immense de pilastres corinthiens supportant un attique massif, à des fenêtres, pour le moins inattendues, à des niches de toute taille encadrées d'édicules, ensemble puissant mais quelque peu heurté. A l'ouest — Saint-Pierre n'est pas orienté — Michel-Ange voulait ajouter un portique de dix colonnes, précédé lui-même d'une rangée de quatre colonnes en son milieu. Mené à bien, ce projet — il ne fut jamais réalisé parce que Maderna ajouta une nef après 1600 — aurait détruit la symétrie idéale de Bramante et, du même coup, tout un idéal classique d'harmonie. Le dédoublement des colonnes centrales est, en effet, une disposition absolument contraire aux idées de l'Antiquité. La coupole de Bramante devait être hémisphérique; Michel-Ange éleva la sienne sur un tambour plus haut et désira d'abord lui donner une silhouette plus élancée, version très personnelle et dynamique du dôme gothique de la cathédrale de Florence, œuvre de Brunelleschi. Mais, vers la fin de sa vie, il semble avoir changé d'avis et préféré une forme plus basse pesant lourdement, forme maniériste, tandis que sa première idée avec son jaillissement annonçait le Baroque. C'est vraiment ceci que Giacomo della Porta, en construisant réellement le dôme, retrouva et développa. Ainsi Michel-Ange — tout comme les plus grands maîtres de sa génération, Raphaël et Titien — en dépassant et en se dégageant de la Renaissance, imaginait le Maniérisme aussi bien que le Baroque. Le XVIᵉ siècle fut inspiré par le Maniérisme de Michel-Ange, le XVIIᵉ siècle apprécia sa *terribilità* et en tira le Baroque. Ainsi, la Ville Eternelle n'est pas dominée par le symbole mondain de la Renaissance, tel que l'avait imaginé Jules II, mais par la synthèse éblouissante du Maniérisme et du Baroque, c'est-à-dire du génie de l'Antiquité et de celui du christianisme.

La forme dernière que Michel-Ange voulut pour le dôme était moins active et moins violente que la première, c'est un signe manifeste de la tournure de son esprit durant ses dernières années.

« *Nè pinger nè scolpir fia più che quieti*
« *L'anima volta a quell'Amor Divino*
« *Ch'aperse, a prender noi, 'n croce le braccia.* »

« *Qu'il ne reste ici-bas ni tableaux ni sculptures*
« *Pour distraire une âme en quête de l'amour*
« *Du divin crucifié qui nous ouvre les bras.* »

Par la suite, il ne sculpta plus que trois groupes : trois mises au tombeau du Christ. L'une d'elles était destinée à sa propre tombe ; une autre demeura inachevée ou, plus exactement, sublimée dans une forme si immatérielle qu'on ne peut la considérer comme une sculpture de la Renaissance. Ses derniers dessins, eux aussi, sont spiritualisés à l'extrême, témoignage d'autant plus frappant qu'il provient d'un artiste qui, plus que nul autre avant lui, glorifia la beauté et la vigueur du corps et du mouvement. Peu avant sa mort — fait trop peu connu —, Michel-Ange dressa à Rome les plans d'une église pour le compte de l'ordre nouveau des jésuites, partisans convaincus de la Contre-Réforme. Comme pour Saint-Pierre, l'architecte proposa de travailler à cet édifice, sans se faire payer.

L'église du Gesù ne fut commencée que quatre années après la mort de Michel-Ange. Par l'influence qu'elle exerça sur l'architecture européenne, cette église est peut-être l'édifice le plus important des quatre derniers siècles. Pour la construire, Giacomo Vignole (1507-1573), ayant probablement adopté les idées de Michel-Ange, décida de combiner le plan central de la Renaissance avec le dessin longitudinal du Moyen Age chrétien, décision pleine de signification. En fait, le procédé n'était pas entièrement nouveau.

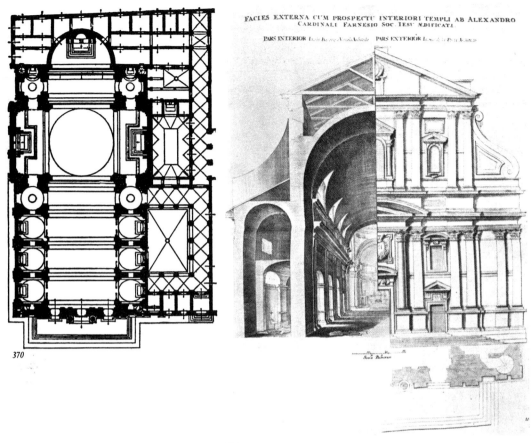

370

371

370
Rome, le Gesù. Plan.
371
Rome, le Gesù - intérieur de Vignole et façade de
Giacomo della Porta d'après Sandrart.

Certaines des plus belles églises paléochrétiennes et byzantines avaient été ordonnées sur ce thème y compris Sainte-Sophie. A Saint-André de Mantoue, Alberti avait su créer, un siècle plus tôt, une combinaison qui annonce directement l'église de Vignole. De son côté, la façade reprend, semble-t-il, un motif d'Alberti. Pendant et après la Renaissance, les architectes s'étaient heurtés à un difficile problème: il leur fallait transposer à l'extérieur les dimensions élevées de la nef et celles, basses, des collatéraux, sans, pour cela, abandonner les ordres de l'architecture classique. Alberti adopta pour le rez-de-chaussée un système d'arc de triomphe et ne donna à l'étage supérieur que la largeur de la nef, mais avec des volutes ou des rouleaux qui s'élèvent vers lui, en s'appuyant sur les toits des bas-côtés, pour racheter la différence de largeur. Cette méthode fut adoptée par Vignole pour la façade du Gesù, (mais dans le style plus pompeux et plus lourd de son époque) puis par Della Porta qui modifia les plans de Vignole. Ce thème fut, par la suite, repris très fréquemment et les églises baroques d'Italie et des autres pays catholiques en présentent d'innombrables variétés.

211

Pour l'intérieur, Vignole s'en tint à l'idée d'Alberti qui voulait que les bas-côtés soient une succession de chapelles débouchant sur la nef. Toutefois, dans son souci d'unité d'ensemble, il ne leur donna pas autant d'indépendance que le fit l'architecte de la Renaissance. Les grandes dimensions de la nef, couverte par une voûte monumentale en berceau, donnent aux chapelles l'allure de simples niches bordant une salle immense. Certains pensent que cette disposition est due à François Borgia, général espagnol de l'ordre des jésuites, et qu'elle rappelle la tradition gothique espagnole, déjà représentée à Rome, par l'église catalane de Sta-Maria-de-Montserrat (1495). Si on admet cette hypothèse, nous trouvons là un nouvel exemple du retour aux idées médiévales, ceci après le renouveau de la foi catholique qui se manifesta par l'apparition de nouveaux saints, la fondation d'ordres religieux et, en architecture, par les courbes gothiques du dôme de Saint-Pierre et le plan longitudinal de l'église du Gesù. Dans cette église, cet accent mis sur le mouvement qui entraîne vers l'est correspond certainement à une intention délibérée. La voûte en berceau et surtout la corniche qui se déploie sans interruption tout au long de la nef exprime, à un niveau supérieur, cette poussée ininterrompue vers l'autel. Toutefois, il y a dans l'œuvre de Vignole un élément qui, sous cette forme, n'existe dans aucune église médiévale, et cet élément est la lumière. Dans les cathédrales du XIII⁰ siècle, les vitraux s'enflamment par les reflets du jour, mais la lumière n'est pas un facteur positif. Plus tard, dans le style « curvilinéaire », la lumière commence à modeler les murs, pénètre les niches à arcs en accolade, anime les motifs en filigrane, sans pour autant appartenir à la conception majeure du dessin architectural. L'église du Gesù, elle, comporte certains éléments qui sont là uniquement pour permettre des effets lumineux. La nef est éclairée par des fenêtres situées au-dessus des chapelles et qui donnent une lumière douce et tamisée. Puis, brusquement, avant la coupole, la dernière travée est plus courte, moins dégagée et plus sombre que les précédentes. Cet allégement, cette contraction soudaine de l'espace est une préparation dramatique à la majesté de la croisée du transept et la puissance de sa coupole. Les flots de lumière qui tombent des fenêtres du tambour créent une sensation d'épanouissement, que les architectes gothiques réussissaient d'une manière beaucoup moins sensuelle.

De son côté, la décoration intérieure est sensuelle aussi, quoique sombre. Toutefois, elle ne date pas de l'époque de Vignole qui, sans doute, aurait montré plus de retenue. Il aurait employé des motifs plus discrets et de relief moins prononcé, cela est certain, d'après tout ce que nous savons de la décoration à la fin du XVI⁰ siècle. Ainsi l'effet de ce mouvement médiéval vers l'est aurait-il été beaucoup plus fort, notre attention étant moins distraite de la voûte et de sa corniche. La nouvelle décoration date de la période qui va de 1668 à 1673 et appartient au Baroque. Le bâtiment, lui, comme nous l'avons déjà dit, est maniériste, sans l'égalité d'âme de la Renaissance classique ni la vitalité débordante du Baroque.

372

372
Rome, le Gesù, la nef commencée en 1568 par Vignole.
373
Rome, le Gesù, la coupole avec les fresques de Baciccia.

373

Le Baroque dans les pays catholiques

Le mot « Maniérisme », nous l'avons déjà dit, n'était, à l'origine, que le substantif de maniéré. Il y a une quarantaine d'années, ce terme prit une signification nouvelle pour désigner un certain style esthétique, celui de la période qui, au XVIe siècle, suivit immédiatement la Renaissance, principalement en Italie. Soixante ans plus tôt, la même évolution sémantique avait eu lieu en ce qui concerne le Baroque. A l'origine, l'adjectif « baroque » signifiait : singulier, bizarre, de forme compliquée, et les classiques l'avaient adopté d'enthousiasme pour baptiser toutes les formes de l'art italien qui, au XVIIe siècle, leur semblaient cultiver l'extravagance. Puis, vers 1880, en Allemagne, le mot perdit sa nuance péjorative pour désigner, sans parti pris d'aucune sorte, la production artistique du XVIIe siècle.

Le Baroque, en tant que style, animait déjà les formes massives et le prodigieux élan du dôme de St-Pierre, tel que l'avait conçu Michel-Ange et que finalement l'acheva Della Porta en 1588-90. Toutefois, notamment dans ses dernières pensées pour St-Pierre, Michel-Ange se laissa largement influencer par le Maniérisme. Ce n'est que plus tard, quand cette dernière tendance eut « fait son temps », qu'une génération nouvelle, lassée de l'austérité et de la contrainte propres à la fin du XVIe siècle, reconnut dans Michel-Ange le père du Baroque. A Rome, s'ouvrait une nouvelle période de l'art qui devait s'y épanouir entre 1630 et 1670 avant de déborder son cadre, d'abord vers le nord de l'Italie (Guarini et Juvara au Piémont) puis vers l'Espagne, le Portugal, l'Allemagne et l'Autriche. Par la suite, à la fin du XVIIe siècle, la Ville Eternelle se tourna vers la tradition classique en partie sous l'influence de Paris. En effet, la cité de Richelieu, de Colbert et de Louis XIV était devenue la capitale de l'art contemporain, position que Rome avait indiscutablement assumée pendant plus de cent cinquante ans.

Les papes et les cardinaux du XVIIe siècle étaient d'enthousiastes mécènes, désireux d'immortaliser leur nom par la construction d'églises magnifiques, de palais, de tombeaux. L'austérité de la Contre-Réforme, force militante du demi-siècle précédent, n'était plus que souvenir. Les jésuites découvraient l'indulgence ; les saints les plus vénérés étaient doux, aimables et accommodants (saint François de Sales, par exemple) et les nouveautés de la science expérimentale trouvaient droit de cité auprès des souverains pontifes. Au XVIIIe siècle, Benoît XIV acceptera l'hommage que Voltaire et Montesquieu lui feront de leurs ouvrages.

374
Rome. Façade de St-Pierre par Maderna, 1607-1614.

375

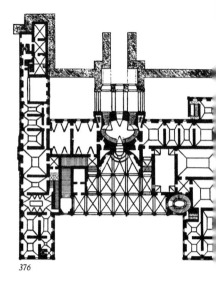

376

Toutefois, le déclin général de la ferveur religieuse ne se fit pas sentir en Europe avant 1660 et ce n'est pas d'ailleurs la vivacité des sentiments religieux qui fut atteinte, mais leur nature. L'art et l'architecture de cette époque sont là pour nous prouver cette transformation. Malheureusement, nous devons nous limiter, dans ce livre, à quelques exemples et plutôt que de choisir les plus magnifiques, comme la nef et la façade de St-Pierre dessinées par Maderna en 1606 et achevées en 1626, il vaut mieux nous en tenir aux plus significatifs.

A Rome, Maderna avait été l'architecte le plus influent de son époque. Il mourut en 1629 et Gian-Lorenzo Bernini (1598-1680), Francesco Borromini (1599-1667) et Pietro da Cortona (1596-1669) lui succédèrent dans les faveurs du monde artistique. Bernini était originaire de Naples, Maderna et Borromini de l'Italie du Nord, du pays des lacs, et Cortona, comme son nom l'indique, du sud de la Toscane. Au XVIIᵉ siècle, comme au XVIᵉ, il n'y eut que très peu de Romains parmi les artistes célèbres à Rome. En architecture, l'esprit soufflant de Lombardie remodela la Ville Eternelle et une aisance, une liberté encore jamais vues, vinrent y combattre l'austérité romaine. Le plan du palais Barberini, œuvre de Maderna (sa façade est du Bernin et un bon nombre de ses motifs décoratifs de Borromini), traduit un parti pris nouveau à Rome mais qui, jusqu'à un certain point, développe le thème des palais et des villas de l'Italie du Nord de la fin du XVIᵉ siècle (surtout ceux de Gênes et de sa région). Comparée aux masses austères des palais romains

377

378

375
Rome. Palais Barberini commencé par Maderno en 1628, achevé par Bernin et Borromini - Façade.
376
Rome, Palais Barberini. Plan.
377
Rome, Palais Barberini, l'escalier d'honneur.
378
Rome, colonnade de la place St-Pierre - Bernin - commencée en 1656.

ou florentins (cf. le palais Farnèse), celle du palais Barberini semble très aérée. De chaque côté de la façade, à droite et à gauche, se déploient deux ailes courtes pareilles à celles réservées jusque-là aux seules villas de la campagne romaine. La partie centrale est percée de vastes loggias. Le dessin par Bramante de la cour St-Damase, avec des colonnades à tous les étages, se retrouve ici mais scindé en deux et comme amputé d'une de ses moitiés ; à présent, les colonnades sont intégrées à la façade elle-même. Cette exposition d'éléments qui étaient restés, jusque-là, loin des yeux du public, est, nous le verrons, très caractéristique du style baroque. De son côté, le grand escalier du palais Barberini est plus large et plus dégagé que les escaliers du XVIe siècle. Le second escalier sur plan ovale est directement inspiré du style de Serlio et de Palladio. De même, la niche semi-circulaire du fond de l'entrée ainsi que le salon ovale avec lequel elle communique peuvent dériver des églises romaines et des ruines de la Rome impériale, mais toute l'architecture domestique reste dans la tradition de Palladio et des architectes lombards aussi.

Il ne faut pas oublier qu'au moment où le Bernin s'assura, avec son exubérance d'Italien méridional, la première place en sculpture et en architecture à Rome, l'élégance de l'Italie du Nord avait déjà fait sentir son influence dans cette ville. A Saint-Pierre de Rome, la colonnade, malgré son aspect massif et la vigueur sculpturale de ses formes, a quelque chose de l'ouverture heureuse des villas palladiennes. Le Bernin, fils d'un sculpteur, fut

217

379

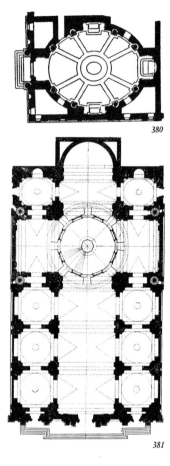

380

381

lui-même le plus grand sculpteur baroque. A l'occasion, il peignit, et sa réputation d'architecte était si bien établie que Louis XIV l'invita à Paris pour
qu'il dressât des plans pour agrandir le palais du Louvre. Comme Michel-
Ange, le Bernin fut un esprit universel et il acquit, de son vivant, une célébrité
comparable à celle de son illustre prédécesseur. Borromini, lui, fut d'abord
apprenti maçon, et, à cause d'une vague parenté entre lui et Maderna, obtint
un modeste travail sur les chantiers de Saint-Pierre, quand il vint à Rome
à l'âge de quinze ans. Il y menait une vie humble et cachée, au moment où
le Bernin créait son premier chef-d'œuvre de décoration baroque, le baldaquin
de bronze sous le coupole de Michel-Ange, au centre de Saint-Pierre. Cet
énorme monument, de près de trente mètres de haut est, avec ses quatre
gigantesques colonnes torses, le symbole même d'un nouvel âge: âge de la
grandeur sans contrainte, de l'extravagance la plus folle, de l'amour du détail poussé jusqu'à la frénésie, toutes choses qui auraient paru de mauvais
goût à Michel-Ange.

382

383

Cette véhémence, ce mépris révolutionnaire des règles, caractérisent la première œuvre importante de Borromini, l'église St-Charles-aux-Quatre-Fontaines commencée en 1633. L'intérieur est de si petite taille que tout l'édifice pourrait se nicher dans l'un des piliers qui supportent la coupole de Saint-Pierre. Mais malgré ses dimensions minuscules, St-Charles est une des compositions spatiales les plus subtiles du siècle. Nous avons vu plus haut que la disposition normale des églises longitudinales de style baroque était celle de l'église du Gesù : une nef bordée de chapelles, de courts transepts, une coupole dominant la croisée. Ce thème fut assoupli et enrichi par les générations suivantes (Saint-Ignace à Rome, années 1626 et suivantes), mais le plan central ne fut pas délaissé pour autant. Le Baroque rejeta seulement la prédominance du cercle dans les églises à plan central pour s'attacher aux formes ovales moins parfaites, mais qui permettent de combiner le plan central avec des éléments longitudinaux, animateurs d'espace. Cette forme était déjà apparue dans le livre V de l'ouvrage de Serlio daté de 1547, et aussi dans l'église Ste-Anne-des-Palefreniers, par Vignole à Rome. Les

384

385

architectes italiens, bientôt suivis par les artistes des autres pays, s'empres-
sèrent d'imaginer d'innombrables variations sur le thème de l'ovale. Ces in-
terprétations multiples qui, en Italie, datent surtout de la deuxième moitié
du XVIIe siècle, font tout l'intérêt de cette forme d'architecture sacrée. Serlio
et Vignole, par exemple, disposent le plus long axe de l'ovale perpendiculairement à la façade, disposition qui sera reprise par un grand nombre d'architectes. Cependant, Ste-Agnès, sur la Piazza Navona, commencée en 1652 (par
Carlo Rainaldi et dotée plus tard par Borromini d'une façade à deux tours
dans le style de l'Italie du Nord), est d'un aspect très différent. Cet octogone
inscrit dans un carré avec de petites niches dans les angles est flanqué à
l'est et à l'ouest, d'un chœur et d'une chapelle d'entrée identiques et, au
nord et au sud, de deux chapelles beaucoup plus profondes formant transept.
L'église donne l'impression d'être un ovale élargi, parallèle à la façade dont
la ligne intérieure est coupée, çà et là, par des massifs de maçonnerie. Le Bernin
avait tracé un ovale parfait dans le même sens pour l'oratoire de Saint-Phi-
lippe-de-Néri, en 1634, aujourd'hui détruit, comme, d'ailleurs, à Saint-André-

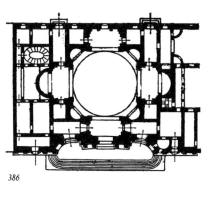

386

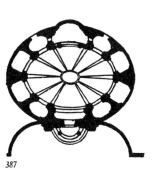

387

388

du-Quirinal, sa dernière œuvre édifiée entre 1658 et 1678. La composition de Vignole fut reprise par Maderna à S.-Giacomo-al-Corso en 1594, et par Rainaldi à Sta-Maria-di-Monte-Santo en 1662. Cette dernière étant l'une des deux églises identiques qui, près de la Porte du Peuple, marquent le départ des trois rues conduisant au centre de Rome.

L'ovale, comme nous le verrons plus loin, devait s'imposer même en France, surtout grâce aux efforts de Louis Le Vau. En attendant, la plus brillante paraphrase de ce thème de l'ovale est l'église St-Charles. Cet édifice, mieux qu'aucun autre, est à même de nous faire comprendre les avantages énormes que les architectes baroques trouvèrent à utiliser dans leur composition des ovales plutôt que des rectangles ou des cercles. Pendant toute la Renaissance, la clarté de la composition spatiale était restée le principal souci des artistes ; le regard du spectateur pouvait se déplacer sans rencontrer d'obstacle d'une partie à l'autre ; la signification de l'ensemble, de même que celle des détails, demeurait claire et parfaitement lisible. Par contre, à St-Charles, on ne peut, au premier coup d'œil, ni distinguer les éléments de

221

l'édifice ni comprendre la manière dont ils sont articulés pour créer un tel effet d'enroulement et de balancement. Pour analyser le plan, il vaut mieux ne pas commencer par l'ovale situé perpendiculairement à la façade — aspect que donne, grossièrement, l'église —, mais par la croix grecque couverte d'une coupole, motif de la Renaissance. Borromini a donné à sa coupole le pas sur des bras qui ne sont, en vérité, que les extrémités atrophiées d'une croix grecque. Les angles s'incurvent et, sous la coupole ovale, l'église a la forme d'un losange étiré, bras rabougris de la croix grecque, point de départ, débouchant sur des chapelles sans profondeur. Les chapelles de droite et de gauche sont des fragments d'ovale — si on prolongeait leur courbes, elles se rejoindraient au centre du bâtiment. La chapelle d'entrée et celle de l'abside sont des parties d'ovales tangents à ceux des côtés. L'église Saint-Charles est donc le résultat de la combinaison spatiale de cinq figures géométriques admirablement fondues les unes dans les autres. Ainsi, en quelque place qu'on soit, on participe au rythme balancé de quelques-unes d'entre elles. Le Gothique flamboyant a parfois réussi à créer dans les églises d'Allemagne une richesse comparable pour les relations spatiales mais ses formes, comparées aux murs ondoyants de Saint-Charles, semblent sèches. Michel-Ange est à l'origine de cette tendance plastique de l'architecture : l'espace, dans les églises baroques, paraît creusé par la main d'un sculpteur, les murs pétris comme s'ils étaient de cire ou d'argile.

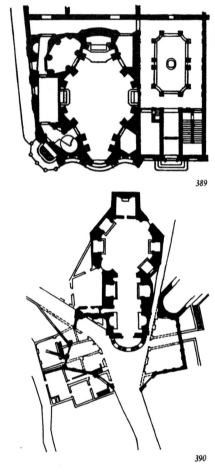

389

390

En fait, la plupart des façades baroques s'inspirent du dessin de Vignole, le chargeant d'une signification nouvelle simplement en y plaçant une abondance excessive de colonnes et de motifs décoratifs parfois incongrus. On peut suivre le développement baroque de la façade du Gesù, depuis l'église Ste-Suzanne (1596-1603) de Maderna jusqu'à Sts-Vincent-et-Anastase

L'entreprise la plus audacieuse de Borromini fut de faire participer la façade — ajoutée en 1667, année de sa mort — au mouvement général. Le rez-de-chaussée et sa corniche suivent le thème : concave - convexe - concave, auquel le premier étage répond par un concave - concave - concave, compliqué en son milieu par une sorte de temple ovale en miniature en saillie inséré dans la travée centrale de telle sorte que celle-ci semble convexe aussi longtemps qu'on ne regarde pas sa partie supérieure. Dans l'abstrait, ce mouvement des volumes et des espaces peut sembler très froid mais, en réalité, on ne peut rester insensible à son brio, à la passion qui l'imprègne, en même temps qu'à une certaine volupté qui s'en dégage, pareille au gracieux déhanchement d'un corps humain. C'est le cas, par exemple, à Ste-Agnès où les deux tours se détachent de la masse principale de l'église, séparées d'elle par les courbes convexes encadrant le centre de la façade. A Sta-Maria-della-Pace (1656-1657), œuvre de Pierre de Cortone, le mur de façade au rez-de-chaussée est rectiligne, mais, au premier étage se déploie une vaste courbe concave sur laquelle fait saillie la partie centrale composée, au niveau du sol, d'un portique semi-circulaire convexe, et, au-dessus et un peu en arrière, le premier étage se bombe légèrement. Colonnes et pilastres s'accumulent sur cette composition à côté de laquelle la façade de l'église du Gesù semble d'une extrême roideur.

391

392

393

(1650) de Martino Lunghi le Jeune et aux débordements de Borromini à St-Charles. Dans cette dernière église, de curieuses fenêtres ovales, situées au rez-de-chaussée, méritent l'attention ; elles sont entourées de feuilles de palmier, placées au-dessus d'une sorte d'autel romain, lui-même en saillie, et surmontées d'une couronne. Au-dessus, la façade déploie ses motifs jusqu'à l'arc en accolade du couronnement. A l'intérieur, il faut examiner les polygones, les sculptures et les formes en dégradé qui décorent le dôme. Ces détails sont d'ailleurs dépourvus de sens, si on ne prend pas la peine de les considérer comme un tout, comme les éléments d'un ensemble où la décoration occupe la première place.

Pour bien comprendre le Baroque, il est essentiel de l'envisager de cette façon. Nous avons, trop souvent, l'habitude de regarder la décoration comme un élément indépendant de l'architecture proprement dite. En vérité, toute architecture est à la fois structure et décoration, cette dernière due à l'architecte lui-même ou au sculpteur, au peintre ou au maître verrier. Ce qui change, selon les époques ou les nations, c'est l'importance relative

394

395

392
Rome, Ste-Agnès, Piazza Navona.
393
Rome, Ste-Marie-de-la-Paix, Pierre de Cortone,
1656-1657.
394
Rome, Sainte-Suzanne, façade, 1596-1603 environ
par Maderna, gravure de Rossi.
395
Rome, Sts-Vincent-et-Anastase par Martino Lun-
ghi le Jeune, 1650.

de ces deux éléments. Dans les cathédrales gothiques, toute la décoration était au service du maître d'œuvre, du constructeur. Puis, à la fin du XIIIᵉ siècle et au début du XIVᵉ, la sculpture simplement décorative prit le pas sur la sculpture des éléments structuraux. Quelque temps plus tard, la statuaire et la peinture devaient se libérer complètement de l'emprise de l'architecture. Un monument comme le *Colleone* de Verrocchio à Venise, érigé sur une place et détaché de tout support architectural, aurait été inadmissible au Moyen Age. La peinture de chevalet, indépendante du mur sur lequel elle est simplement accrochée, était, de son côté, d'une conception révolutionnaire. La Renaissance accepta cette indépendance des beaux-arts les uns par rapport aux autres, mais se montra cependant capable de les grouper à l'intérieur d'un même bâtiment ; ceci en raison du principe de liberté relative qui gouvernait les différents éléments d'une composition. A l'avènement du Baroque, cette règle fut abandonnée et de nouveau il devint, comme dans l'architecture gothique, impossible d'isoler les détails. Nous avons déjà pu nous en rendre compte en étudiant St-Charles. Cependant, malgré cette thèse de l'unité

225

de tout l'art, le Baroque fut incapable de restaurer la suprématie de la structure. Les architectes du XVIIᵉ siècle étaient obligés, dans leur plan, de tenir largement compte des sculpteurs et des peintres. En fait, ils étaient sculpteurs et peintres. Une coopération étroite de tous les arts remplaça l'équilibre gothique qui existait entre un élément essentiel — la structure — et un élément secondaire — la décoration. Le résultat fut cet « art total », ce *Gesamtkunstwerk*, volontairement détruit à la fin de l'époque baroque et que Wagner essaya vainement de ressusciter au XIXᵉ siècle. Dans les œuvres du Bernin et de Borromini, les effets de peinture, sculpture et architecture sont indissociables et unis les uns aux autres par l'exigence décorative qui est leur principe.

Pour les artistes ou pour les amateurs de l'époque baroque, ce souci de décoration avant tout impliquait évidemment un certain manque de scrupules quant à la nature des matériaux employés. Pourvu que l'effet recherché fût obtenu, qu'importait qu'on l'eût obtenu avec du marbre ou du stuc, de l'or ou du fer-blanc ; qu'un pont fût véritable ou seulement en trompel'œil, comme nous en trouvons dans certains parcs anglais ! L'illusion d'optique est, n'en déplaise à Ruskin, l'un des éléments les plus caractéristiques de l'architecture baroque. L'escalier royal du Bernin, la *Scala Regia* au Vatican, en est un saisissant exemple. Il fut bâti dans les années 1660, en même temps que la façade de l'église St-Charles de Borromini et que les colonnades de Saint-Pierre de Rome. Ces dernières, sont elles-mêmes un chef-d'œuvre de mise en scène ; elles donnent à la façade de Maderna de la hauteur et de la masse, et font converger le regard des dizaines de milliers de personnes qui, dans les grandes occasions, se tiennent debout sur la vaste place qu'elles enserrent, vers la loggia des bénédictions papales et la *Porta Santa*. La *Scala Regia*, elle aussi, fut dessinée avec un souci exact et subtil des effets scéniques. Elle constitue l'entrée principale du palais et, depuis la colonnade du Bernin, on l'atteint en longeant une galerie qui se termine par une volée d'une vingtaine de marches. Là, à l'endroit même où débouche à angle droit le porche de St-Pierre, se trouve un palier, intermédiaire entre deux orientations légèrement différentes : celle de la galerie et celle de l'escalier. Pour faciliter cette transition délicate, le Bernin eut l'idée géniale de dresser, face au porche de la basilique, une statue équestre de l'empereur Constantin. Le visiteur venant de la galerie l'aperçoit soudain sur sa droite et s'arrête pour l'examiner avant d'aborder l'escalier royal lui-même. La brusque apparition de ce cheval blanc cabré sur un fond de draperies agitées par la tempête et baigné d'une lumière venue d'invisibles fenêtres hautes, contribue à faire oublier un changement d'orientation qui produirait autrement une fâcheuse impression de déséquilibre et de désordre.

Pour construire la *Scala Regia*, l'architecte ne disposait que d'un terrain peu propice, de forme irrégulière, resserré entre la basilique et le palais. L'escalier est d'une grande longueur, relativement étroit et ses murs ne sont pas parallèles. Le Bernin sut tourner heureusement ces difficultés en avantage grâce à une ingénieuse colonnade couverte d'un berceau en plein cintre dont la largeur et la hauteur vont en diminuant. Le principe est celui

396

397

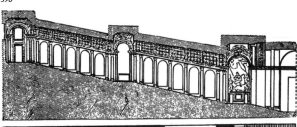

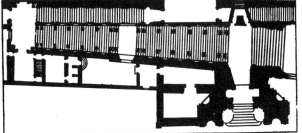

398

396
Vatican, la Scala Regia, Bernin 1663-1666.
397
Vatican, la Scala Regia.
398
Vatican, plan et coupe de la Scala Regia.

des échappées sur la scène du théâtre baroque où les rues sont prolongées jusqu'à l'infini par des perspectives exagérées. Borromini avait traité, dans ce style, les niches de l'église Saint-Charles et les fenêtres de l'étage supérieur du palais Barberini. Ces illusions scéniques n'étaient d'ailleurs pas entièrement nouvelles. On les trouve déjà dans les premières œuvres de Bramante à Milan. De son côté, Michel-Ange avait, dans son projet pour la place du Capitole à Rome, disposé les palais latéraux sous des angles tels qu'ils augmentent la hauteur apparente du Sénat. Quand on gravit la *Scala Regia*, la lumière ajoute encore à cette impression dramatique. A mi-chemin, sur le premier palier, elle jaillit à main gauche ; plus haut, sur le deuxième palier, une fenêtre placée dans l'axe des marches noie de son éclat lointain le contour précis des volumes. Au fur et à mesure de sa progression, le visiteur découvre la décoration, des anges splendides qui jouent de la trompette et supportent les armes du pape, complétant ainsi la splendeur de cette arrivée au palais.

Anges, génies et esprits du même genre, de préférence en couleurs réalistes, sont les éléments essentiels du décor baroque. Ils servent non seulement à camoufler les points d'articulation de la structure et à masquer la machinerie des « coulisses », mère de toutes les illusions, mais aussi à ménager une transition entre l'espace réel dans lequel nous sommes et l'espace créé par l'artiste. Le Baroque ne désire pas tracer une limite bien nette entre la scène et le public. Le vocabulaire du théâtre — ou plutôt de l'opéra, cette invention italienne du XVIIe siècle —, pour étudier ce style, se présente avec raison à l'esprit. Pourtant, il y a dans ce va-et-vient perpétuel de la réalité à l'illusion et de l'illusion à la réalité, quelque chose qui dépasse l'artifice du théâtre. La fameuse chapelle Ste-Thérèse du Bernin dans l'église Santa-Maria-della-Vittoria à Rome nous le prouve. Cette chapelle, qui date de 1646, est tout entière plaquée d'un marbre sombre dont les surfaces ambrées, dorées ou roses, reçoivent les reflets changeants de la lumière. Au milieu, face à l'entrée, se trouve l'autel dédié à la sainte. Il est entouré par de lourdes colonnes couplées et par des pilastres supportant un fronton brisé disposés en ressaut les uns par rapport aux autres. Les structures s'avancent vers nous puis se reculent, guidant le regard jusqu'au centre de l'autel. Là, on s'attend à apercevoir un tableau mais c'est une niche qui s'offre aux yeux, abritant un groupe sculpté, traité comme une peinture et donnant une illusion de réalité qui, trois siècles plus tard, nous étonne encore. Dans cette chapelle, les moindres détails sont prévus pour renforcer cette impression de « tableau vivant ». Sur les murs, à droite et à gauche, s'ouvrent d'autres niches où le Bernin a sculpté, derrière des balustrades, les donateurs, membres de la famille Cornaro qui, comme nous, regardent la scène miraculeuse. Eux, dans les loges, et nous, au parterre, sommes véritablement à l'intérieur d'un même théâtre.

Ainsi la frontière entre notre univers et le monde de l'art est très ingénieusement escamotée. A ces statues de marbre, dont l'attention est fixée sur le spectacle qui nous accapare, nous attribuons la même réalité qu'à nous-mêmes et les personnages de l'autel bénéficient, à leur tour, de

cette identification. Pour augmenter l'illusion, le Bernin a fait appel à toute sa maîtrise. Le lourd manteau de la nonne, les nuages vaporeux, le voile léger et la douce complexion de l'ange adolescent, sont rendus avec le plus exquis des réalismes. L'expression de la sainte au moment de son union avec le Christ est celle d'une amante en extase. Elle perd conscience, comme saisie et possédée dans sa chair. En même temps, elle est portée dans les airs et le mouvement en diagonale qui l'anime nous fait croire à l'impossible. Des rayons d'or (ce sont des tiges de métal doré) cachent l'arrière-plan et une ouverture, fermée par un vitrail jaune et placée en haut et derrière l'entablement, baigne la scène d'une lumière magique.

La chapelle de Ste-Thérèse est, à Rome, l'exemple le plus audacieux d'un tel illusionnisme, car les Romains n'ont jamais été véritablement des extrémistes. Le Bernin, il faut le dire, était originaire de Naples, ville espagnole, et pour se plonger au cœur des excès et des débordements, il faut aller en Espagne, au Portugal, ou, bien entendu, en Allemagne. Le Baroque dans ces pays ne fut adopté que tardivement mais y connut un succès qui

399
Rome, Sta-Maria-della-Vittoria avec la chapelle Ste-Thérèse.
400
Rome, Sta-Maria-della-Vittoria - Extase de sainte Thérèse, Bernin, 1646.

229

relève d'une ferveur démesurée. Ce n'est pas en Italie mais en Espagne et surtout dans quelques églises bavaroises du début du XVIIIᵉ siècle qu'il faut aller pour voir la réalité se confondre avec la fiction d'une manière qui frise l'orgie.

En Espagne, l'exemple baroque le plus connu est le *Trasparente* de Narciso Tomé à la cathédrale de Tolède, bâtiment du XIIIᵉ siècle dans le style gothique français classique qui possède un maître-autel adossé à un vaste retable flamboyant. Le rituel catholique ne tolérait pas qu'en faisant le tour du déambulatoire les fidèles puissent passer derrière le tabernacle. On imagina donc un dispositif ingénieux qui permette de voir et d'adorer le Saint Sacrement du déambulatoire comme de la nef. Pour cela, on plaça les Saintes Espèces dans un ostensoir en verre, d'où le mot *Trasparente*, centre d'un décor d'autel d'une magnificence inouïe dont la mise en place fut terminée en 1732. L'attention est attirée vers le milieu de ce dispositif théâtral grâce à des colonnes richement décorées, reliées à d'autres colonnes plus excentriques par des corniches aux courbes ascendantes. Ces courbes, et les hauts-reliefs des panneaux en dessous d'elles, donnent l'illusion — tout comme à la *Scala Regia* du Bernin — que l'espace occupé en profondeur par l'autel est beaucoup plus grand qu'il n'est en réalité. Des anges entourent l'ostensoir pour en masquer les supports et, de leur groupe, notre œil s'élève vers les personnages en marbre polychrome d'une Cène qui se déroule à une hauteur prodigieuse sous les pieds mêmes de la Vierge en Assomption. Pour augmenter cette impression d'apparition miraculeuse, tout ce décor baigne dans une lumière qui prend sa source en arrière de nous, d'une manière qui n'est pas sans rappeler l'éclairage indirect de nos théâtres modernes. L'architecte a supprimé les voûtains d'une demi-travée du déambulatoire (le système de construction du XIIIᵉ siècle lui permettait de le faire sans nuire à la solidité du bâtiment). Il a couvert les bords de cette brèche d'une foule d'anges puis l'a coiffée d'une vaste cloche avec une fenêtre. Un flot de lumière dorée s'en échappe, vient frapper les anges, inonde la travée du déambulatoire où se tient le visiteur, et, finalement, illumine l'autel, ses statues et son ostensoir. Quand, pour contempler la source de cette lumière surnaturelle, nous levons les yeux, nous apercevons, au-dessus des anges, dans la clarté éblouissante de la vitre, le Christ trônant en majesté, entouré par les prophètes et les célestes multitudes.

Un tel débordement spatial où tout un volume intérieur devient ornement et décoration stupéfiante, est — nous l'avons vu — très exceptionnel en Espagne. Ce pays, de même que le Portugal, s'adonnait de préférence à une autre forme d'excès : l'accumulation d'ornements sur les surfaces. Cet amour de la décoration poussé jusqu'à la manie faisait partie du patrimoine espagnol depuis l'Islam, avec l'Alhambra de Grenade et le Gothique flamboyant et sa façade de St-Paul à Valladolid. Jamais, pourtant, il ne s'était manifesté par des formes aussi fantastiques que dans le style dit churrigueresque, d'après le nom de son adepte le plus connu : José de Churriguera (1665-1723). C'est sûrement l'art indigène de l'Amérique du Sud et de l'Amérique Centrale qui a inspiré les enroulements barbares et les lourdes mou-

401

402

401
Tolède, schéma du Trasparente.
402
Tolède, Cathédrale: le Trasparente par Narciso
Tomé, achevé en 1732.

lures de la sacristie de la Chartreuse de Grenade (1727-64, par Luis de Arévalo et F. Manuel Vasquez), tout comme au Portugal, le style manuelin, nous l'avons vu, avait été une interprétation de l'art des Indes Orientales. En réalité, il faut aller jusqu'au Mexique pour voir jusqu'à quelles folles débauches de décoration allèrent les architectes espagnols.

Le *Trasparente* est, sans doute, d'un niveau esthétique supérieur au churrigueresque. Il en va de même pour l'Allemagne du Sud au XVIIIᵉ siècle qui, presque autant que l'Espagne, aimait le décor pour lui-même. Là encore, cette tradition remonte au Moyen Age. Plus qu'aucun autre Flamboyant, le Flamboyant germanique était passionné par les recherches spatiales. Tout naturellement, les problèmes de mise en valeur de l'espace devaient devenir la principale préoccupation du Baroque allemand tardif, qui proposa parfois des solutions aussi imprévisibles et uniques en leur genre que le *Trasparente*, mais s'attacha généralement à des combinaisons plus strictement architecturales.

403

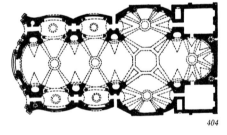

404

Les inspirateurs du Baroque allemand sont le Bernin, bien qu'il ait surtout été imité en tant que sculpteur, Borromini et un architecte qui suscita plus d'enthousiasme que tous les autres : Guarino Guarini. Nous n'avons pas encore parlé de ce dernier parce qu'il n'a pas travaillé à Rome. Né à Modène en 1624, il passa presque toute sa vie à Turin où il mourut en 1683. Il se situe entre la génération du Bernin et de Borromini, et celle des architectes allemands baroques. Il était oratorien, enseignait la philosophie et les mathématiques et professait l'architecture. Son *Architettura Civile* ne fut publiée qu'en 1737, mais certaines de ses gravures étaient connues depuis 1668 ; de plus, ses voyages avaient familiarisé les architectes avec son œuvre et sa personne. Hors l'Italie, ses principales réalisations sont des églises : Ste-Anne à Paris (1662 - détruite depuis), et la Divine-Providence à Lisbonne. D'autre part, il fit un projet qui ne fut pas mené à bien pour l'église de la Vierge d'Œttingen sur la Kleinseite à Prague (1679). L'audace de Guarini se manifesta par le fait que lui seul osa adopter, pour la façade des palais, le principe d'un dessin curviligne semblable à celui des façades d'église de Borromini. Le palais Carignano à Turin est, en sa partie centrale, animé d'un mouvement concave - convexe - concave. A l'intérieur la plus grande pièce est ovale et deux escaliers séparés se déploient entre cet ovale et la partie convexe de la façade. Dans le plan de ses églises, surtout à St-Laurent de Turin (1666), mais aussi à Prague et à Lisbonne, Guarini sut, avec une virtuosité incomparable, ordonner, les uns par rapport aux autres, les volumes

403
Grenade, la Chartreuse, Sacristie par Luiz de Arévalo et F. Manuel Vazquez 1727-1764.
404
Lisbonne. Eglise de la Divine-Providence. Plan.
405
Turin, église St-Laurent commencée par Guarini en 1666.
406
Turin, église St-Laurent, la coupole.
407
Turin, église St-Laurent. Plan.

405

406

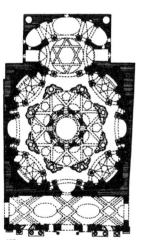

407

spatiaux convexes et concaves et il poussa ce jeu beaucoup plus loin que Borromini ne l'avait fait avant lui. Il est d'ailleurs très difficile de saisir, à première vue, la portée de ces imbrications d'autant plus que Guarini s'y intéressa aussi bien en mathématicien qu'en artiste. A Saint-Laurent, par exemple, les voûtes et les balcons tendent à envahir l'espace central, lui-même couronné d'un dôme. Pour construire ce dernier, Guarini avait imaginé (peut-être s'était-il inspiré de celui de la grande mosquée de Cordoue) un motif en étoile à huit branches dont les nervures vont d'un sommet à l'autre et se croisent en chemin. Dans les églises sur plan longitudinal de Lisbonne et de Prague, les arcs doubleaux eux-mêmes participent à cette ondulation générale : ils sont gauches et s'élancent aussi bien vers l'autel que vers la voûte. Cette ordonnance encore jamais vue est due au fait que le corps de l'église est composé d'une succession de formes ovales se recoupant, et à l'implantation en diagonale des pilastres qui en résulte.

C'est là, chez Guarini et aussi chez Borromini, qu'il faut rechercher les sources du Baroque allemand. Pour une vue d'ensemble du Baroque allemand, il faut tenir compte des divisions géographiques, car pendant cette période l'art du nord de l'Allemagne d'une part et celui de l'Allemagne méridionale et de l'Autriche d'autre part, n'eurent pas des développements semblables. La différence est si profonde entre le nord et le sud (avec l'Autriche), qu'il me semble nécessaire de traiter ces deux régions en deux chapitres différents. Cette division ne se fait pas sentir pour le XVIe siècle, mais elle

233

408

est tout à fait nécessaire pour le XVIIᵉ siècle. Même avant la guerre de Trente
Ans — qui détruisit une riche récolte juste avant la moisson — l'architecture
de l'Allemagne du nord comme celle de la Scandinavie dépendait spécialement des Flandres et de la Hollande tandis que celle du midi de l'Allemagne
ressemblait à celle de l'Italie. Après la paix de Westphalie, une reconstruction était nécessaire et les vieux liens se renouèrent, c'est-à-dire entre le
pays du nord, protestant, et la Hollande et la France d'une part, le pays du
sud, catholique, et l'Italie d'autre part. L'architecture des territoires catholiques du sud s'est révélée artistiquement supérieure. Le protestantisme et le
caractère allemand du nord, étaient plus enclins à des formes abstraites
d'expression, à la philosophie et à la littérature qu'au langage sensuel des
beaux-arts.

Ce fut aux environs de 1650 que le Baroque italien trouva audience
en Allemagne et en Autriche. Les deux exemples les plus caractéristiques
de cette période sont le plan de l'église des Servites à Vienne (1651-77) par
Carlo Canevale et la façade du palais Czernin à Prague commencé en 1667
par Francesco Caratti. Le plan de l'église des Servites est essentiellement un
ovale placé longitudinalement — motif dont nous avons déjà montré l'importance extrême dans le Baroque. Le caractère du palais Czernin vient
de ses trente-deux colonnes colossales engagées reposant sur un soubassement à bossages lourds, ce qui produit des contrastes de lumière et d'ombre
qu'on n'aurait pu atteindre en employant des pilastres. Une étape plus avan-

234

409

410

cée pour l'effet dramatique des façades de palais fut atteinte par Domenico Martinelli entre 1692 et 1705, avec l'avant-corps central du palais Liechtenstein à Vienne, plus haut que les ailes.

Canevale, Caratti et Martinelli étaient tous trois italiens. En effet, les premiers épisodes du Baroque en Allemagne du Sud furent dominés par les artistes italiens. Les grandes églises sont sans exception leur œuvre. Santino Solari commença la cathédrale de Salzbourg dès 1614 ; après la guerre de Trente Ans ce fut l'église des Théatins à Munich (commencée en 1663) par Barelli et Zuccali, la cathédrale de Passau (à partir de 1668) par C. Lurago et la Haug Kirche à Würzbourg (à partir de 1670) par Petrini. Entre 1690 et 1710 les architectes allemands supplantèrent progressivement les italiens. En 1691, ce fut la publication du *Ehren-Ruff Teutschlands* de Hans Jakob Wagner von Wagenfels. Dans ce manifeste l'auteur démontrait que l'architecture allemande était supérieure à celle de Paris et l'égale de l'architecture italienne. Les grands architectes de la génération de 1650-1670 étaient Johann Bernhard Fischer von Erlach (1656-1723), Johann Lukas von Hildebrandt (1668-1745) et Andreas Schlüter (1664 env. - 1714). Fischer et Schlüter avaient débuté comme maçons puis ils étaient devenus sculpteurs, tandis qu'Hildebrandt était un architecte d'un type social nouveau, qui devait être très important pour le Baroque allemand. Il était né à Gênes, d'un père capitaine dans l'armée génoise et d'une mère italienne. L'italien restera sa langue. Il étudia l'architecture avec les maîtres romains les plus distin-

235

411

gués, non pas comme apprenti mais comme élève. Il commença à travailler comme ingénieur militaire; Michel-Ange s'était aussi attaché à de tels travaux, de même Sammicheli et bien d'autres architectes illustres au XVIe siècle. En 1701, Hildebrandt devint ingénieur de la cour impériale, et en 1720 il fut nommé chevalier par l'empereur. Fischer fut aussi anobli, et prit le titre de « von Erlach ». Ceci est un signe de la grande estime dans laquelle les hommes de l'âge baroque tenaient les architectes.

Fischer von Erlach a dû séjourner à Rome de 1680 à 1685. Hildebrandt s'y trouvait vers 1690, et Schlüter vers 1696. Bien que Schlüter, par son origine et la région où il œuvra appartienne à l'Allemagne du nord — son œuvre la plus importante est le Palais Royal de Berlin qui a été récemment détruit bien inutilement — il doit être mentionné ici. Les volumes extérieurs massés, l'ordre colossal dans la cour intérieure, les lourdes figures sculptées décorant les pièces de réception, montrent clairement ce que Schlüter doit au Bernin, spécialement à son projet pour le Louvre. Mais d'autre part, l'influence d'Antoine Lepautre le plus baroque parmi les archi-

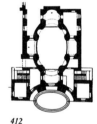

412

411
Salzbourg; Eglise de la Trinité 1694-1702, Fischer von Erlach.
412
Salzbourg, Eglise de la Trinité. Plan.
413
Würzbourg, Residence episcopale par Neumann, 1719-1744.
414
Gabel, Eglise Saint-Laurent, 1699. Plan.

413

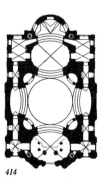

414

tectes français de l'époque, se manifeste aussi. Tandis que dans son cas les éléments français déploient tout le poids et la majesté du Baroque du milieu du XVIIᵉ siècle, c'étaient les œuvres parisiennes de la fin du XVIIᵉ siècle qui devaient jouer un rôle décisif chez Fischer von Erlach et chez Hildebrandt pour aboutir à des formes plus élégantes et plus délicates. Cependant, pour ces deux derniers architectes, les apports italiens étaient tout de même plus importants. L'église de la Trinité à Salzbourg (1694-1702), œuvre de Fischer von Erlach, a un plan longitudinal de forme ovale, et la façade comporte une partie centrale, creusée d'un demi-ovale, et encadrée par deux tours de faible hauteur. L'influence de Borromini et de Rainaldi est manifeste. L'originalité de Fischer von Erlach se marque dans l'étrange couronnement des tours. Hildebrandt, l'Italien du Nord, alla plus loin ; il prit Guarini comme modèle pour son église de Gabel, dans le nord de la Bohême. Le plan est un carré avec des ovales ajoutés à l'est et à l'ouest. Les côtés sont concaves, les angles arrondis et leur concavité est masquée par des tribunes convexes. Cet intérieur compliqué et plein d'imagination est com-

237

plété par une coupole reposant sur un tambour circulaire. Pour unir les murs de côté, convexes, au tambour, Hildebrandt utilisa, à la manière de Guarini, des arcs diagonaux se projetant en avant, c'est-à-dire gauches. Il est impossible de dire si Hildebrandt tira ce motif des gravures de Guarini ou de son dessin pour l'église d'Œttingen à Prague, qui ne fut jamais construite, ou bien s'il fit le voyage de Turin pour y étudier les œuvres de Guarini. Quoi qu'il en soit, cette solution marque le début d'une manière qui allait prendre un développement très important dans l'architecture sacrée allemande du XVIIIᵉ siècle.

L'architecture civile d'Hildebrandt était aussi remplie d'innovations. Son palais du Belvédère à Vienne (1721-23) est le premier d'une série de palais qui ponctuent l'évolution de l'architecture allemande. Les façades sont vivantes et articulées, la ligne de faîte est rompue par des pavillons. En cela il suit les exemples français, quoique les toits en pavillon y fissent déjà un peu « vieille mode » en 1720. Les pignons fantastiques et les moulures au-dessus des fenêtres doivent beaucoup au style de Borromini. A l'intérieur, Hildebrandt accentua délibérément le contraste entre les caryatides lourdes et musclées de la salle du Jardin et les élégants termes-caryatides de l'escalier. Il était le premier dans les pays de langue allemande à exploiter toutes les possibilités dramatiques de liaison des espaces offertes par le Baroque. Par suite de la déclivité du terrain, l'entrée domine d'un demi-étage le jardin, et l'on doit gravir un demi-étage pour atteindre le niveau de la grande salle. L'entrée se fait donc par trois volées d'escalier, celle du centre, large, conduit à la salle du Jardin à voûtes basses, tandis que les deux autres placées parallèlement conduisent à la grande salle de l'étage au-dessus, éclairées brillamment par deux rangées de fenêtres.

Hildebrandt devait avoir un successeur remarquable dans la personne de Johann Balthasar Neumann. Les œuvres maîtresses de celui-ci, ses palais de Würzbourg et de Bruchsal avec leurs magnifiques escaliers, et ses églises montrent que Neumann était l'héritier de la tradition d'Hildebrandt et son génie resta inégalé pendant le XVIIIᵉ siècle. Neumann (1687-1753) appartenait à la génération qui devait compléter le développement du Baroque germanique tardif, ou Rococo, comme on peut l'appeler. Après lui les architectes les plus importants de cette période furent les frères Asam (Cosmas Damian, 1686-1739, et Egid Querin, 1692-1750), Dominikus Zimmermann (1685-1766), et Johann Michaël Fischer (1691 env. - 1766). Tous quatre étaient bavarois tandis que Neumann, qui travailla surtout en Franconie, était né dans la partie allemande de la Bohême.

Balthasar Neumann était du même groupe social qu'Hildebrandt. Quoiqu'il fût issu d'une famille de marchands et commençât à apprendre le métier de fondeur de canons, il entra dans l'artillerie épiscopale de Franconie. Le Prince Evêque fit du jeune homme un architecte, et le nomma ensuite architecte de sa cour. Il fut ainsi envoyé à Paris et à Vienne pour s'instruire auprès de ses collègues, les architectes du roi de France et de l'empereur d'Autriche. Il devait discuter avec eux des plans du nouveau palais de l'archevêque à Würzbourg. Les plans de Neumann pour Würzbourg

415

415
Vienne, Belvédère, par Lukas von Hildebrandt 1721-23.
416
Vienne, Belvédère, Vestibule.

416

sont nettement sous l'influence du travail d'architectes étrangers. A côté de l'influence d'Hildebrandt que nous avons déjà mentionnée, on peut relever celle des fameux architectes parisiens de Cotte et Boffrand. Tandis que le palais s'élevait, l'expérience de Neumann s'affermissait, en même temps que grandissait la confiance du Prince Evêque en son architecte. Celui-ci ne devait plus remplir aucun devoir militaire et pouvait consacrer tout son temps à l'architecture. Il dessinait et surveillait toutes les commandes du Prince Evêque. Mais il entreprenait aussi des églises et des palais pour d'autres patrons.

Johann Michaël Fischer, Dominikus Zimmermann et les frères Asam étaient des architectes d'une espèce très différente. Aucun d'eux n'était, comme Hildebrandt ou Neumann, architecte au sens employé depuis la Renaissance ; c'étaient de simples maîtres maçons (ou maître charpentier pour Zimmermann). Ils s'étaient formés dans leur village et, suivant la manière traditionnelle, dans les limites étroites de l'apprentissage, ils n'avaient pas reçu d'autre éducation. Ils ne pouvaient pas être tentés d'écrire comme Hildebrandt : « Il n'y a personne, ou y aurait-il quelqu'un, pour exécuter des édifices si nombreux et si précieux, que moi et partout selon le *modum alla romana.* » Leur position et leur propre idée de leur condition sociale correspondaient bien à celles des maîtres maçons du Moyen Age, ce qui n'est pas surprenant si l'on considère que la position sociale de leurs patrons, les abbés et les congrégations des principautés du sud de l'Allemagne, ne s'était pas modifiée depuis trois cents ans.

En dépit de ces restrictions, le travail des frères Asam est plus intimement lié, du point de vue de l'histoire de l'art, avec l'architecture italienne que celui de leurs contemporains, surtout les architectes des cours épiscopales. Quand les Asam visitèrent Rome en 1712, ils s'intéressèrent moins à l'élégant style de leurs contemporains qu'au Baroque plus savoureux du Bernin et de Borromini. Ils étaient plus sensibles, dans leur naïveté, aux illusions d'optique et aux émotions puissantes qu'elles procuraient qu'aux ingénieuses organisations de l'espace qui fascinaient Balthasar Neumann.

Les effets de ces stimulants romains peuvent clairement se déceler dans l'église de Rohr, près de Ratisbonne. Derrière le maître-autel, les frères Asam placèrent dans le sanctuaire de l'église une pièce montée plus agressive encore que la Sainte-Thérèse du Bernin et deux fois plus mélodramatique : les Apôtres, grandeur nature, se tiennent debout autour d'un sarcophage baroque et la Vierge, portée par des anges, s'élève au-dessus d'eux vers une gloire de nuages et de chérubins. Les gestes, les couleurs violentes et sombres, tout contribue à stimuler la foi. A Weltenburg, autre église près de Ratisbonne, le sanctuaire est le théâtre d'une apparition plus mystérieuse encore : un saint Georges argenté qui, sur son cheval, brandit une épée flamboyante et se précipite vers nous. Il se détache sur un arrière-plan de lumière vive diffusée par des ouvertures camouflées. Le dragon et la princesse dressent leurs silhouettes sombres et dorées sur ce scintillement. L'église de Rohr, construite entre 1718 et 1725, celle de Weltenburg entre 1717 et 1721, sont des œuvres de jeunesse des frères Asam.

417

418

417
*Rohr, église abbatiale, Cosmas Damian et Egid
Quirin Asam 1718-1725.*
418
*Weltenberg, église abbatiale, Cosmas Damian et
Egid Quirin Asam 1717-1721.*

Plus tard, ceux-ci eurent l'ambition d'arriver, par leur architecture, à un résultat plus complet encore que celui du *Trasparente*. Egid Quirin possédait une maison à Munich, et vers l'âge de quarante ans, il commença à se préoccuper de sa gloire posthume. En 1731, il décida donc de construire à côté de sa propre maison, une église dont il serait le propre donateur. Dédiée à saint Jean Népomucène, l'édifice fut bâti entre 1733 et 1750. C'est une très petite église qui a moins de dix mètres de large ; relativement haute et étroite, munie sur tout son pourtour d'une tribune peu profonde, elle comporte deux autels, l'un au rez-de-chaussée, l'autre au-dessus, dans la tribune. Cette dernière repose sur les doigts de termes pirouettant ou d'anges-caryatides penchés plus ou moins en avant. La corniche supérieure s'élève puis s'abaisse, les couleurs sont des ors sourds, des bruns, des rouges sombres qui brillent soudain dans l'ombre quand la lumière les effleure, lumière issue de la porte d'entrée, c'est-à-dire derrière le visiteur, ou diffusée à travers des fenêtres camouflées au-dessus de la corniche. La fenêtre haute, à l'est, est placée de telle sorte qu'un groupe de la Sainte Trinité se

241

419

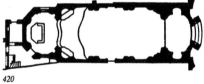

420

détache à contre-jour : Dieu le Père tenant le crucifix est surmonté par l'Esprit Saint. Ils sont entourés d'anges et donnent une impression à la fois de fantastique et de merveilleuse réalité. Ce qui fait de St-Jean-Népomucène un bâtiment d'une classe supérieure à l'église de Rohr, de Weltenburg ou au *Trasparente* de Tolède, c'est la coordination d'une composition strictement architecturale avec de simples trompe-l'oeil, le tout produisant une extraordinaire sensation de surprise qui peut se muer, sans effort, en ferveur mystique.

Pourtant, ce style demeure un style à sensations : nul artiste avant le Bernin, les Asam et Tomé, n'avait osé créer des effets aussi violents. Ces artistes sont-ils donc, pour cette raison, des débauchés sans scrupules, comme Pugin, Ruskin et les autres moralistes anglais le prétendent? Nous ne devons pas accepter ce jugement sans examen sous peine de nous priver nous-mêmes d'un bon nombre de satisfactions légitimes. Dans les pays du nord, il peut paraître difficile de rapprocher le Christ et son Eglise de ces allusions physiques envahissantes, mais, plus au sud, en Bavière, en Autriche, en Ita-

419
Munich, église St-Jean-Népomucène, Cosmas Damian et Egid Quirin Asam, 1733-1750 environ.
420
Munich, St-Jean-Népomucène. Plan.

lie, en Espagne, là où les gens vivent bien davantage par les sens, ce langage peut être une forme authentique d'expérience religieuse. A l'époque où vivaient le Bernin, les Asam et Tomé, dans des régions plus nordiques Spinoza avait la révélation d'un panthéisme, Dieu pénétrant tous les êtres et toutes les choses, Rembrandt découvrait l'infini dans la peinture par son traitement de la lumière et sa manière de dégager ses figures d'un arrière-plan indéfini mais vivant ; de leur côté, Newton et Leibniz, en mathématiques, découvraient la notion d'infini. Le sud, lui, avait de cette unité omniprésente et sans limites une conception plus concrète que ses architectes et « ses décorateurs » matérialisèrent en unifiant, par leurs combinaisons de l'espace, les mondes du réel et de l'imaginaire. Ils dépassèrent là les limites au-delà desquelles le spectateur normal ne peut plus rien saisir par le raisonnement. L'œuvre de Neumann nous montre d'une façon éclatante quelle pureté et quelle subtilité architecturales peuvent être créées par une telle polyphonie spatiale, à condition toutefois que nous soyons capables d'en saisir les indications. En fait, il est aussi difficile aux hommes du XXᵉ siècle de se concentrer sur un contrepoint spatial que sur un contrepoint musical et les auditeurs modernes ne distinguent sûrement pas aussi bien que les auditeurs du XVIIIᵉ siècle les raffinements de la musique de Bach. Le parallélisme est frappant : la meilleure architecture allemande du XVIIIᵉ siècle est de la même qualité que la meilleure musique allemande de la même époque.

Quand on pénètre à Vierzehnheiligen, église de pèlerinage vaste et isolée, bâtie par Neumann en Franconie entre 1743 et 1772, la première impression est une impression de béatitude et de légèreté. Tout est clair et les blancs, les ors et les roses permettent immédiatement d'attribuer à cette église une date plus tardive que celle de St-Jean-Népomucène. Asam est baroque au sens du XVIIᵉ siècle ; Neumann, lui, se rattache à la dernière phase du Baroque, connue sous le nom de Rococo. Ce dernier style ne peut pas plus se dissocier du Baroque que le « curvilinéaire » du Gothique. La seule différence entre le Baroque et le Rococo est une différence de sublimation. Celui-ci est clair et non pas sombre, délicat et non pas puissant, léger et non pas passionné. Mais le Rococo est tout aussi mouvementé, aussi vivace, aussi voluptueux que le Baroque. L'on associe généralement le terme Rococo d'une part avec la France et l'époque de Casanova, d'autre part avec Voltaire. Mais, en Allemagne, il n'est pas l'expression de gens intellectuellement ou sensuellement blasés. C'est le langage spontané qui correspond, comme l'architecture et la décoration flamboyantes, à l'instinct esthétique d'un peuple. Aujourd'hui encore la ferveur paysanne pour ces églises du Baroque tardif d'Allemagne ou d'Italie nous montre que ce style n'intéresse pas seulement une classe privilégiée de connaisseurs.

Pourtant, le style de Vierzehnheiligen n'est pas simple. Il ne suffit pas de se sentir emporté par le spectacle comme dans n'importe quelle église des frères Asam ; il faut l'analyser, ce qui, en fait, est le rôle du critique. Ce style est à l'architecture ce que la fugue est à la musique. Au milieu de la nef, le maître-autel de forme ovale peut fort bien remplir d'aise la foule des fidèles sans culture, agenouillés autour de ce splendide monument,

421

422

mi-récif de corail, mi-carrosse de conte de fées. Ayant remarqué cet acces-
soire magnifique, le spectateur ordinaire lève la tête et aperçoit au-dessus
de lui, pour son plus grand plaisir, une décoration étincelante de ressac,
d'écume et de feux d'artifice. S'il entreprend le tour intérieur de l'église, il
se trouve bientôt plongé dans la plus grande des confusions. Il ne retrouve
pas ici les nefs, les sanctuaires, les bas-côtés qu'il connaît et qu'il a vus si
souvent. Cette confusion du profane, délectation pour l'homme cultivé, vient
du plan, l'un des plus subtils dessins d'architecture jamais conçus. Vue de
l'extérieur, l'église, d'après ses apparences, possède une nef, des bas-côtés et une
abside sur plan central; le chœur et les croisillons ont des extrémités polygonales. En réalité, le chœur est ovale, les croisillons circulaires et la nef
se compose de deux ovales, l'un derrière l'autre: le premier, situé immédiatement derrière la façade mouvementée à la façon de Borromini, est de la
même taille que le chœur; le second, nettement plus vaste, renferme l'autel
dédié aux quatorze saints, et marque donc le centre spirituel de l'église.
Il y a un contraste très troublant, une opposition dramatique, entre les pro-

421
Vierzehnheiligen, Eglise de pèlerinage par Balthasar Neumann, 1743-1772. Façade.
422
Vierzehnheiligen, vue sur le croisillon nord.
423
Vierzehnheiligen, intérieur.

423

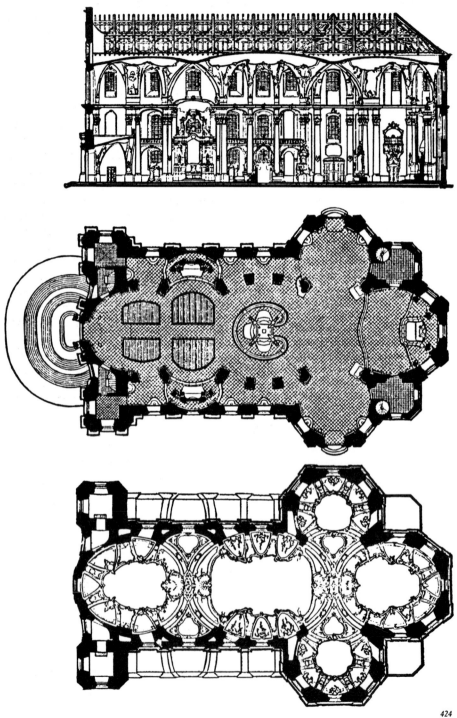

424

messes de l'extérieur et l'intérieur de l'église: l'autel n'est pas là où on l'attendait, à l'intersection de la nef et du transept, mais au milieu du deuxième ovale; quant aux bas-côtés, ce ne sont que des espaces sans emploi. Les longer donne l'impression désagréable d'être dans la coulisse. Seules comptent les résonances architecturales des ovales entre eux qui sont, à la hauteur de la voûte, séparés par des arcs transversaux. Ceux-ci, toutefois, ne sont pas de simples bandeaux de pierre jetés entre des colonnes opposées. Ils sont à trois dimensions et s'incurvent l'un vers l'autre comme les arcs en accolade surbaissés du XIVe siècle le faisaient sur une petite échelle, encore un des nombreux traits qui contribuent à établir un parallèle entre le Gothique et le Baroque. Cette ordonnance, au niveau de la croisée du transept, produit une impression à la fois de grande animation et d'insolite. Ici, dans une église du type du Gesù (et du dehors, Vierzehnheiligen semble appartenir à cette catégorie) l'on s'attendrait à voir s'élever un dôme qui serait la clef de voûte de cette composition. Au lieu de cela, le centre de la croisée du transept est tout simplement l'endroit où l'ovale de la nef rejoint celui du chœur. Les deux arcs transversaux qui prennent leur point d'appui sur les piliers de la croisée se courbent, l'un vers l'ouest, l'autre vers l'est, et leur point de jonction coïncide avec celui des ovales. Ceci permet de souligner un fait nouveau: à l'endroit même où, dans une église de style baroque normal, s'élancerait le couronnement de tout ce mouvement ondoyant, la voûte de Vierzehnheiligen descend vers nous dans un contrepoint spatial des plus saisissants. Un peu plus à l'ouest, un deuxième transept beaucoup plus petit et d'intérêt secondaire introduit un nouvel élément de complexité. Des autels y sont placés; d'autres autels s'appuient contre le chevet de l'église ou contre les piliers est de la croisée. Ces derniers sont en diagonale, de manière à guider les yeux vers le splendide maître-autel. C'est là, sans nul doute, la recherche d'un effet théâtral.

J'ai décrit Vierzehnheiligen aussi longuement, parce que je suis convaincu que seule une analyse aussi poussée peut aider le lecteur, ou le visiteur de l'église, à comprendre pleinement le génie et la pensée créatrice de cette composition. Sans analyser le plan, on ne peut apprécier la place que Vierzehnheiligen occupe dans l'histoire de l'architecture. L'élément décisif, d'où partit Neumann, est le groupement des ovales et leur séparation par des arcs à trois dimensions. On ne connaît pas d'une manière certaine l'origine de ce motif, mais la source la plus vraisemblable est l'œuvre d'Hildebrandt. Cependant, un peu après 1710, ce motif était apparu dans des églises construites par les Dientzenhofer, une famille d'architectes bavarois et bohémiens. Parmi leurs travaux, l'église de Brevnov est particulièrement remarquable. Elle fut élevée à partir de 1709, par Christophe Dientzenhofer. Deux des frères de Christophe étaient partis pour la Franconie; là, Joseph construisit l'église du monastère de Banz. Dans celle-ci nous trouvons encore des espaces ovales et des arcs transversaux gauches. Banz qui fait vis-à-vis à Vierzehnheiligen sur l'autre rive du Main, a été commencée en 1710 — plus de trente ans avant l'église de Neumann. Au même moment, un exemple plus proche d'Hildebrandt s'imposait à la Franconie. Dans le cas des

424
Vierzehnheiligen, coupe et plan sans les tours
occidentales et plan des voûtes.

425

426

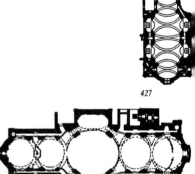

427

428

deux premières églises dans lesquelles Neumann utilisa les arcs gauches
— la chapelle Schönborn à la cathédrale de Würzbourg (commencée en 1723
et très semblable en plan à Gabel) et la chapelle privée dans le palais du
Prince Evêque aussi à Würzbourg (commencée en 1732) — il y a collaboration évidente avec Hildebrandt. On passe directement de ces travaux à
Vierzehnheiligen, à Brevnov et à Banz de même qu'à Gabel; l'origine directe
ou indirecte est sans aucun doute Guarini[26].

   Deux ans après la pose de la première pierre de Vierzehnheiligen,
Neumann dessina une autre église plus grande et encore plus noble: l'église
du monastère de Neresheim, dans *l'Alpe souabe*. Le plan est moins compliqué que celui de Vierzehnheiligen. Il consiste en un espace central ovale
mais presque circulaire, flanqué de croisillons en forme d'ovales longitudinaux et continué à l'est et à l'ouest par deux ovales transversaux qui forment le chœur et la nef. Le sommet de la coupole centrale est plus fortement marqué et plus statique qu'à Vierzehnheiligen. Tandis que la coupole
plate sur la travée centrale de Vierzehnheiligen reposait sur huit piliers

429

430

425
Banz, église abbatiale, commencée en 1710 par Johann Dientzenhofer. Intérieur.
426
Würzbourg, chapelle du Palais épiscopal commencée en 1732 par Balthasar Neumann.
427
Banz, Plan de l'église abbatiale.
428
Neresheim, Eglise abbatiale. Plan.
429
Neresheim, Eglise abbatiale commencée en 1745 par Balthasar Neumann, achevée en 1795 après sa mort.
430
Wies, église de pèlerinage par Dominikus Zimmermann, l'entrée.

massifs avec des demi-colonnes engagées, la voûte à Neresheim est supportée par des colonnes libres qui sont si minces qu'on ne penserait pas qu'elles sont assez fortes pour remplir leur fonction. On a ainsi l'impression d'une coupole sans poids qui flotte au-dessus de la croisée. Neumann avait déjà essayé d'atteindre cet effet quelques années auparavant, dans la petite église d'Etwashausen près de Kitzingen.

L'effet spatial est réellement d'esprit gothique et tel quel, il fut utilisé par d'autres architectes de cette période. On peut le voir sous sa forme la plus pure dans l'église de la Wies — construite par Dominikus Zimmermann entre 1745 et 1754 — où il n'y a aucune combinaison spatiale. Cette église de pèlerinage qui s'élève isolée dans une prairie des pré-Alpes de Bavière, est la parfaite église baroque allemande, pour le simple pèlerin comme pour le visiteur cultivé. Ici, parmi l'abondante décoration rococo gaie et inspirée, l'élément principal est un ovale central avec une coupole, reposant sur des colonnes jumelées. Zimmermann voulut l'extérieur ovale aussi, et lui adjoignit un long chœur et une façade ronde et bombée.

431

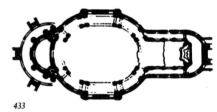

433

432

434

435

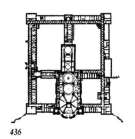

436

Johann Michaël Fischer, l'architecte le plus célèbre de sa génération en Allemagne du Sud, utilisa l'ovale seulement au début de sa carrière à Ste-Anne-sur-la-Lehel à Munich (construite entre 1727 et 1730). Ses œuvres les plus importantes — les églises abbatiales d'Ottobeuren (commencée en 1737), de Zwiefalten (commencée en 1738) et de Rott-am-Inn (construite entre 1759 et 1763) — sont longitudinales avec des éléments centraux, et une coupole sur la croisée. Ce sont les décorations exubérantes, plus que la structure spatiale, qui donnent aux intérieurs toute leur splendeur. L'admiration pour Neumann, et ses arrangements géniaux de l'espace, augmente en regardant ces églises.

Mais ce ne sont pas les seules églises d'abbaye où les architectes recherchèrent les formes rythmiques et polyphoniques. Il y a par exemple, l'église de pèlerinage d'Einsiedeln, au nord de la Suisse, moins connue, bien injustement, que Vierzehnheiligen et Neresheim. L'église fut commencée en 1719 au centre d'un grand ensemble monastique parfaitement symétrique. Le plan était l'œuvre du frère lai Caspar Moosbrugger (qui mourut en 1723). Même si Moosbrugger manquait de la chaleur des frères Asam et de la hardiesse de Neumann, il montra du génie dans la création des espaces complexes qui étaient fonctionnellement exigés par un programme particulièrement difficile. Vers 1620, Santino Solari avait élevé une tombe, châsse solennelle de plan carré, pour la Vierge noire d'Einsiedeln. A quarante-cinq mètres environ vers l'est existait un sanctuaire construit au début du XVIe

251

437

siècle pour remplacer l'église abbatiale du Moyen Age. Moosbrugger réunit les deux parties en une composition surprenante. La châsse de la Vierge prend place au milieu d'un grand espace octogonal, à l'est duquel se trouvent deux travées carrées couvertes de coupoles et flanquées sur les côtés de chapelles rectangulaires. Il semble clair que la travée plus à l'ouest est la plus importante, puisque les chapelles de la seconde sont plus basses et partiellement occupées par les tribunes d'orgues. On pourrait aussi dire que les croisillons du transept se confondent avec les chapelles de la première travée, dont les piliers sont arrangés pour que la coupole soit d'un diamètre supérieur à celle de la seconde travée. Mais dès qu'on lève les yeux on est détrompé ; comme à Vierzehnheiligen, l'intérieur est caractérisé par une fascinante ambivalence ; car on réalise alors que c'est sur la seconde coupole — celle qui est le plus à l'est — que l'accent est porté par la présence d'une lanterne, en dépit du fait qu'elle est encadrée de chapelles de moindres dimensions [27]. Cependant, avec ou sans tambour, l'impression est que les croi-

437
Einsiedeln, église abbatiale, la nef.

sillons appartiennent à une autre travée qu'à celle de la croisée. C'est un *unicum*. De plus, malgré ce qui a été dit de l'octogone occidental, qui pourrait le faire prendre pour une sorte de vestibule de l'église actuelle, cet espace est d'une suprême importance pour l'effet global de l'église. Il est large de plus de vingt-cinq mètres et son support central divisé en quatre minces piliers est le point de départ de huit arcs transversaux qui rayonnent vers les huit sommets de l'octogone. Le support central et la châsse de la Vierge remplissent pleinement la fonction baroque — parmi d'autres — de dissimuler au visiteur entrant par l'ouest le développement oriental de l'intérieur, c'est-à-dire les deux travées couvertes par des coupoles et le chœur plus ancien, mais moins intéressant pour l'espace. Le volume total de l'église et de ses extraordinaires tribunes, qui jouent aussi un rôle important dans l'effet du tout, n'est révélé au visiteur que lorsqu'il a contourné la châsse.

Une tribune entoure l'octogone, elle s'élargit aux angles pour former des balcons triangulaires. Elle se poursuit dans les deux travées suivantes, la travée « transept » et la travée « croisée ». Dans les croisillons et dans les chapelles à droite et à gauche de la croisée, la tribune s'incurve vers l'extérieur pour former d'étroits balcons concaves, tandis qu'aux divisions entre les travées elle s'incurve vers le centre en une ligne convexe. Comme la tribune est lancée depuis les contreforts intérieurs de l'église vers les piliers de la croisée, elle forme des ponts étranges qui séparent les croisillons des chapelles de la croisée, mais sans bloquer la vue entre les différentes parties de l'espace. A l'extrémité est, elle se termine par les tribunes des orgues que nous avons déjà mentionnées. L'arrangement compliqué et plein d'imagination des tribunes contribue matériellement à l'effet fascinant produit par l'église entière, comme le font aussi les couleurs rayonnantes, claires, des différentes parties de plus en plus étroites lorsqu'on progresse vers le chœur — réminiscence des perspectives de théâtre. En effet l'arrangement théâtral est aussi important à Einsiedeln qu'à Vierzehnheiligen. La critique des églises du Baroque tardif revient toujours sur cette qualité. Nous avons déjà montré, en nous appuyant sur les différentes attitudes spirituelles du sud et du nord de l'Europe que la valeur de ce critère est douteuse.

Nous pouvons maintenant introduire un autre argument qui peut aider à résoudre le problème. Pourquoi les architectes baroques de l'Allemagne méridionale ont-ils cherché à conduire notre jugement hors du bon sens et à décevoir notre raison? Pourquoi étaient-ils tellement tentés d'user de moyens si audacieux pour produire l'illusion qu'ils nous montraient le merveilleux et le surnaturel en formes réelles et tangibles? La réponse est très intimement liée aux conceptions religieuses du temps. Pour l'Eglise catholique la réalité la plus haute est le miracle de la Présence Divine réalisée dans le mystère de la Transsubstantiation. Aux XVIIe et XVIIIe siècles — époque où les dogmes catholiques, les mystères et les miracles n'étaient plus acceptés par tous, comme cela avait été au Moyen Age —, cette réalité devenait la cause de luttes violentes dans l'Eglise, surgies par résistance à l'hérésie et au scepticisme, qui apparaissaient partout. Pour ramener les hérétiques à la bergerie et convaincre les sceptiques, l'architecture baroque sacrée se devait d'émouvoir et d'hypnotiser.

Un autre argument fréquemment invoqué contre le Baroque religieux est son caractère mondain qui l'opposerait aux églises du Moyen Age. Que la décoration d'une église et celle d'un palais aient le même caractère au XVIIIᵉ siècle, c'est un fait. Mais ce jugement n'est-il pas également valable pour le Moyen Age? Cette idée d'une identité d'intention est parfaitement fondée. La splendeur des arts honore les rois. Ne doit-on pas en réserver la plus grande part pour glorifier celui qui est le roi des rois? Dans nos églises modernes, comme d'ailleurs dans celles du Moyen Age restaurées au XIXᵉ siècle, le principe est très différent. Ce sont de vastes salles où l'atmosphère se prête à l'adoration et à la prière de l'assemblée des fidèles. Une église baroque, au contraire, était littéralement la « demeure » du Seigneur.

Il n'en reste pas moins incontestable que le croyant ou le visiteur actuel ne sait jamais très bien, dans une église comme Vierzehnheiligen, Neresheim ou Einsiedeln, à quel endroit le spirituel s'arrête pour faire place à la mondanité. L'élan des formes architecturales finit par transporter, mais ce n'est pas forcément un élan à caractère uniquement religieux. En Allemagne du Sud et en Autriche, se développa, entre 1700 et 1760, une véritable passion pour les églises et les monastères de très grandes dimensions. Il ne faut y voir d'ailleurs qu'un des aspects de l'intérêt que le Baroque portait au colossal. Les Schönborn eux-mêmes, grands bâtisseurs à Würzbourg, en Franconie et à Vienne, avaient baptisé cette folie *Bauwurm*. La Grande Catherine, dans une lettre à Grimm, parlait de « bâtissomanie ». Nous devons tenir compte de cet enthousiasme pour la construction et l'amour de la construction — qui, en dernière analyse, est l'expression de ce plaisir de faire des plans et d'exécuter d'immenses projets qui imprégnait tout le Baroque — si nous désirons comprendre les grands ensembles d'architecture sacrée de l'Allemagne du Sud et de l'Autriche, au XVIIIᵉ siècle. Mais il ne faut pas croire que ces constructions d'églises ou d'abbayes étaient alors entreprises entièrement *ad majorem Dei gloriam*. Un monastère, comme celui de Weingarten, près du lac de Constance, avait-il réellement besoin de ces énormes dépendances délicatement incurvées, telles qu'elles apparaissent dans un projet de remaniement daté de 1723? Ce plan ne fut jamais mené à bien, mais d'autres, non moins énormes le furent : les abbayes d'Einsiedeln avec son ensemble de près de cinquante mètres au carré, Klosterneuburg, St-Florian, Melk, toutes trois sur le Danube. La construction de Melk fut entreprise en 1702 par Jacob Prandtauer (mort en 1726). C'est, par beaucoup de côtés et particulièrement grâce à sa position sur une falaise rocheuse à pic au-dessus du fleuve, le plus remarquable des trois édifices précités. L'église elle-même, avec sa façade ondulante, ses deux tours aux nombreux pinacles et ses clochers bulbeux, est légèrement en retrait. Deux pavillons du monastère abritant, l'un une vaste salle aux parois de marbre et l'autre la bibliothèque, l'enserrent sur la droite et sur la gauche, se rapprochant peu à peu l'un de l'autre avant de rejoindre l'entrée principale du monastère. Là, ils se réu-

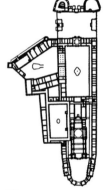

438

439

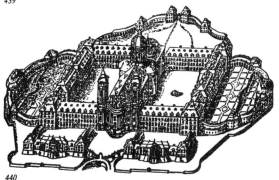

440

441

442

nissent par des ailes beaucoup plus basses et plus ou moins semi-circulaires. Entre celles-ci et dans l'alignement du porche de l'église, se trouve un arc palladien unique qui ouvre une perspective vers la rivière. C'est un exemple raffiné de correspondance visuelle, développement subtil du principe de Palladio — bien plus simplement réalisée par lui — qui reliait l'architecture au paysage, et l'œuvre du siècle qui devait découvrir les jardins paysagers.

      Pour en revenir à ce qui nous préoccupe, si l'église elle-même dressée sur sa colline — sorte de Durham baroque — peut être considérée comme un monument du catholicisme militant, les palais destinés aux abbés et aux moines sont, avec leurs salons richement décorés et leurs terrasses, des bâtiments d'un caractère nettement mondain. Dessinés et bâtis exactement à la même échelle et dans le même style raffiné que les palais contemporains des innombrables princes séculiers ou cléricaux du Saint Empire romain, ils rappellent en dimension les châteaux de l'aristocratie anglaise, Caserte (palais du roi de Naples), ou Stupinigi (palais du duc de Savoie, roi de Sardaigne).

      Quelque vingt palais de cette échelle étaient construits pendant ce temps en Allemagne. Le palais royal de Berlin était prévu originellement pour être encore plus magnifique qu'il n'a été dans son exécution, bien qu'il ne fût pas si grand que le palais de Nicodème Tessin à Stockholm (commencé en 1697). A Düsseldorf, l'électeur Jan Willem demandait les plans d'un énorme palais qui ne fut jamais construit. Au même moment on proje-

443

tait de vastes palais pour Heidelberg et Darmstadt. Comparé à ceux-ci, ou à ceux de Karlsruhe, de Mannheim et de Ludwigsburg, le palais de Bonn avec ses vingt-neuf fenêtres de façade paraît modeste. Ludwigsburg, lorsqu'il était entier, atteignait une largeur de près de 220 mètres et une profondeur de 200 mètres. La largeur totale de Mannheim était de 600 mètres. Vienne possédait son très vaste ensemble de la Hofburg. Les édifices furent dessinés par Fischer von Erlach, son fils et par Hildebrandt dès 1723. Mais ce ne sont que des fragments d'un projet encore plus vaste. A l'extérieur de la ville, se trouve le palais d'été de Schönbrunn — le Versailles des Habsbourg — d'une largeur de près de 400 mètres. A la fin de sa vie, Balthasar Neumann faisait de grands projets pour les palais de Vienne, Karlsruhe et Stuttgart. Finalement, les Electeurs de Bavière n'étaient pas satisfaits d'un seul Versailles, ils en firent construire deux simultanément: Schleissheim, dont la façade avait environ 300 mètres, et Nymphenburg, ayant une largeur supérieure à 400 mètres.

La situation en Bavière est particulièrement intéressante à la lumière que jette le choix des architectes. Schleissheim fut commencé par Zuccali, un Italien. Après une interruption des travaux, l'Electeur demanda des conseils à Paris, et reçut des plans du premier architecte de Louis XIV, de Cotte, auprès duquel l'évêque de Würzbourg avait envoyé le jeune Balthasar Neumann. La continuation des travaux, d'abord entrepris suivant des formes italiennes, fut confiée à l'Allemand Josef Effner (1687-1745) qui s'était

441
Melk, Abbaye, l'aile de la bibliothèque.
442
Melk, abbaye.
443
Caserte. Palais Royal, commencé par Vanvitelli en 1752 achevé en 1774.

257

444

formé à Paris. C'est Effner aussi qui continua Nymphenburg, commencé par les Italiens Barelli et Viscardi dans le style de Versailles. Un peu plus tard, Effner était relevé de ses fonctions et remplacé par un Français, François Cuvilliés (1695-1768). Depuis 1735 on peut y observer un afflux d'architectes français, chassant les Italiens, cela aussi dans d'autres régions d'Allemagne, notamment vers l'ouest. Le petit palais de Benrath, par Pigage, témoigne de cette progression du Rococo français ou style Louis XV. D'autres Français travaillèrent en Allemagne au même moment, tels La Guêpière à Stuttgart, La Fosse à Darmstadt, et Froimont à Mannheim; un peu plus tard, Ixnard à Coblence et à St-Blasien, Salins de Montfort à Francfort et enfin Thouret travailla au Weimar de Gœthe.

Pour considérer ce rôle dominant de l'école française, il est indispensable de marquer deux choses. Cuvilliés, qui était né en Hainaut et s'était formé à Paris, construisit à Munich pour l'Amalienburg — *maison de plaisance* dans le parc de Nymphenburg — des salles dont la décoration exubérante et fantastique porte indéniablement l'emprise allemande. Même lorsqu'il travaillait en France, Cuvilliés semble avoir été plus stimulé par l'art décoratif irresponsable des Italiens de Paris que par le style spécifiquement parisien. Quoi qu'il en soit, on ne peut pas nier le caractère allemand très marqué des chefs-d'œuvre bavarois de Cuvilliés, et cela peut sans doute mettre en garde contre l'exagération du rôle de la race et de la nationalité en histoire de l'art.

445

444
Benrath. Palais par N. de Pigage, 1755-1769.
445
Munich. Amalienburg, dans le parc du palais de Nymphenburg, par Fr. Cuvilliés, 1734-1739.
446
Munich. Amalienburg, salon central. Décoration de J.B. Zimmermann et J. Dietrich.

446

259

Le cas de l'architecte Pöppelmann, à Dresde, est quelque peu semblable. Mathaeus Daniel Pöppelmann (1662-1736) était né en Westphalie, mais son style est entièrement saxon — c'est-à-dire du sud-est de l'Allemagne — bien plus près du caractère de la Silésie, de la Bohême et de l'Autriche que de celui de son taciturne pays de naissance. On peut noter ceci au Zwinger à Dresde qui fut élevé entre 1711 et 1722 pour l'Electeur Auguste le Fort, athlète glouton et sensuel. Le Zwinger est à la fois une orangerie et un centre électoral propre aux tournois et autres spectacles. Il n'était pas destiné à former un tout par lui-même comme aujourd'hui, où il se rattache seulement à un musée de peinture construit au XIX⁰ siècle, mais devait faire partie d'un palais jeté au-dessus du cours de l'Elbe. Il se compose de galeries à rez-de-chaussée séparées les unes des autres par des pavillons à deux étages. Les galeries sont d'un dessin relativement retenu mais une décoration des plus exubérantes envahit les pavillons. Celui de l'entrée, en particulier, est d'une fantaisie que ne limite aucune espèce de considération fonctionnelle. La grande porte, au lieu de comporter un fronton normal, est couronnée par deux demi-frontons brisés, adossés l'un à l'autre. Le fronton du premier étage est, lui aussi, brisé, mais ses éléments sont rejetés vers l'intérieur au lieu de l'extérieur. La partie supérieure est ouverte à tout vent et couronnée par une coupole bulbeuse dont la base est surchargée de statues. L'emblème royal du Grand Electeur coiffe ce monument qui ressemble à un kiosque.

Si ceux qui sont capables d'admirer un jubé flamboyant se sentent rebutés par le Zwinger, c'est qu'ils ne le regardent pas avec assez d'attention ou qu'ils ont gardé les œillères du puritanisme. Quelle joie délirante dans le balancement de ces courbes et, en même temps, quelle grâce! De la gaieté sans lourdeur, de la vigueur, du débordement peut-être, jamais de vulgarité. Un force créatrice d'une inépuisable verdeur anime ces formes du Baroque italien, et trouve sans cesse de nouvelles combinaisons et variantes pour les réunir et les empiler. Le va-et-vient des lignes est continu et le style de Borromini semble massif, comparé à ces mouvements sillonnant l'espace.

Comme dans tout style original, espaces et volumes semblent, dans ce Rococo allemand, modelés par une même intention formelle. La courbe gauche est le *leitmotiv* de cette période. Elle est présente à Vierzehnheiligen, au Zwinger, et se retrouve aussi bien dans les grandes lignes de la composition que dans les plus petits détails. C'est peut-être dans l'un des chefs-d'œuvre d'architecture civile de Neumann, l'escalier du palais épiscopal à Bruchsal que ce thème s'impose le plus nettement. Le palais lui-même n'est pas dû à Neumann; les travaux étaient déjà assez avancés quand, en 1730, on fit appel à lui pour redessiner l'escalier.

Le palais se compose d'un corps de logis rectangulaire flanqué d'ailes plus basses et largement ouvertes. Ce dessin palladien, né en Italie du Nord, avait envahi l'Angleterre et la France, où il s'était modifié. C'est dans sa nouvelle version — l'espace entre les ailes étant traité comme une cour d'honneur — qu'il fut adopté par les Allemands. L'escalier en ovale, situé au centre du bâtiment, tient plus de place que n'importe quelle autre salle et cette situation privilégiée est à elle seule significative.

447
Dresde. Fête à l'occasion du mariage de l'héritier de l'Electeur, gravure contemporaine.
448
Dresde. Zwinger par M.D. Pöppelmann 1711-1722. Pavillon d'entrée.
449
Dresde. Zwinger, un pavillon. Décoration par Balthasar Permoser.

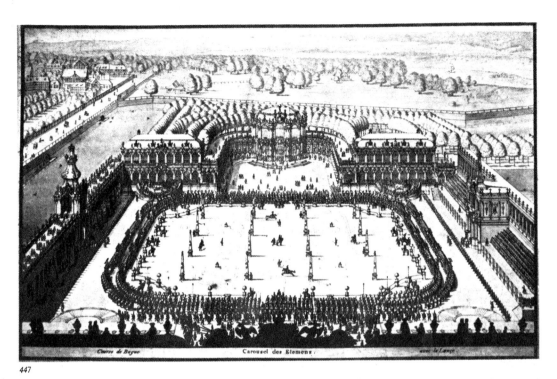

447

448

449

261

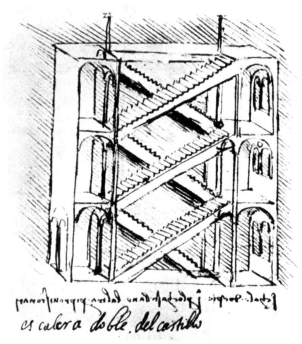

escalera doble del castillo

450

451

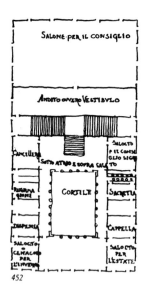

452

En effet, au Moyen Age, on n'accordait que peu d'attention aux escaliers. Placés à l'écart, purement utilitaires, on les construisait en colimaçon pour occuper un minimum de place. Tout à la fin de l'époque gothique, au moment où une nouvelle conception de l'espace se faisait jour, on essaya quelquefois de les animer par des recherches d'expression spatiales, notamment en attirant tout particulièrement l'attention sur les possibilités esthétiques dues aux continuels changements de direction. Cette tendance triomphe par exemple à l'escalier de Blois [28].

En règle générale, la Renaissance italienne ne chercha pas, bien au contraire, à donner de l'importance à l'escalier. C'était un motif trop dynamique pour recueillir la faveur des architectes. D'après Alberti : « Scalae, quo erunt numero pauciores... quoque occupabunt minus area ... eo erunt commodiores » (Moins il y a d'escaliers dans un bâtiment, plus restreint est l'espace qu'ils occupent, mieux cela est). L'escalier classique se compose, pour la Renaissance, de deux volées : l'une menant à un palier intermédiaire, l'autre à l'étage. Ces volées sont construites entre des murs massifs ; leur changement de direction est de 180 degrés. En fait, ce ne sont que de longs passages voûtés, tels que ceux que l'on peut voir à l'hôpital des Enfants-Trouvés de Brunelleschi à Florence, ou au Palais Farnèse, et dans bien d'autres bâtiments. Dans l'Italie du XVe, un dessin plus recherché est exceptionnel et il ne nous reste rien qui vaille la peine d'être mentionné ici. Toutefois, Francesco di Giorgio, dont le traité écrit vers 1470 a déjà été cité à l'occasion

262

453

454

455

de l'historique du plan central, en proposant un certain nombre de solutions pour la construction de différents palais, donne deux exemples d'escaliers d'un nouveau genre — genre qui, à la vérité, devait s'imposer aux siècles suivants.

Leur mise en œuvre architecturale, autrement dit leur succès, est due à un pays encore plus entreprenant à cette époque que l'Italie : l'Espagne. Le premier type, le plus répandu, est l'escalier à noyau carré, comportant trois volées rectilignes, enserrant une vaste cage d'escalier ; un palier constitue le quatrième côté du carré. Après Francesco di Giorgio, cette solution fut appliquée dans la partie terminée en 1504 de San-Juan-de-los-Reyes à Tolède, due à Enrique de Egas, à l'hôpital de la Ste-Croix à Tolède, œuvre du même architecte (1504-14) et au château de Lacalahorra construit par Michele Carlone (1508-12). Quelques années plus tard, Diego Siloée dessina la magnifique « Escalera Dorada » à l'intérieur de la cathédrale de Burgos. Cet escalier se déploie sur un plan en T, c'est-à-dire qu'il s'ouvre sur une volée rectiligne pour se diviser, au niveau du palier, perpendiculairement en deux branches. On a pu prouver que ce plan découlait de l'escalier extérieur de Bramante dans la cour du Belvédère au Vatican, mais, là encore, Francesco di Giorgio avait précédé Bramante (et l'a, sans aucun doute, influencé). En effet, il avait proposé un escalier de ce type pour un « Palais de la République » — exactement du genre, soit dit en passant, de ceux qui, beaucoup plus tard, seront construits dans les palais génois.

263

456

457

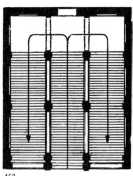

458

Avant cela, toutefois, apparut en Espagne un autre dessin, le plus grandiose de tous et, lui aussi, sans autre précédent, semble-t-il, que quelques esquisses italiennes. Ce type d'escalier, dit escalier impérial, avait été imaginé sur un plan par Léonard. Disposé à l'intérieur d'une vaste cage rectangulaire, il s'ouvre sur une volée rectiligne qui, au niveau du palier, se dédouble en branches parallèles, ayant effectué un changement de direction de 180 degrés pour conduire à l'étage supérieur (l'escalier peut commencer par deux branches pour se terminer par une seule). Ce dessin fut appliqué pour la première fois, du moins à notre connaissance, à l'Escurial, œuvre des architectes Jean Baptiste de Tolède et Juan de Herrera (1563-84). Il est très intéressant de constater que ces escaliers, pour lesquels l'espace s'anime, à la montée comme à la descente, sont apparus ailleurs qu'en Italie. Si nous considérons les plus beaux escaliers du XVIe siècle dans ce dernier pays, nous pouvons nous rendre compte que celui de Bramante au Vatican, par exemple, est d'un type à vis traditionnel, bien que sa cage soit vaste, ses dimensions largement calculées et sa pente douce. Serlio et Palladio se contentèrent

459

456
Rome. Vatican, escalier du Belvédère, 1503 environ.
457
Wurtzbourg. Palais épiscopal par Neumann. Escalier 1734. Plafond peint par Tiepolo 1753. Statues et décoration 1756-1766.
458
Plan d'escalier impérial.
459
Bruchsal. Vestibule de l'escalier, par B. Neumann, commencé en 1731.

d'imiter Bramante. Ils connaissaient, et s'en servaient parfois, le dessin carré à trois volées, mais ne s'intéressaient que fort peu à l'organisation de l'escalier. Dans ce domaine, leurs seules innovations furent l'escalier à vis étirée en ovale (Maderna resta fidèle à ce plan pour son palais Barberini) et les volées de marches en encorbellement le long du mur, sans support extérieur. Le Baroque du XVIIe siècle, surtout en France, ne fit que développer ces différents thèmes et l'escalier de l'Escurial devint, sous de nombreuses variantes, un symbole de magnificence princière. L'escalier de Neumann à Würzbourg, décoré par Tiepolo, est de cette famille-là.

En revanche, l'escalier du Bruchsal est unique et les mots sont impuissants à évoquer la sensation d'émerveillement qui ravit ceux qui ont le bonheur de s'engager sur une de ses volées. Ces volées partent du vestibule rectangulaire. Dix marches plus haut, le visiteur s'engage à l'intérieur d'un ovale. Au rez-de-chaussée, la pièce est obscure, les peintures murales représentent des amas rocheux et sont d'une facture rustique qui relève du décor italien en forme de grotte. Un peu plus haut, l'escalier lui-même se déploie

265

entre deux murs incurvés. Le mur extérieur est plein, le mur intérieur percé d'arcades qui permettent d'apercevoir, en contrebas, dans la semi-obscurité, la grotte ovale. La hauteur d'ouverture de ces arcades va, bien sûr, en diminuant, au fur et à mesure que l'on monte. La lumière, elle, s'intensifie jusqu'au moment où l'on parvient à l'étage supérieur, sur un palier ovale de mêmes dimensions que l'ovale de la grotte. Cet espace est fermé par une vaste voûte reposant sur le mur extérieur. Ainsi le palier, séparé des deux branches de l'escalier par sa balustrade, donne l'impression d'être suspendu dans les airs, relié par de simples ponts à deux grands salons d'apparat. La voûte, éclairée par de nombreuses fenêtres, ornée de fresques aux couleurs fraîches, déploie le splendide feu d'artifice de ses stucs, et le ravissement spatial devient ici un ravissement de décoration, l'apogée de cette magnificence ornementale étant le cartouche situé au-dessus de la porte du grand salon. Celui-ci n'était pas du dessin de Neumann mais l'œuvre d'un stucateur bavarois, Johann Michaël Feichtmayr, avec qui contrat fut passé en 1752. Ces artisans bavarois étaient presque tous originaires d'un même village, Wessobrunn, où les jeunes garçons étaient, par tradition, destinés à apprendre le travail du stuc. Cette localisation des spécialités est courante dans l'histoire de l'art, témoin les décorateurs romans qui venaient très souvent de certains villages situés dans la région des lacs italiens, ou, à Paris, les fabricants et les marchands de statues en plâtre, au XIXe, qui eux, étaient savoyards. Feichtmayr allait de chantier en chantier et quand il travaillait pour un monastère, on lui donnait argent, vivre et couvert, tout à fait comme aux artisans d'il y a 700 ans. Très probablement, Neumann le vit à l'œuvre et sut apprécier sa très grande puissance d'invention en matière ornementale. Il apparaît ainsi à Vierzehnheiligen comme à Bruchsal. La composition principale du cartouche au-dessus de la porte du grand salon est en zigzag et, depuis l'angelot séduisant de droite, en passant par le chérubin un peu plus haut à gauche, jusqu'au Cupidon du sommet, pas un seul détail n'est symétrique. Les motifs, qui nous semblent en perpétuelle transformation, tantôt se précipitent vers nous pour de nouveau s'éloigner. Que sont-ils? Ils nous rappellent parfois un coquillage, de l'écume ou des flammes. En France où, vers 1720, Meissonier, Oppenord et quelques autres artisans d'origine provinciale ou semi-italienne l'inventèrent, ce genre de motif s'appelle « rocaille ». Il a donné son nom au style Rococo, et ce à juste titre car c'est une création absolument originale qui, contrairement aux motifs décoratifs de la Renaissance, ne s'inspire en rien du passé. Il relève du domaine de l'art abstrait et possède une valeur d'expression aussi grande que la moindre de ces œuvres qu'on nous propose aujourd'hui, avec infiniment plus de prétention.

Bruchsal, accord parfait d'un espace et d'une décoration, marqua l'apogée du style baroque, à la veille de sa disparition. En effet, ce n'est que peu d'années après sa construction, après la mort de Neumann, que Winckelmann fit paraître ses premiers ouvrages, prélude au renouveau classique en Allemagne. Entre le monde de Neumann et celui de Gœthe, il n'y a pas de lien. Les hommes de l'ère moderne ne pensaient plus en termes d'église ou

460

461

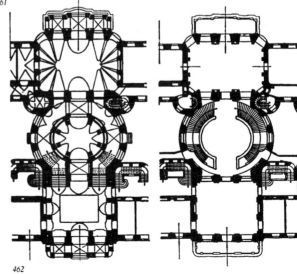

462

de palais, et, après 1760, nous ne trouvons nulle part une église qui ait une place parmi les exemples déterminants dans l'histoire de l'architecture. Napoléon ne nous a pas laissé un seul palais.

Pourtant, l'aristocratie anglaise, il faut l'admettre, continua à bâtir des châteaux jusqu'au beau milieu de l'époque victorienne. Mais les Anglais n'avaient rien gardé de cette attitude irréfléchie et spontanée du Baroque. Le passage d'un style destiné à tous et compris par chacun à un style réservé aux seules classes cultivées ne se fit pas, en Allemagne et en Italie, avant 1760, alors qu'en France et en Grande-Bretagne il avait eu lieu un peu plus tôt. Il faut dire ici que ni la France ni la Grande-Bretagne (ni le nord de l'Allemagne, la Hollande, le Danemark ou les pays scandinaves) n'avaient jamais accepté toutes les simplifications du Baroque. Leur monde — à beaucoup de points de vue le monde moderne — est celui du protestantisme. Dans les pays catholiques, les traditions médiévales survécurent en s'épanouissant jusqu'au XVIIIe siècle. Dans le nord, la Réforme rompit cette heureuse unité. Les pays protestants, pendant ce temps (et la France des gallicans, des jansénistes et de l'Encyclopédie est de ceux-là) inventaient le puritanisme, les lumières, la prédominance des sciences expérimentales, et, finalement, servaient de théâtre à la révolution industrielle. Dans le domaine du spirituel, naissait la symphonie qui vint tenir au XIXe siècle, dans le monde de l'art, la place qu'occupait la cathédrale au Moyen Age.

463

464

463
Bruchsal. Cartouche par J.M. Feichtmayr 1752.
464
Bruchsal. Le palier supérieur de l'escalier.

L'Angleterre et la France
du XVIᵉ au XVIIIᵉ siècle

A .l'époque de Bruchsal et du *Trasparente*, de vastes demeures bâties dans un style palladien ou néo-classique apparurent dans toute l'Angleterre. Citons Prior Park, près de Bath, Holkham Hall, Stowe et Kenwood. Pendant ce temps, la grandeur de Versailles avait, en France, ouvert la route à la délicatesse néo-classique de la place de la Concorde ou du Petit Trianon. Evidemment, depuis la fin de l'époque gothique, l'architecture en Europe occidentale n'avait pas suivi les mêmes chemins que dans les pays plus continentaux.

Pourtant, tout au début du XVIᵉ siècle, la situation était pratiquement la même en Angleterre, en France, aux Pays-Bas, en Espagne et en Allemagne. Dans tous ces pays et au même moment, les artistes se détournent de leur passé gothique, pour s'attacher à un nouveau style : celui de la Renaissance italienne. A travers tout le XVᵉ siècle, l'humanisme, la littérature romaine, la clarté et la souplesse du latin classique avaient exercé sur les lettrés une fascination universelle. L'invention de l'imprimerie survint à point pour aider à répandre les idées nouvelles, et de nombreux princes, nobles ou marchands se découvrirent alors la vocation du mécénat. Certains d'entre eux, qui pour une raison ou une autre voyageaient en Italie, devinrent des admirateurs de l'art italien, dès qu'ils en eurent compris le caractère humaniste. Aujourd'hui, il nous est presque impossible d'apprécier l'intensité et la violence de leurs réactions. On oublie sans cesse qu'à cette époque les communications étaient rares et difficiles. Les Anglais connaissaient le perpendiculaire, les Français le flamboyant, les Espagnols et les Allemands des versions nationales du gothique tardif, et leurs connaissances respectives en architecture s'arrêtaient là. Le premier artiste français qui fit le voyage d'Italie et prit contact avec la Renaissance fut Jean Fouquet vers 1450. On trouve quelques motifs Renaissance curieusement mélangés à l'ensemble flamboyant de ses peintures et de ses enluminures. Un peu plus tard en 1461-66, Francesco Laurana, sculpteur, sans doute parent de Luciano Laurana que nous avons rencontré à Urbin, travaillait pour le roi René d'Anjou, notamment à Aix, et en 1475-81 il éleva une petite chapelle entièrement italienne à l'intérieur de l'église de la Major à Marseille. Mais Aix et Marseille sont proches de l'Italie. Le grand changement se produisit un peu plus tard, il fut la conséquence de la guerre de Charles VIII contre l'Italie qui com-

465

mença en 1494 et conduisit le roi de France jusqu'à Naples. Le roi ramena avec lui Guido Mazzoni, appelé aussi Paganino, sculpteur qui en 1498 exécutera son monument funéraire. Celui-ci a été détruit à la Révolution. D'autres tombeaux dans le style du Quattrocento sont apparus en France dans ces années-là : un à Saint-Denis, par un Italien aussi, en 1502 — tombeau des ducs d'Orléans; deux autres, dès 1499, étaient au moins partiellement l'œuvre du remarquable sculpteur français Michel Colombe : celui de François II, duc de Bretagne, dans la cathédrale de Nantes et celui des enfants de Charles VIII dans la cathédrale de Tours. Un peu plus tard, probablement en 1504 ou 1505, Antonio et Giovanni Giusti arrivèrent à Tours, s'y installèrent et transformèrent leur nom en Juste. Eux aussi, il n'y a pas besoin de le dire, apportèrent le style du Quattrocento comme seul moyen d'expression. Le passage de la sculpture décorative à la décoration sculpturale de l'architecture se fit à Gaillon, en Normandie. Là, en 1508-10, on trouve des pilastres superposés au traditionnel corps de logis français, système qui devait devenir de règle pour un certain temps.

En Espagne, autre pays géographiquement près de l'Italie, les choses suivent le même cours. Quelques familles nobles, particulièrement les Mendoza, étaient devenues des adeptes du style nouveau. Déjà, dans les années 1480, on construisait des portails et des cours intérieures dans le style de la Renaissance à Cogolludo et à Valladolid. Plus tard, entre 1500 et 1510, ces constructions devinrent plus fréquentes. (cf. l'hôpital de la Sainte-Croix

465
Cathédrale de Nantes. Tombeau de François II, par Michel Colombe, 1499.

271

à Tolède). Quant à l'Allemagne, Dürer alla à Venise pour agrémenter ses tableaux et gravures de motifs italiens. Un ou deux ans plus tard, Quentin Matsys, le maître d'Anvers, introduisit lui aussi dans son œuvre des éléments méridionaux. En 1509, Henri VII s'entendit avec Mazzoni qui était, comme nous l'avons vu, à Paris, pour lui faire dessiner son tombeau. L'affaire n'aboutit pas, mais, en 1512, Henri VIII demanda à un autre Italien, Pietro Torrigiani, ancien camarade d'atelier de Michel-Ange à Florence, de sculpter la tombe de son père. Cette dernière se trouve dans la chapelle d'Henri VII à Westminster Abbey où elle tranche sur les merveilles d'ingéniosité gothique qui l'entourent. Il existe un contraste extraordinairement marqué entre les panneaux de style perpendiculaire et ces médaillons ceints de couronnes, ces piliers de style perpendiculaire et ces pilastres à la décoration raffinée, ces moulures de style perpendiculaire et la modénature antique de la base et de la corniche, ces feuillages de style perpendiculaire et la beauté aimable de ces rinceaux d'acanthe et de roses.

Il faut cependant se rappeler que lorsque la France, l'Angleterre, l'Espagne et l'Allemagne découvraient le charme de ce style et le mettaient à la mode, en Italie il appartenait déjà au passé. Nous avons vu ce qu'était, à Rome, l'architecture des années 1520. Bramante, Raphaël et leurs disciples avaient rejeté la plupart de ces agréables motifs pour se tourner vers un idéal classique plus austère. Il fallut encore une vingtaine d'années en France, presque une centaine en Angleterre, pour qu'une même évolution y fût possible. La Première Renaissance connaissait son plein épanouissement de ce côté-ci des Alpes, alors que de l'autre, l'art et l'architecture avaient déjà franchi le sommet de la Renaissance classique. La chapelle Médicis de Michel-Ange et la Laurentienne sont, avec leurs dissonances maniéristes, antérieures à la plus exquise œuvre de décoration italienne qui survit en Angleterre : les stalles de King's College à Cambridge (1532-1536). Là encore, le contraste entre l'église elle-même, à peine plus ancienne, et cette pièce étrangère, rapportée, est frappant. L'une parlait un langage familier à tous depuis l'enfance ; l'autre s'exprimait dans une langue étrangère. Dans ces conditions, il est concevable que les Anglais aient été à la fois admiratifs et troublés. Très peu d'entre eux étaient préparés à s'engager vraiment dans la nouvelle voie (ce qui était plus facile aux Français, à cause de la parenté raciale) et ceux qui s'y décidaient devaient s'en remettre à des artisans italiens, car ni en Angleterre ni en France, il n'existait d'ouvriers capables d'adopter sans transition un style aussi nouveau, aussi bien par sa technique que par son esprit.

En France, les Italiens arrivaient de plus en plus nombreux et s'y voyaient bien accueillis par François Ier, mais peu d'entre eux poussèrent jusqu'en Grande-Bretagne. Léonard de Vinci arriva en 1516, vécut près d'Amboise et y mourut en 1519. Andrea del Sarto passa un an en 1518-19 et puis, après les artistes de la Renaissance classique, des maniéristes confirmés arrivèrent : Rosso Fiorentino, peintre et brillant décorateur, en 1530, le Primatice, peintre, architecte et décorateur, en 1532. Ils s'installèrent et aidèrent à créer un nouveau type, l'architecte-deviseur qui n'était plus l'exécutant.

466

Pour l'exécution de leurs travaux ils s'en remettaient aux maîtres maçons locaux. Immédiatement d'ailleurs, une antipathie mutuelle se développa entre les Italiens et leurs concurrents, les artisans français, qui considéraient ces intrus comme bons à tout et charlatans. L'idée moderne de l'artiste-architecte en France se précisa donc sous la forme significative d'un conflit entre constructeurs et décorateurs.

Ce conflit n'apparaît d'ailleurs pas toujours dans les bâtiments proprement dits. En effet — probablement à cause d'affinités raciales — les maîtres maçons français ne tardèrent pas à adopter le vocabulaire italien et s'en servirent pour créer un style absolument original qui n'est ni gothique ni renaissant. On peut, dans cette évolution, distinguer trois étapes; la première est celle de l'école de la Loire; la deuxième celle des dernières années du règne de François Ier; la troisième celle de Henri II et la relève finale des Italiens par des architectes français. L'aile François Ier du château de Blois fut élevée entre 1515 et 1525. Tous ses motifs décoratifs sans exception appartiennent à la Première Renaissance de l'Italie du Nord. Le motif le plus utilisé, pour ainsi dire la marque de fabrique de l'école de la Loire, bien qu'employé d'abord à Gaillon, comme nous l'avons vu, est l'articulation de la façade entière par de minces pilastres superposés, motif du Palais Rucellai, de la Chancellerie et de beaucoup d'édifices un peu plus tardifs en Italie du Nord. L'escalier principal, cependant, est du type médiéval à vis, et aucune décoration, si charmante soit-elle, ne peut le rendre vraiment Renaissance.

466
Château de Blois. Façade des loges.

273

467

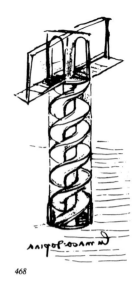

468

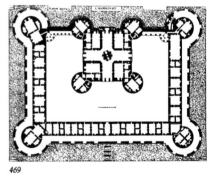

469

A Chambord, le plus fameux, à juste titre, des châteaux de la Loire, l'escalier à vis est à l'intérieur, au centre d'un plan très intéressant, réellement Renaissance dans son esprit. A l'extérieur, cependant, le château, avec ses puissantes tours rondes aux angles et autour du corps de logis, paraît entièrement médiéval. Lorsqu'on approche, on peut voir les pilastres de l'école de la Loire et la décoration luxuriante des lucarnes, avec des colonnettes, des pilastres typiquement vénitiens, des niches aux voûtes en forme de coquilles etc. Mais c'est l'intérieur qui donne son sens à Chambord. Le plan est complètement symétrique, dans tous les sens. L'escalier est au milieu, un double escalier à volées en spirales, courant l'une au-dessus de l'autre sans jamais se rencontrer. De l'escalier partent des corridors en croix, voûtés à la manière du Cinquecento, non plus du Quattrocento, et à chaque étage, dans chaque angle se trouve un appartement indépendant. Nous ne connaissons pas l'auteur de Chambord. Le château fut commencé en 1519, l'année de la mort de Léonard de Vinci ; peut-être donna-t-il les plans, car dans certains de ses dessins il joue sur le motif de l'escalier en double spirale ; mais l'exécution, pour tout ce que nous en savons, revient à des Français.

Des Français aussi, semble-t-il, dessinèrent les deux principaux châteaux des dernières années du règne de François Ier, tous deux entrepris en 1528. Madrid, dans le bois de Boulogne, était un long rectangle, où plutôt deux carrés avec des tourelles d'angle réunis par une salle bordée d'arcades ouvertes de chaque côté. Les arcades extérieures caractérisaient l'édifice,

467
Château de Blois. Aile François Ier 1515-1525 environ.
468
Léonard de Vinci. Schéma d'escalier à double vis.
469
Chambord. Plan d'ensemble.
470
Coupe de l'escalier. Acquarelle du XVIIIe siècle.
471
Chambord. Le château vu de l'est, 1519 environ.
472
Chambord. Le château vu du sud.
473
Chambord. L'escalier.

470

471

472

473

275

474

motif de villas italiennes plutôt que de palais. Fontainebleau est l'ouvrage le plus ambitieux de François Ier : les vastes ailes rectilignes se greffant sur l'ancien château avec un grand nombre de motifs nouveaux appelés à devenir classiques ; la Porte Dorée avec ses trois grands arcs centraux en retrait l'un sur l'autre, flanqués de fenêtres à frontons ; le large escalier extérieur dans la cour du Cheval Blanc aux bras incurvés ; l'escalier plus ancien dans la cour ovale, extérieur aussi, à deux volées conduisant à un avant-corps aux colonnes détachées au lieu de pilastres introduisent le style du milieu du siècle. La décoration intérieure, confiée aux Italiens Rosso et Primatice, était plus d'avant-garde, internationalement parlant. Les salles peintes et décorées de stucs devinrent, comme on l'a déjà dit, le centre transalpin du Maniérisme.

475

La situation en Angleterre était radicalement différente. Hampton Court avait été commencé en 1515 pour le cardinal Wolsey. En 1529, Wolsey s'avisa qu'il serait sage d'offrir le palais à son roi. Henri accepta et ajouta aux constructions déjà existantes le grand Hall et d'autres parties. Le palais, dans son ensemble, avec sa cour intérieure et ses tours d'entrée est, aussi bien que le Hall avec sa voûte en bois à diaphragmes, dans la plus pure tradition gothique. La Renaissance italienne ne s'y manifeste que par quelques détails dans la décoration : les médaillons aux têtes d'empereurs romains sur les tours d'entrée, les putti et feuillages dans les écoinçons de la charpente du Hall. D'une exécution irréprochable, tels qu'en eux-mêmes, ils sont complets, mais on n'a pas fait le moindre effort pour ménager une transition entre la construction anglaise et la décoration italienne.

Ainsi, alors qu'au premier stade le processus d'assimilation avait été le même des deux côtés de la Manche, il différait déjà au second. Ces différences devaient s'accentuer avec la troisième étape. Vers 1530, deux ou trois architectes français parmi les plus doués de la jeune génération : Phi-

474
Du Cerceau. Elévation du Château de Madrid.
475
Reconstitution de l'escalier de la cour ovale à Fontainebleau d'après A. Bray.
476
Fontainebleau. La cour du Cheval blanc ou cour des Adieux.
477
Fontainebleau. La porte dorée.
478
Fontainebleau. Décoration de la galerie de François Ier par Rosso (Diane au bain).

476

477

478

479

libert de l'Orme (environ 1515-1570), Jean Bullant (environ 1515-1580) et peut-être Pierre Lescot (environ 1510-1578) allèrent à Rome où ils se consacrèrent à l'étude de l'Antiquité et de la Renaissance. De plus, Sébastien Serlio, architecte, élève de Peruzzi, arriva en France en 1540 où il fut nommé architecte du roi. Nous savons déjà ceci, mais il faut se rappeler qu'il avait commencé en 1537 le premier de tous les traités sur l'architecture. Il continua à publier de nouvelles parties en France, il dessina aussi quelques châteaux, notamment celui d'Ancy-le-Franc, aux environs de 1546, dans lequel la façade s'orne encore des pilastres de l'école de la Loire, bien que Serlio ait voulu utiliser des colonnes à la manière de Bramante. Dans la cour intérieure, il arriva à introduire en France le rythme a b a sous la forme de ce qu'on pourrait appeler le motif de l'arc de triomphe, c'est-à-dire que les travées principales sont flanquées de paires de pilastres encadrant une niche. Bramante l'avait employé dans la cour du Belvédère au Vatican, Serlio l'employa alors et au même moment que les Français déjà mentionnés. Dans la façade du Louvre, donnant sur la cour intérieure, Pierre Lescot a mis l'accent sur ce motif de l'arc de triomphe. D'autres motifs tels que les médaillons plats, ovales, encadrés de guirlandes, les audacieux frontons arrondis servant de couronnement, et l'emploi généralisé de la sculpture décorative sont déjà français, sans rien perdre de leur classicisme du Cinquecento. L'ensemble qui en est résulté serait impensable en Italie du Nord où Palladio élevait les premières de ses calmes créations, villas et palais, pas plus qu'en Espagne ou qu'en Angleterre.

Le motif de l'arc de triomphe apparaît aussi dans le corps central de la façade d'Anet, le château de Diane de Poitiers, commencé vers 1547 par Philibert de l'Orme et fini vers 1552. Celui-ci, exposé d'une manière assez désolante dans la cour de l'école des Beaux-Arts, possède la pleine orchestration des trois ordres de colonnes superposés. Le fond sur lequel ils se

479
Ancy le Franc. Elévation sur la cour intérieure d'après Du Cerceau.
480
Paris, Louvre. Aile de Pierre Lescot. Partie centrale, commencée en 1546.
481
Avant-corps central provenant du château d'Anet. Actuellement dans la cour de l'Ecole des Beaux Arts à Paris, 1546-1552 environ.
482
Anet. Vue cavalière du Château par Du Cerceau.

278

480

481

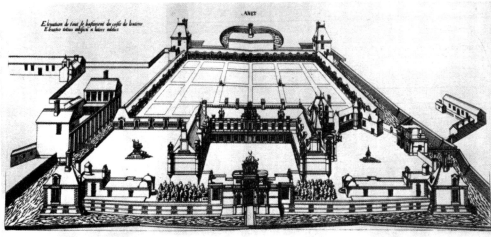

482

279

483

484

485

détachent, et celui du sommet, sont entièrement couverts de décorations sculptées à la manière française. L'effet de ce chef-d'œuvre était très grand. La chapelle d'Anet, d'autre part, le premier édifice religieux français dans le style de la Renaissance, était trop raffiné avec ses arcs biais entre le centre circulaire et les bras courts de la croix, avec le treillis en diagonale des caissons de la coupole, pour en inspirer d'autres [29]. Mais le plan d'Anet avec trois ailes et une quatrième plus basse, plan déjà utilisé, en fait, à Bury quelque 35 ans plus tôt, devint un plan type en France pendant plusieurs générations et fut imité, à l'occasion, dans l'Angleterre élisabéthaine ou jacobite.

L'utilisation du motif de Bramante par Bullant à Ecouen vers 1555 est similaire, mais l'architecte introduit aussi dans un autre avant-corps du même château, un motif tripartite avec des colonnes corinthiennes colossales et un riche entablement sculpté, et on doit rappeler que les ordres colossaux, à cette époque, étaient d'un usage fort inhabituel. Michel-Ange avait introduit des pilastres colossaux au Capitole, quelques années aupara-

486

vant, Palladio dans son palais Valmarana à Vicence, seulement dix ans plus tard. Le motif devint, à la vérité, tout à fait français pendant un moment[30].

En Espagne, le développement suivit une voie opposée. Après avoir fait un accueil favorable au classicisme italien le plus sévère, celui du XVIᵉ siècle on était très vite retourné aux fantaisies décoratives du passé. Le dépouillement de l'Escurial, ce château-monastère de Philippe II, dessiné vers 1560 et commencé en 1563, avec ses dix-sept cours et ses deux cents mètres de façade dénuée de toute décoration est exceptionnel. C'est écrasant, émouvant, mais sans doute effrayant. D'autre part, ce qui s'offre partout aux yeux du voyageur, étalé sur les façades ou les murs intérieurs, toujours un peu au hasard, est un mélange bizarre, baptisé platéresque, de motifs gothiques, musulmans et de la première Renaissance. Evidemment, le message de la Renaissance n'avait pas été très bien compris.

Le cas n'était pas différent aux Pays-Bas ou en Allemagne, bien qu'une cité internationale comme Anvers soit capable de se faire construire un hôtel de ville (1561-1565) par Cornelis Floris, vaste, carré, austère, de

487

proportions mesurées, avec un avant-corps à trois baies d'un beau dessin italien. Le motif des colonnes accouplées et encadrant des niches, l'ionique correctement placé au-dessus du toscan et le corinthien au-dessus de l'ionique, avaient probablement été vus par l'architecte en France plutôt qu'en Italie. Il pouvait également s'être inspiré du traité d'architecture de Serlio. En tout cas, l'hôtel de ville d'Anvers est de date trop ancienne pour qu'il soit possible ou même probable qu'aucun autre des grands traités, alors populaires et bientôt indispensables, sur les ordres ou l'architecture en général, ait servi de modèle : citons *les Cinq Ordres*, par Hans Blum (1550), *le Livre d'architecture*, par du Cerceau (1559), *les Nouvelles Inventions pour bien bâtir* par de l'Orme (1561), *la Règle des cinq ordres*, par Vignole (1562), *la Règle générale des cinque manières* par Bullant (1564), *l'Architecture* par de l'Orme (1568), *l'Architecture* par Palladio (1570). Nous avons déjà noté que cette pléthore soudaine de traités théoriques est bien caractéristique du style dominant, le Maniérisme. Il faut toutefois faire remarquer ici à quel point la France a partagé cet enthousiasme pour la publication. De son côté, l'Allemagne, par l'intermédiaire du modeste personnage qu'était Blum, fit entendre sa voix, et l'Angleterre participa d'une manière quelque peu locale à cette mode, avec les *Chief Groundes of Architecture*, de John Shute, publié en 1563, et les dessins de John Thorpe conservés au Musée Soane à Londres, sans nul doute destinés à la publication mais jamais imprimés. Thorpe y travailla jusqu'à la fin du XVIe et même dans les premières années du XVIIe siècle et l'auteur puisa son inspiration aussi bien dans les livres italiens et français que dans les recueils hollandais de dessins fantastiques, en particulier ceux de Vredeman de Vries parus en 1565 et 1568.

      Ces livres renferment ce que les Flandres et la Hollande ont apporté de plus intéressant au Maniérisme, un nouveau langage décoratif, celui des entrelacs et des cuirs. Floris n'en fit à l'hôtel de ville d'Amsterdam qu'un usage discret ; on en voit à peine les traces sur le pignon central dont

488

la silhouette élancée et tout à fait dans la tradition médiévale met, avec ses obélisques, ses volutes, ses pilastres à cariatides, la dernière touche à cet ensemble monumental. En revanche, dans les hôtels de ville de moindre importance, les maisons corporatives, les marchés et les hôtels particuliers hollandais, ces pignons, *leitmotiv* du XVIe siècle et des débuts du XVIIe, sont surchargés de cuirs. Les architectes-décorateurs provinciaux n'étaient en aucune façon décidés à abandonner quoi que ce fût de l'exubérance à laquelle le Flamboyant du XVe siècle les avait habitués, et au lieu d'utiliser un mélange gothique et de style renaissance à la manière du platéresque espagnol, ils étaient suffisamment entreprenants et imaginatifs pour inventer un style bien à eux. Même si nous pouvons, dans certains détails maniéristes de l'encadrement des plus hautes fenêtres du palais Massimi et dans les œuvres du Rosso à Fontainebleau en trouver l'annonce, ces formes sont véritablement nouvelles. Elles se composent de courbes fortement dessinées et un peu lourdes qui sont ajourées et imitent le travail du cuir. Parfois en à-plat, elles se développent le plus souvent sur trois dimensions et forment un contraste avec les guirlandes naturalistes et les cariatides qui les enserrent. La popularité des cuirs se répandit bientôt dans les pays voisins, non pas en France, bien sûr, mais en Allemagne aussi bien qu'en Angleterre.

Pour comprendre l'architecture élisabéthaine et jacobite en Angleterre, il faut bien connaître les trois sources dont nous venons de parler : la Première Renaissance italienne, le style de la Loire en France, et la décoration à cuirs des Flandres. Cet intérêt général pour l'évolution artistique dans les pays étrangers est la correspondance esthétique de la nouvelle vocation internationale anglaise encouragé par la reine Elizabeth, Gresham et Burghley.

Toutefois, il ne faut jamais oublier qu'une forte tradition perpendiculaire s'était maintenue, tradition du pittoresque, de l'asymétrique, des fenêtres à meneaux et des manoirs aux pignons de pierre fort peu décorés. Ainsi l'architecture anglaise entre 1530 et 1620 est un phénomène composite où dominent les éléments flamands et français quand nous touchons à la cour, mais où les traditions anglaises se dessinent plus fortement dès que l'on s'en éloigne. Nombreux sont les éléments d'emprunt, par imitation aussi bien que par conservatisme, mais de temps à autre transparaît une expression nouvelle aussi originale et fortement nationale que le Louvre de Lescot.

Burghley House, près de Stamford, est l'œuvre de William Cecil, lord Burghley, l'ami et le conseiller apprécié de la reine Elisabeth. C'est un puissant rectangle de 50 sur 60 mètres qui comporte une cour intérieure. L'élément central de cette cour est un pavillon à trois étages, construit en 1585 et dont le plan reprend le motif français de l'arc de triomphe avec des niches caractéristiques situées entre des colonnes accouplées. Il présente trois ordres, superposés selon les règles. Cependant, au troisième étage entre les colonnes corinthiennes, s'ouvre un oriel à meneaux typiquement anglais et inattendu (les Anglais, il faut le reconnaître, n'ont jamais été tout à fait heureux sans leurs oriels ou fenêtres en saillie). Autre élément de surprise,

489

490
284

489
Longleat House. Wiltshire, commencée vers 1568.
490
Burghley, Northamptonshire. Pavillon central dans la cour, 1585.

le pavillon est coiffé par des décors de cuirs et des obélisques — un couronnement de décoration flamande. Cette analyse de style se voit confirmée par les documents. Nous savons qu'aucun architecte, au sens moderne du terme, ne fut chargé du bâtiment dans son ensemble. Lord Burghley lui-même fit vraisemblablement un bon nombre de suggestions incorporées dans le projet. Il est d'ailleurs représentatif d'un nouveau type d'homme : l'amateur d'architecture. En 1568, il écrivit à Paris pour commander un traité d'architecture et quelques années plus tard, il fit la même demande en spécifiant, cette fois, le titre du traité français qu'il désirait. D'autre part, nous savons que des ouvriers hollandais vinrent sur place travailler pour lui et que certaines parties de la décoration furent même réalisées à Anvers avant d'être envoyées en Angleterre par bateau. La présence des motifs français et flamands trouve donc facilement une explication. Ce qui est plus difficile à comprendre, c'est la raison qui fait que ce mélange hasardeux d'éléments étrangers et indigènes (les souches de cheminée sont des colonnes toscanes doriques complètes avec entablement) ne semble pas décousu. L'Angleterre élizabéthaine — c'est la meilleure explication qu'on puisse trouver — possédait une vitalité si débordante, était si avide de l'aventureux, du pittoresque et même du maniéré, qu'elle pouvait assimiler sans dommage ce qui aurait nui à toute autre époque moins sûre d'elle-même.

Cependant, bien que Burghley, Wollaton Hall et le pavillon de l'entrée latérale de Hatfield qui datent respectivement de 1585, 1580 et de 1605-1612, soient des sources assez spectaculaires d'inspiration, la véritable richesse de la construction anglaise se trouve dans des compositions qui doivent bien moins à l'étranger. Longleat en Wiltshire, commencé en 1568 ou même plus tôt, est le plus ancien exemple de pur style élizabéthain. Les cuirs ne sont utilisés que sur les balustrades du haut et se voient à peine. Dans l'ensemble, les éléments décoratifs sont utilisés avec mesure. L'impression générale produite est celle d'une masse cubique solide. Le toit est plat ; les centaines de fenêtres munies de divisions nombreuses tant horizontales que verticales sont à linteaux plats ; les oriels ne forment que des saillies peu accusées et sont sur plan rectangulaire. Cette tendance au carré, typiquement anglaise et la place prédominante tenue par les fenêtres produisent, parfois, notamment à Hardwick Hall et plus encore à Hatfield House (pour la façade d'entrée, actuellement, qui donnait sur le jardin à l'origine), une impression curieusement moderne, du XXe siècle. Le plus souvent d'ailleurs, ces vastes fenêtres, dans la tradition du perpendiculaire, s'accompagnent du simple pignon triangulaire anglais habituel. Les maisons de moindre importance sont encore, comme celles d'autrefois, de formes irrégulières ; les plus grandes demeures, au contraire, sont symétriques, du moins par leurs plans en C ou en E, ou, si elles sont très vastes, s'ordonnent encore autour d'une cour intérieure. Il y a beaucoup de différences entre Longleat et Burghley, mais il fallut un William Cecil, un Raleigh, un Shakespeare, un Spenser et beaucoup de marchands à l'esprit clair, à la tête froide et à la santé robuste pour bâtir l'Angleterre d'Elisabeth. Cette Angleterre a bien trouvé son unité d'esprit et de style ; elle est vigoureuse, prolifique, quelquefois fanfaronne, d'une solidité inébranlable, parfois un peu vulgaire ou ennuyeuse, jamais efféminée ni hystérique.

Les innovations dans l'architecture anglaise entre 1500 et 1530 semblent de peu d'importance si on les compare aux différences radicales qui existent entre des bâtiments comme Burghley House (ou Audley End de 1603-16, ou Hatfield) et les belles réalisations d'Inigo Jones, *Queen's House*, à Greenwich, dessinée en 1616 mais qui ne fut terminée que peu de temps avant la guerre civile, et Banqueting House dans Whitehall, construite entre 1619 et 1622. A cette époque seulement l'Angleterre vécut ce que la France avait connu avant le milieu du XVIᵉ siècle, et le vécut d'une manière beaucoup plus spectaculaire puisque Inigo Jones transplanta en Angleterre des bâtiments d'un caractère purement italien, tandis que des hommes comme Lescot, de l'Orme et Bullant s'étaient contentés d'adopter certains traits et, dans une certaine mesure, l'esprit qui leur donnait une âme.

Inigo Jones (1573-1652) commença, semble-t-il, par être peintre. A l'âge de 31 ans, il dessina les décors et les costumes pour l'une des mascarades qui constituaient, à cette époque, l'un des divertissements favoris de la cour. Bientôt, il devint le metteur en scène en titre de la famille royale. Beaucoup de ses dessins nous sont restés. Ils sont d'une brillante exécution ; les costumes dans un genre fantastique que le Baroque reliait à l'histoire ancienne et à la mythologie, les décors presque tous dans le style classique italien. Jones, lors de son voyage probable en Italie vers l'année 1600, s'était vraisemblablement intéressé davantage à la peinture et à la décoration architecturale qu'à l'architecture proprement dite. Puis, le prince de Galles le nomma surintendant de ses bâtiments, c'est-à-dire architecte, et peu de temps après, la reine puis, en 1613, le roi suivirent son exemple. Jones retourna donc en Italie, cette fois pour y étudier sérieusement, nous le savons d'après ses carnets de dessins, les constructions italiennes. Son admiration allait à Palladio : une édition de ce dernier annotée de la main de Jones s'est conservée jusqu'à nous.

Si l'on compare *Queen's House* — villa dans le sens italien du terme, qui se trouvait non loin de l'irrégulier palais Tudor de Greenwich — au palais Chiericati de Palladio, l'étroite parenté des styles saute aux yeux, bien que rien ne soit une copie stricte. En vérité, l'œuvre de Jones n'est jamais imitation pure et simple. Il avait appris de Palladio et des architectes romains du début du XVIᵉ siècle à considérer un bâtiment comme un tout, ordonné complètement — en plan comme en élévation — selon les règles rationnelles. Mais *Queen's House* n'a pas le poids de la Renaissance romaine ou celui des palais baroques. A l'origine, c'était même une construction plus légère que les maisons de campagne palladiennes, car il ne se présentait pas comme un bloc d'un seul tenant, ce qu'il est aujourd'hui, mais se composait de deux rectangles situés à droite et à gauche de la grande route de Douvres et reliés entre eux par un pont (l'actuelle pièce centrale au premier étage). L'ensemble formait une composition curieuse, sinon unique en son genre, et d'une ampleur spatiale du meilleur effet. En revanche, la symétrie la plus stricte qui, à l'intérieur, régit la disposition des pièces,

491

contraste avec cette liberté générale du plan. Nous trouvions déjà dans les maisons de campagne élisabéthaines cette volonté affirmée d'ordonner les façades selon des principes de symétrie plus ou moins stricts. L'on peut même voir de fausses fenêtres et autres inventions du même genre qui donnent une apparence extérieure de symétrie à des intérieurs qu'on n'avait pu disposer convenablement. Vers 1610, les ordonnances complètement symétriques sont encore rares, bien qu'elles existent déjà virtuellement. En ceci, Inigo Jones est le successeur logique des jacobites. Toutefois, si l'on considère ses élévations, leur simplicité pleine de dignité s'oppose formellement au désordre des maisons jacobites avec leurs fenêtres de différentes tailles, les oriels, ronds ou polygonaux, les lucarnes, les pignons et les toits pointus. La partie centrale de *Queen's House* la loggia, ne forme qu'une saillie peu marquée : seul mouvement sur toute la surface de la façade. Le rez-de-chaussée comporte un appareillage à refends, l'étage supérieur est uni. Une balustrade silhouette la façade sur le ciel. Les fenêtres sont proportionnées avec soin. Il n'y a, nulle part, de décoration, à l'exception des corniches finement moulurées qui surmontent les fenêtres du premier étage.

Cette simplicité était un des principes d'Inigo Jones. Le 20 janvier 1614, il écrivit : « La décoration extérieure doit être solide, ordonnée suivant les règles, virile et sans prétention. » On ne saurait mieux décrire l'allure générale de *Queen's House*. Et Jones était très conscient de défendre par son architecture un idéal qui s'opposait non seulement à celui de ses compatriotes, mais aussi à la Rome contemporaine, c'est-à-dire au Baroque. « Tous ces ornements recherchés, ajoutait-il, dus au très grand nombre de décorateurs, et qui furent mis à la mode par Michel-Ange et ses élèves, ne me semblent pas convenir à l'architecture véritable. » Malgré cette déclaration, il ne méprisait pas absolument toutes les formes de décoration, témoin l'intérieur de *Queen's House* et la pièce ornée avec un luxe exubérant, dite

491
Greenwich. Queen's House par Inigo Jones, commencée en 1616.

287

492

493

du « doble cube » à Wilton House. Cependant, il sait toujours rester dans les limites de la simplicité. La forme de ces guirlandes, de ces couronnes de fleurs et de fruits reste concise. Placées dans des panneaux strictement délimités, elles ne masquent jamais la structure d'une pièce. Bien sûr, Jones était très conscient du contraste qui existait entre l'extérieur très simple de ses bâtiments et leurs intérieurs richement décorés. Il écrivit : « L'homme sage dans les lieux publics a une apparence extérieure de gravité, et pourtant son imagination est en feu et quelquefois s'extériorise avec dérèglement, à l'image de la nature elle-même qui, souvent, agit avec extravagance. » Finalement, il voulait qu'un bon bâtiment soit dessiné à l'image de l'homme. Et là encore, la façon dont Inigo présente ses idées est tout à fait personnelle et on ne pourrait imaginer ces réflexions venant d'un architecte anglais au temps d'Elisabeth ou de Jacques Ier.

Jones est donc le premier architecte anglais au sens moderne du terme. Il réalisa dans son pays la même chose que les premiers artistes-architectes italiens des débuts de la Renaissance. Et si l'on s'intéresse à Alberti ou à Léonard de Vinci en tant qu'individus, on ne peut que déplorer, pour le génie de Jones, notre ignorance en ce qui concerne sa personnalité.

Parmi les autres travaux de Jones, y compris ceux qu'on lui attribue avec plus ou moins de certitude, nous ne pouvons mentionner ici que deux ouvrages : Lindsay House à Lincoln's Inn Fields, parce qu'avec son rez-de-chaussée à refends et son grand ordre au-dessus portant entablement et

492
Londres, Lindsay House. Lincoln's Inn Fields, peut être par Inigo Jones.
493
Paris, St Eustache. Piliers du déambulatoire.
494
Paris, St Etienne du Mont. Façade, 1616-1626.
495
Paris, St Gervais. Façade, 1616.

288

494   495

balustrade, il a servi de prototype à toute une série de maisons urbaines résolument anglaises jusqu'à l'époque du Royal Crescent, à Bath, et des terrasses de Nash à Regent's Park. L'autre œuvre est l'aménagement de Covent Garden, avec ses grandes demeures dignes et dépouillées et ouvertes en arcades au rez-de-chaussée, que Jones avait copié de la *piazza* à Leghorn (Covent Garden au temps d'Evelyn et de Pepys était appelé « la piazza »), qui est le premier square londonien bâti sur plan régulièrement ordonnancé. Le côté ouest était centré sur la petite église de Saint-Paul au portique antique, bas et très lourd, motif inspiré par les traités d'architecture italiens du XVIe siècle, et le premier portique classique à colonnes détachées, élevé dans les pays du nord.

Arrivé à ce point de notre développement, nous avons dû signaler, incidemment une église. En effet, pendant un siècle environ, l'architecture sacrée a pratiquement été stoppée en Grande-Bretagne. En France, bien qu'un certain nombre d'églises intéressantes datant du XVIe siècle, présentent un mélange curieux et en proportions variées de principes gothiques et

496

497

498

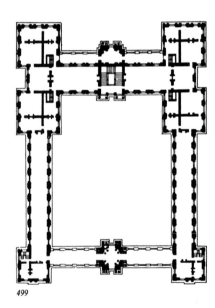

499

de détails méridionaux (par exemple, St-Eustache et St-Etienne-du-Mont à Paris), les monuments religieux ne sont pas du nombre des édifices historiquement les plus importants. On pourrait dire la même chose du XVII siècle, au moins à ses débuts. Paris adoptait le type du Gesù, aussi bien pour la façade que pour l'organisation interne, type qui, nous l'avons dit, s'imposera entre 1600 et 1750 (l'église du Noviciat des Jésuites commencée en 1612, aujourd'hui détruite ; la façade de St-Gervais, par de Brosse ou Clément Métezeau, en 1616 ; l'église des Feuillants, entreprise en 1624 (?) par François Mansart, St-Paul-St-Louis commencée en 1634 par Martellange et Derand).

Il est inutile d'insister sur le parallélisme qui existe entre cette évolution française inspirée par Vignole et le développement britannique héritier de Palladio. L'école de ce dernier représentait d'ailleurs la tendance universelle dans les pays du nord de l'Europe, au début du XVII siècle. En Allemagne, exactement au même moment, Elias Holl (1573-1646) construisait l'hôtel de ville d'Augsbourg (1610-20) dans un style palladien. Et, en France, Salomon de Brosse (env. 1550/60-1626), à la demande de Marie de Médicis, intégrait à son plan monumental du palais du Luxembourg, commencé en 1615, des motifs copiés sur les parties maniéristes du Palais Pitti à Florence. Le plan du Luxembourg, d'autre part, est traditionnellement français, type d'Anet avec ses trois ailes autour de la cour et un mur écran plus bas sur le quatrième côté. Le parallélisme entre le classicisme de l'hôtel de ville d'Augsbourg et celui du dernier ouvrage de S. de Brosse, le Palais de

500

justice de Rennes, commencé en 1618, est encore plus net. Là, le rez-de-chaussée est d'appareil rustique, l'étage supérieur articulé par des pilastres couplés suivant un rythme reposant, et le toit à la française à forte pente n'est brisé par aucun pavillon élevé. L'ensemble est entièrement français et constitue une préparation convenable à la phase classique de l'architecture française du XVIIᵉ siècle.

Mais, d'une autre manière, encore plus significative, la période entre de l'Orme et le début du XVIIᵉ siècle préparait à la phase classique par le développement de l'organisation axiale. Elle s'était déjà fait sentir à Chambord vers 1520 où elle résultait d'une fusion de la symétrie des châteaux médiévaux et des palais de la Renaissance. L'édifice-clé de ce tournant pour l'Europe, fut le Palais des Tuileries, tel que l'avait dessiné Ph. de l'Orme pour Catherine de Médicis en 1564. Il devait avoir 244m de large et cinq cours principales. De l'Orme devait avoir l'Escurial en tête. Un peu plus tard, sous Charles IX, Jacques Androuet du Cerceau (1510 env. - 1585) qui, jusqu'à présent, n'a été mentionné qu'en tant qu'historien et critique, proposa un projet plus ambitieux encore. Charleval en Normandie devait être édifié sur plan carré avec une cour intérieure et une cour d'honneur devant la façade. A droite et à gauche des communs devaient l'encadrer, chacun ayant deux cours. La taille projetée était de 300 mètres sur 300 mètres bien supérieure à celle de l'Escurial. On a à peine commencé les constructions [31]. C'est en partant de tels projets que Charles Iᵉʳ et Charles II d'Angleterre conçurent

496
Augsbourg, Hotel de ville. Façade arrière par Elias Holl, 1610-1620.
497
Paris, Palais du Luxembourg. Façade sur jardin, gravure de Rigaud.
498
Paris, Palais des Tuileries. Pavillon central, gravure de Chauvet.
499
Plan du palais du Luxembourg d'après Blondel.
500
Rennes, Palais de Justice, 1618 environ.

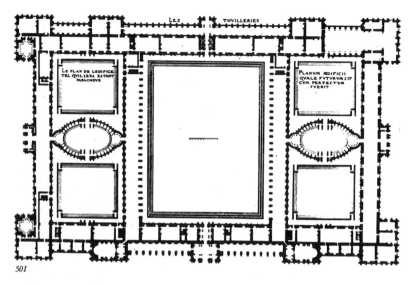

501

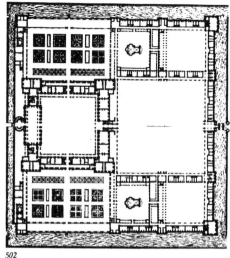

502

l'idée de construire un gigantesque palais à Whitehall, dont le plan fut, une première fois, imaginé par Inigo Jones, puis, dans un style tout aussi italien, par John Webb, son élève.

Pourtant, avant 1650, Jones et Webb étaient les seuls en Angleterre à s'attacher à des idées méridionales. Le style à la mode, qui avait suivi le style jacobite en faisant d'ailleurs bon ménage avec lui, était encore un style hollandais confortable, à pignons courbes et à frontons (Kew Palace, etc.). A ce mouvement correspond en France le style Henri IV qui survécut jusqu'aux années 1630. Edifices en brique, avec chaînage et encadrement de fenêtres en pierre, d'un style gai, mouvementé, confortablement bourgeois, très bien illustré par la place des Vosges de Paris (1605-12) par le petit château du Versailles de Louis XIII (1624), par des châteaux tels que Balleroy (1626 environ) et Beaumesnil (1633) tous deux en Normandie, et par la petite ville de Richelieu, fondée par le cardinal en 1631, et dessinée ainsi que son palais par Le Mercier (1585 env. - 1654). Le château, détruit depuis longtemps, était ordonné sur le modèle du Luxembourg et, quand il fut terminé, datait déjà quelque peu.

Pourtant, l'époque de Richelieu et surtout celle de Mazarin, fut caractérisée dans l'architecture monumentale française par un nouvel apport de conceptions italiennes — elles appartenaient à ce moment-là au Baroque — qui, entre les mains de quelques grands architectes, devinrent le style français classique. Ce dernier correspond, pour l'architecture, aux réalisations de Poussin en peinture, de Corneille en art dramatique et de Descartes en philosophie. Il n'existe aucune évolution semblable en Angleterre, bien qu'à partir de 1660, des rapprochements soient, à nouveau, évidents, malgré la grande différence des expressions nationales.

François Mansart (1598-1664) est le premier grand protagoniste, Louis Le Vau (1612-1670) le second. Les deux plus grandes œuvres de Man-

501
Philibert de l'Orme. Plan des Tuileries, 1564 d'après Blondel.
502
J.A. Du Cerceau. Plan du château de Charleval, d'après Blondel.
503
Versailles. Le château de Louis XIII, 1624.
504
Paris, Place des Vosges. Pavillon de la Reine, 1605-1612.
505
Beaumesnil. Le château, 1633.
506
Balleroy. Le château, 1626.

503

504

505

506

293

507

sart furent élevées entre 1635 et 1650 : l'aile d'Orléans au château de Blois et le château de Maisons-Laffitte. La cour d'honneur, à Blois surtout, est un chef-d'œuvre de retenue et de raffinement. Elégante, sans trop de bonhomie, elle n'est pas, et loin de là, d'une correction froide grâce à son arc de triomphe à deux étages et au remarquable petit fronton semi-circulaire qui le surmonte. La parenté avec les bâtiments de Lescot est évidente, mais on remarque certains éléments qui annoncent déjà la perfection facile de l'hôtel rococo. Les colonnades incurvées surtout donnent l'impression très nette d'appartenir à ce dernier style. La façon dont elles amortissent les angles est très italien et très baroque publié par Antoine Le Pautre (1621-1691) en 1652, l'intérieur de Maisons-Laffitte grâce aux salons ovales dans les ailes. Ce motif italien, nouveau en France, fut introduit, semble-t-il, par Mansart et Le Vau. Nous avons déjà suffisamment parlé de l'usage qu'en avaient fait les Italiens dans leur architecture tant sacrée que civile (palais Barberini). En France, les principaux exemples de son emploi se trouvent dans l'ouvrage vigoureux, très italien et très baroque publié par Antoine Lepautre (1621-1691) en 1652, « *Dessins de plusieurs palais* » — (un parallèle à la sculpture de Puget) —, et dans la chapelle du Collège des Quatre Nations (maintenant Institut de France), bâtie par Louis Le Vau en 1661, ainsi qu'au château de Vaux-le-Vicomte commencé en 1657 par le même architecte. La chapelle du Collège des Quatre Nations de Mazarin est, *grosso modo*, une croix grecque, mais ses bras et l'espace qu'ils enserrent sont ordonnés avec beaucoup de liberté, et

507
Blois. L'aile Gaston d'Orléans par François Mansart, 1635.
508
Maisons-Laffitte. Le château par François Mansart, 1642-1650.
509
Maisons-Laffitte. Le vestibule par François Mansart.
510
Château par Antoine Le Pautre.
511
Paris. Collège des Quatre Nations, aujourd'hui Institut de France, commencé par Louis Le Vau, 1661.
512
Chapelle du collège des Quatre Nations. Plan.

508

509

510

511

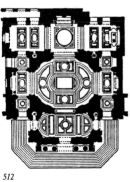

512

513

514

présentent, de l'un à l'autre, des différences considérables. Les parties, maî-tresses de l'église sont le centre ovale avec son dôme et le vestibule de forme similaire. A l'extérieur, des pavillons d'angle sont reliés à la chapelle par des ailes courbes en une grandiose composition. C'est encore un effet d'ovale qu'a recherché Le Mercier pour le centre de l'église, commencée quelque 25 ans plus tôt, pour Richelieu, à la Sorbonne. Ici, en 1635-42, la croix grecque est combinée avec un centre circulaire, mais un des axes de la croix a pris, et d'une manière délibérée, beaucoup plus d'importance que l'autre. Il y a dans ces plans autant d'inventions spatiales que dans les plans italiens con-temporains, bien que leurs détails apparaissent pleins de froideur et de re-tenue quand on les rapproche du Baroque romain. L'église de la Sorbonne est notable aussi parce qu'étant de loin la plus éminente d'un groupe d'égli-ses à coupole, qui, suivant les modèles italiens, apparurent soudainement à Paris[32]. Le Val-de-Grâce de Mansart, plus remarquable encore, a été com-mencé en 1645. L'architecte fut remplacé bientôt par Le Mercier et le dôme était finalement construit vers 1660 peu de temps avant celui du Collège des Quatre Nations de Le Vau.

Vaux-le-Vicomte est, pour beaucoup de raisons, le plus important de tous les bâtiments français du milieu du XVIIᵉ siècle. Le château fut com-mencé pour le compte du surintendant Fouquet, prédécesseur de Colbert, et il est entouré de jardins où Le Nôtre appliqua, pour la première fois, des conceptions que, plus tard, il devait développer d'une manière si spectacu-

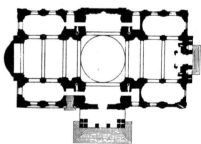

515

513
Paris. Dôme de la chapelle de la Sorbonne par Le Mercier, 1635-1642.
514
Paris. Dôme de la Chapelle du Val-de-Grâce, sur les dessins de F. Mansart vers 1660.
515
Plan de la chapelle de la Sorbonne.

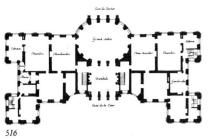

516

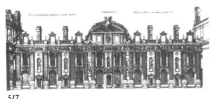

517

518

519

laire à Versailles. Le Brun, premier peintre du Roi, travailla lui aussi à Vaux avant de décorer Versailles.

Dans son plan, Le Vau abandonne le dessin traditionnel sur le modèle du Luxembourg et adopte celui du château de Blérancourt, construit par S. de Brosse en 1614, plan avec des ailes beaucoup plus courtes. A Vaux, le centre est un pavillon abritant un salon ovale surmonté d'une coupole. La toiture des ailes a une pente encore très accusée, trait caractéristique du XVIᵉ et du début du XVIIᵉ siècle français, mais sur leur façade se trouvent plaqués des pilastres ioniques élancés, formant un ordre colossal, qui unit les deux étages. Le grand ordre n'avait rien de nouveau pour les Français. Nous l'avons rencontré à Ecouen vers 1555, à Charleval en 1573, à l'hôtel Lamoignon en 1584 etc. Inigo Jones aussi l'utilisa, suivant l'exemple de Palladio. Mais la manière dont il est employé à Vaux (et aussi au Collège des Quatre Nations de Le Vau) le rend plus élancé, plus élégant et le rapproche de ceux que les Hollandais employaient déjà avec prédilection depuis 1630 environ.

Les Pays-Bas, à cette époque, étaient, pour le commerce et pour les sciences, le premier pays du monde occidental, et ils étaient enviés et imités aussi bien par Colbert que par les Anglais. Jamais ils n'avaient, à aucun moment de leur existence nationale, donné naissance à un aussi grand nombre d'artistes de génie. En architecture, le style léger et agréable des années 1600, qui se rapproche du style Henri IV ou du Jacobite, évolua et

297

520

donna naissance à un nouveau classicisme, rappelant l'art de Mansart en France et celui d'Inigo Jones en Grande-Bretagne. Le Mauritshuis à La Haye, bâti par Jacob Van Campen entre 1633 et 1635, comporte un fronton très correct soutenu par des pilastres colossaux bien proportionnés, répartis sur tout le pourtour du bâtiment. Il est possible que cette ordonnance ait eu une influence en France, particulièrement à Vaux, mais les dimensions modestes de cette résidence princière, ses murs de brique sans prétention, l'impression de confort qui s'en dégage, sont très typiquement hollandais et font du Mauritshuis un ensemble très différent des bâtiments français de la même époque.

L'Angleterre, en revanche, pouvait comprendre et apprécier ces qualités hollandaises et, après 1660, son architecture fut en effet largement influencée par les œuvres de Van Campen, Post et Vingboons, et par les gravures de ce dernier, publiées en 1648, 1674 et 1688. Il n'en reste pas moins que les architectes, les amateurs, les savants et, bien entendu, la cour des Stuart, n'étaient pas insensibles à l'éclat et aux beautés du Paris de Colbert et de Louis XIV. D'un côté se manifestait une réussite commerciale, de l'autre la grandeur de la monarchie absolue. L'architecture officielle marqua donc une tendance à se rapprocher du style français, tandis que l'architecture particulière imitait plutôt la construction hollandaise. On peut d'ailleurs retrouver ces deux sources d'inspiration dans l'œuvre de sir Christopher Wren. Il s'était sûrement penché avec soin sur les gravures et les dessins d'archi-

520
La Haye. Mauritshuis par Van Campen, 1633-1635.

tecture hollandaise, et il fit le voyage de Paris lorsqu'il comprit que construire et entretenir des bâtiments serait son principal métier. Chose étonnante et, là encore, caractéristique de la Renaissance et du Baroque, Wren (1632-1723) n'avait pas reçu une formation d'architecte ou d'entrepreneur. Il n'était pas non plus peintre, ni sculpteur, ni ingénieur. Il représente un autre type d'homme, type que, jusqu'à présent, nous n'avons pas encore rencontré dans ce livre.

Le père de Wren avait été doyen de Windsor et son oncle évêque d'Ely. On l'envoya à l'école de Westminster. A l'âge de quinze ans, à sa sortie de l'école, il devint assistant préparateur d'anatomie au collège de chirurgie. Puis il partit pour Oxford. Il s'intéressait surtout aux sciences, qui, au milieu du XVIIᵉ, étaient encore une discipline assez peu définie et imprécise. Pendant ces années-là « ce miracle de jeune homme » comme l'appelait John Evelyn, fut l'auteur de cinquante-trois inventions, théories, expériences et découvertes mécaniques qui ont été enregistrées beaucoup plus tard. Certaines aujourd'hui semblent futiles, d'autres, au contraire, se situent au centre des principaux problèmes d'astronomie, de sciences physiques ou techniques. En 1657, il fut nommé professeur d'astronomie à Londres, en 1661 à Oxford. C'était l'époque où la notion de science expérimentale se dégageait partout en Europe. A Paris, l'Académie Royale des Sciences était fondée. A Londres, la Société Royale avait commencé ses activités un peu plus tôt. Wren en fut l'un des fondateurs et l'un des membres les plus éminents. Newton l'appelle, avec Huygens et Wallis, « *huius aetatis geometrarum facile principes* ». Son principal ouvrage scientifique concerne les cycloïdes, il est aussi connu que le baromètre et le problème de Pascal. Dans sa conférence d'inauguration à Londres, il révéla à son auditoire ses conceptions prophétiques, considérant les nébuleuses comme le firmament d'autres mondes semblables au nôtre. En 1664, il illustra un livre de Wallis : *l'Anatomie du cerveau*. En 1663, il avait présenté à la Société Royale le modèle réduit d'un bâtiment dont il avait conçu les plans à la demande de l'université d'Oxford. Il s'agit du *Sheldonian Theatre*, achevé en 1669. Son toit est un chef-d'œuvre de charpente, mais son architecture est maladroite ; c'est évidemment le travail d'un homme qui n'avait encore qu'une expérience limitée dans ce domaine. On peut dire la même chose au sujet de sa seconde réalisation, Pembroke Chapel à Cambridge, construite entre 1663 et 1666. Un peu avant ces dates, nous savons que sir Christopher Wren s'intéressait déjà à la construction, témoin la demande que lui fit Charles II de fortifier Tanger. Ainsi l'architecture, la construction mécanique, les sciences physiques et les mathématiques ont toutes contribué à former l'esprit de Wren. La décision qu'il prit de se spécialiser en architecture date peut-être du grand incendie de Londres en 1666. Wren devint membre de la Commission Royale pour la reconstruction de la ville et, bientôt, il fut choisi comme architecte pour toutes les églises qui devaient être réédifiées dans la Cité, dont St-Paul. En 1669, le roi le nomma surintendant général et son seul voyage à l'étranger le conduisit non pas à Rome mais à Paris. Ceci est de la plus grande importance. En effet, à l'époque du *Wanderjahre* de Jones, Paris n'aurait pas été autre chose qu'une étape sur le chemin de Rome. Wren écrivit dans une de ses lettres au sujet de la capitale française : « C'est une école d'architecture, probablement la meilleure en Europe à l'heure actuelle. » C'était, en tout cas, la plus importante.

Alors que Wren séjournait à Paris, Louis XIV, qui avait l'intention de faire reconstruire la partie orientale du Louvre, invita le Bernin à venir proposer des dessins. Ce dernier s'exécuta volontiers mais son projet, un carré de proportions colossales sur le modèle romain avec de grands ordres de colonnes détachées sur les façades intérieures et extérieures, et au sommet une vigoureuse corniche couronnée par une balustrade — Wren avait eu la chance de pouvoir l'examiner pendant quelques minutes —, fut abandonné dès que le Bernin eut quitté la ville. A sa place, on éleva la fameuse façade, avec la colonnade que Claude Perrault (1613-1688) dessina en 1665.

Le choix de Perrault est représentatif d'un certain état d'esprit. C'était un dilettante en même temps qu'un célèbre médecin. Son frère, homme de cour et avocat, avait été nommé, en 1664, surintendant général des bâtiments du roi. Plus tard, il écrivit un poème assez médiocre, « le Siècle de Louis le Grand ». Dans l'histoire de la littérature française, il est connu comme l'un des chefs dans la querelle des Anciens et des Modernes. Boileau défendait l'Antiquité, Perrault le style moderne, qui n'était d'ailleurs qu'une interprétation un peu plus libre des canons anciens.

La façade de Perrault va, par plusieurs côtés, plus loin que les constructions dues à Mansart ou à Le Vau. Elle évoque l'évolution de Mazarin à Colbert, des débuts du règne à la maturité du roi. A son classicisme s'ajoutent deux traits importants que l'architecte français a empruntés au projet du Bernin qu'il avait connu. Le toit plat, à balustrade, et la façade sans saillie marquée et sans décrochement des ailes, qui sont des traits communs aux deux artistes et étaient nouveaux en France. En outre, Perrault reste tout à fait national. Françaises d'inspiration sont ses colonnes colossales, minces et accouplées surmontant un rez-de-chaussée élevé, lisse et formant podium, d'une facture si peu académique et si originale que les contemporains moins audacieux en architecture ne lui pardonnèrent jamais. Françaises aussi ces fenêtres aux linteaux en arcs surbaissés et ces écussons ovales (à la manière de Lescot) d'où pendent des guirlandes.

L'ensemble donne une impression de grandeur et d'élégance mesurée que le XVIIᵉ siècle, même à Blois ou à Maisons, n'avait jamais atteinte et que les architectes de la fin du règne de Louis XIV ne pourront jamais surpasser. Perrault avait là réussi à harmoniser les tendances, parfois contradictoires en apparence, du siècle de Louis XIV : le sérieux et la raison de Poussin vieilli, de Corneille et de Boileau, la violence contenue de Racine, la grâce lucide de Molière, le sens et la puissance d'organisation de Colbert.

Pour mieux apprécier ce style, il faut se rappeler l'atmosphère dans laquelle il se développa : d'abord les guerres de Religion au XVIᵉ siècle, puis la décision prise par Henri IV de se convertir au catholicisme parce que, disait-il, « Paris vaut bien une messe » ; ensuite l'apparition d'un sentiment d'indifférence en matière religieuse, qui devait culminer dans la politique du cardinal de Richelieu et du père Joseph, le capucin, qui combattirent les

521

521
Paris. La colonnade du Louvre dessinée en 1665 par Claude Perrault.
522
Paris. La colonnade du Louvre, partie Sud.

522

protestants en France, mais les appuyèrent à l'étranger, dans les deux cas uniquement pour mieux servir la raison d'Etat. Le centre de leurs pensées, de leurs ambitions, était la France, et une France puissante et prospère ne pouvait exister qu'après la centralisation rigoureuse de toute l'administration. Dans ces circonstances, le seul symbole tangible de la force de l'Etat ne pouvait être que la personne du roi. L'absolutisme représentait donc, pour tous ceux qui soutenaient une politique nationale, la forme indispensable du gouvernement. Richelieu prépara donc la voie, Mazarin marcha sur ses traces, et Colbert, ce bourgeois infatigable, capable et tenace, en fit un système. Il organisa la France avec un souci du détail encore jamais vu : mercantilisme pour le commerce et l'industrie, ateliers royaux, compagnies commerciales royales, surveillance constante et suivie des routes, des canaux, du reboisement — bref, de toutes les activités publiques.

L'art et l'architecture faisaient partie intégrante de ce système. Une école de peinture, de sculpture, florissante, les arts appliqués en pleine expansion, stimulaient les exportations et, du même coup, augmentaient les gloires de la Cour. L'architecture fournissait des emplois, tout en célébrant la grandeur de l'Etat et du roi. Mais aucune déviation n'était possible ; le style devait se conformer aux normes fixées par le roi et son ministre. Des académies furent donc fondées, l'une pour la peinture et la sculpture, l'autre pour l'architecture, les plus anciennes et les plus puissantes qui aient jamais existé, à la fois centres culturels et moyens d'ascension sociale. Ayant passé par ces écoles et obtenu certaines distinctions, les artistes pouvaient obtenir le titre de sculpteurs ou peintres royaux, se rapprocher de plus en plus de la cour, être célèbres et payés en conséquence. En revanche, ils devaient se soumettre de plus en plus aux volontés de Louis XIV et de Colbert. C'est à cette époque que le principe d'une architecture faisant partie des services de l'administration fut posé à Paris. Les rois anglais ou français avaient bien, depuis le XIIIe siècle, des maîtres d'œuvre auprès d'eux, mais ceux-ci étaient des artisans et non pas des fonctionnaires. D'autre part, les responsabilités des différents surintendants, inspecteurs, etc., n'avaient pas été fixées d'une manière bien nette. Michel-Ange occupait les fonctions de surintendant des bâtiments du pape mais personne n'avait eu l'idée de considérer cette charge comme un travail à temps complet. Au XVIIe, le bureau d'architecture prenait de l'importance et un système d'enseignement aussi bien par le dessin que sur les chantiers se développa.

Jules Hardouin-Mansart (1646-1708) est l'exemple parfait de l'architecte officiel, capable, rapide et prompt à s'adapter. Son église St-Louis-des-Invalides, construite entre 1675 et 1706, allie, comme la colonnade de Perrault, des qualités de grandeur au sens de l'élégance, alliance qui ne se trouve qu'en France. La composition, à l'intérieur et à l'extérieur, est conçue comme une amélioration des dessins de Le Mercier à la Sorbonne et de Le Vau au Collège des Quatre Nations. L'intérieur, à l'exception du sanctuaire ovale, est d'un équilibre plus académique, c'est-à-dire plus immobile dans la façon dont l'espace est traité, que dans les réalisations des prédécesseurs de Mansart. Par contre, le dôme ménage au spectateur un effet des

523

523
Plan de la Chapelle des Invalides.

524

525

524
Paris. Les Invalides, la coupole.
525
Paris. St-Louis-des-Invalides par Jules Hardouin-Mansart, 1675-1706.

plus baroques : à travers une large ouverture dans la coupole interne apparaissent des peintures ornant la surface d'une seconde coupole plus extérieure, et qui sont éclairées par des fenêtres invisibles. Maintenant, à bien examiner la façade, on prend rapidement conscience de ses qualités baroques, manifestes malgré son portique, apparemment correct, et ses deux ordres ionique et dorique correctement superposés. Le rythme très libre qui règle l'intervalle entre les colonnes (trait emprunté à Perrault) doit être souligné, ainsi que l'avancée progressive du plan vers le centre : d'abord du mur aux colonnes qui le précèdent, puis de ces dernières aux colonnes du portique, puis de celles-ci aux quatre colonnes du milieu. Non seulement les Grecs, mais Palladio et même Vignole auraient violemment désapprouvé cette disposition.

Sir Christopher Wren, lui, sut l'apprécier. Sa cathédrale St-Paul (construite entre 1675 et 1710), bien qu'elle ressemble grandement à un monument classique, est en réalité, comme le dôme des Invalides, un mélange de classicisme et de Baroque. Le dôme de St-Paul, l'un des plus parfaits au

526

527

monde, est véritablement classique et possède une ligne générale plus posée que les dômes de St-Pierre ou des Invalides. La décoration, une colonnade qui enserre le tambour, marque des différences caractéristiques avec les groupes de colonnes formant saillie et les entablements brisés de St-Pierre aussi bien qu'avec les fenêtres à linteau surbaissé, qui ont véritablement l'air d'appartenir à l'architecture civile, et la lanterne, aux formes élancées et gracieuses, de Saint-Louis. Pourtant ce tambour, si on l'examine plus soigneusement, présente lui aussi un élément d'irrégularité peu classique : l'alternance de baies à colonnes encadrant des niches, avec des baies où les colonnes précèdent une loggia. La lanterne, de son côté, est au moins aussi

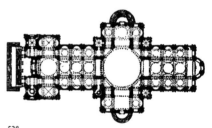

528

originale que celle de Mansart. Quant à la façade, commencée en 1685, c'est avec ses colonnes accouplées, dont Wren (tout comme Mansart) emprunta l'idée à Perrault, et ces deux tours extraordinaires (élevées après 1700), une composition résolument baroque. Les élévations latérales, qui pourraient appartenir à un palais, sont d'un caractère dramatique ; les fenêtres ont un encadrement de niches en trompe-l'œil ressemblant à celles de San-Carlo et du Palais Barberini. A l'intérieur, on est frappé par le contraste qui existe entre la stabilité de chaque détail et le mouvement spatial de l'ensemble. Le dôme est aussi large que la nef et les bas-côtés réunis, motif que Wren

529

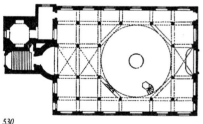

530

a peut-être emprunté à Ely ou à des gravures reproduisant des bâtiments italiens dans le genre de la cathédrale de Pavie. Cette disposition contribue à augmenter la splendeur de toute la composition et l'effet de surprise qu'elle produit. Les piliers placés en diagonale sont percés de niches aux proportions colossales. Ce sont des niches également qui contribuent à donner aux murs extérieurs des bas-côtés et du chœur leur mouvement ondulatoire. Les fenêtres qui pénètrent dans les voûtes en berceau et les dômes aplatis du chœur et de la nef produisent un effet du même ordre. Le style de Wren, dans ses églises et ses palais, n'en reste pas moins classique mais c'est une version baroque du classicisme. Cette nuance se dégage d'une manière particulièrement nette de la composition ingénieuse de cette église multiforme qu'est St-Stephen-Walbrook, à Londres (1672-1687).

Le plan de cette église est presque aussi difficile à analyser que celui de Vierzehnheiligen. Pourtant, il produit dans son ensemble, une impression d'équilibre et de clarté. L'extérieur est un simple rectangle qui, pas plus que celui de Vierzehnheiligen, ne laisse prévoir les surprises de l'intérieur. La partie centrale, une vaste coupole aplatie à faible courbure (en bois et plâtre), repose sur huit arcs supportés seulement par douze colonnes de faible diamètre. La réalisation technique est si remarquable qu'il n'y a aucune

305

apparence d'effort. Les douze colonnes dessinent un carré, et les colonnes centrales de chacun des côtés sont reliées entre elles par quatre arcs et des parties de voûte reposent sur les trois colonnes des angles du carré d'où jaillissent quatre arcs en diagonale. Etant donné que les trois colonnes d'angle sont réunies par des entablements horizontaux, le rythme est fait d'une succession de parties arquées et hautes avec des parties droites et basses. Voici une première combinaison des plus ingénieuses. Maintenant, si nous levons la tête vers la coupole, nous apercevons huit arcs d'une hauteur identique ; regardons alors droit devant nous, n'importe quel côté du carré : les travées n'ont pas toutes le même aspect. Ce n'est pas tout. Les arcs du centre, sur les côtés du carré, peuvent être considérés comme donnant accès aux quatre bras d'une croix. Celle-ci est latine car les voûtes en berceau des croisillons nord et sud sont très courtes ; la voûte d'arêtes du croisillon oriental où se trouve l'autel, quelque peu plus longue, et le croisillon occidental deux fois plus important que le précédent. Pour finir, la partie occidentale de la croix, est formée de deux travées séparées par des colonnes, comme dans toute église longitudinale. Ces colonnes étant exactement semblables aux autres, on a l'impression, à première vue, que l'église est faite d'une courte nef, avec bas-côtés conduisant vers un dôme d'une largeur inhabituelle. D'autres collatéraux, à l'extrême droite et à l'extrême gauche, étroits, couverts, un plafond plat, se prolongent jusqu'au mur oriental. On ne peut pas, d'un bout à l'autre, les considérer comme des bas-côtés : en effet, avant de border le sanctuaire, ils prennent de la hauteur et se voûtent pour former les bras sud et nord de la croix ; ils retrouvent d'ailleurs, immédiatement après, leur forme première. Les bas-côtés internes de la nef, on s'en aperçoit plus tard, conduisent, eux aussi, jusqu'à l'immense croisée. Le rectangle que forme l'église ne comporte que seize colonnes, toutes pleines de noblesse et d'une rigueur presque académique. Pourtant, elles contribuent à créer une polyphonie spatiale que seul le Baroque pouvait apprécier — c'est bien là une architecture propre à l'époque de Purcell.

Les autres églises de Wren, dans la Cité, doivent être considérées du point de vue de leurs qualités spatiales. Il dut en dessiner cinquante et une après le grand incendie de Londres en 1666[33], et ceci en l'espace de quelques années. Il en profita donc, comme dans un laboratoire, pour épuiser toute la variété de plans centraux, longitudinaux ou intermédiaires, sans se fatiguer jamais de ces expériences spatiales. Les soucis d'espace sont également à la base du plan qu'il proposa pour la reconstruction de Londres après l'incendie : changeant radicalement la disposition traditionnelle de la ville, il adopta un dessin de longues rues larges et droites, se coupant dans des places en forme d'étoile. Le principe du *rond-point* aux rues rayonnantes venait de l'Italie de la Renaissance et fut appliqué par les Maniéristes. Les exemples les plus fameux en sont la célèbre ville nonagonale de Scamozzi et la forteresse de Palmanova en Vénétie commencée en 1593. De la même année sont les grandes rues nouvelles, conformes à un plan d'une grande audace qui furent percées à travers la Rome de Sixte-Quint. Sous Henri IV, plus tard sous Louis XIV, les Français adopteront le principe. La place de

531
Londres. St-Stephen-Walbrook, par Sir Christopher Wren, 1672-1677, intérieur.

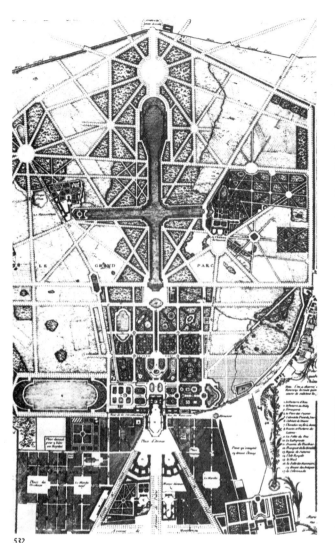

532

533

534

France organisée peu de temps avant la mort du roi et restée inachevée, formait un arc de cercle, presque un demi-cercle, et de larges avenues rayonnantes portaient des noms de provinces [34]. Inspiré par Henri IV, Louis XIV finalement adoptera le rond-point comme motif principal d'urbanisme, motif qui demeurera la marque du Baroque dans ce pays qui avait conçu six cents ans auparavant le système des chapelles rayonnantes dans les églises. La place de l'Etoile date du règne de Louis XIV; il est vrai qu'à cette époque elle se trouvait à la campagne et qu'elle ne fit partie de la ville de Paris qu'après 1800 [35].

L'exemple le plus grandiose de ces ordonnances sur énorme échelle est, bien entendu, Versailles. Architecturalement, le château souffre

535

536

d'avoir été bâti en trois campagnes. Il y eut d'abord le petit pavillon de chasse de Louis XIII, en brique et pierre, puis un vaste agrandissement par Le Vau, enfin l'aménagement sans précédent de J. Hardouin-Mansart. Au départ, Hardouin-Mansart décida de conserver le système d'élévation de Le Vau, et cela l'entraîna à ne pas concevoir des motifs assez splendides pour dominer une façade qui devait avoir finalement 550m de long. Les intérieurs sont plus heureux que les extérieurs. Le style des grandes salles en impose, ainsi la longueur de la Galerie des Glaces. Et la chapelle, ajoutée en 1689-1710, bien que mal intégrée extérieurement à l'ensemble, est un des morceaux les plus nobles de l'époque; elle a encore une tribune ou galerie pour le roi et sa suite — c'est toujours la tradition d'Aix-la-Chapelle. Des colonnes élancées s'élèvent sur une substructure de piliers carrés et d'arcs, et la lumière inonde l'intérieur par les fenêtres des tribunes et les fenêtres hautes. Mais l'orgue est décoré de trois palmiers entiers, ce qui nous rappelle que nous sommes en plein Baroque.

Le plan de Versailles dans son ensemble, et non seulement celui du bâtiment, ne peut être considéré autrement que baroque. Le palais fait face au magnifique parc de Le Nôtre dont les vastes parterres de fleurs, le plan d'eau en forme de croix, les fontaines, les avenues parallèles apparemment sans fin ou rayonnantes, les promenades bordées de haies, symbolisent la Nature corrigée par l'Homme pour servir la grandeur du roi dont la chambre était située au centre de toute la composition. Côté ville, vers la

537

cour d'honneur, convergent trois routes qui viennent de Paris. Les mêmes principes vont dominer l'urbanisme à travers le monde. Parmi les exemples les plus remarquables du XVIIIe siècle, on peut citer Karlsruhe en Allemagne, ville dessinée en 1715, comme une immense étoile dont le palais ducal serait le centre, et le plan dressé par L'Enfant en 1791 pour Washington.

En Angleterre, le projet de Wren, après que le roi l'eut étudié quelques jours, ne fut pas réalisé. Sans doute était-il trop audacieux et ne pouvait-il se concevoir que sous une monarchie absolue dans un régime où les expropriations eussent été facilement expéditives, conditions peu réalisables dans la Cité de Londres. Ou peut-être la logique implacable d'un programme qui eût engagé l'avenir de Londres était-elle trop opposée au caractère anglais. Le fait demeure que la seule contribution de Londres à l'urbanisme au cours du XVIIe et du XVIIIe siècle est le square — conçu, comme nous l'avons dit, par Inigo Jones, c'est-à-dire une propriété privée entourée de maisons similaires mais non identiques —, né d'un sentiment moins d'enrégimentement que de bonne tenue. L'impression qu'on éprouve à passer de

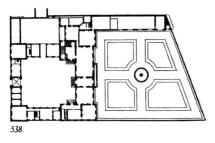

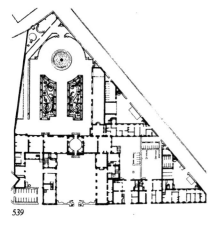

537
Versailles. La galerie des glaces.
538
Paris, Hôtel de Bretonvilliers. Plan de Jean Du Cerceau, commencé vers 1637.
539
Paris, Hôtel de la Vrillière. Plan par François Mansart, commencé en 1635.

square en square en visitant le West End londonien, est à peu près la même qu'on a en voyant se succéder les compartiments isolés qui constituent l'intérieur des églises saxonnes ou de l'*Early English*.

Considérant maintenant la maison de ville, nous voyons se reproduire le même contraste entre Londres et Paris. A Londres, à quelques exceptions près — quoique plus nombreuses qu'il ne le semble maintenant — l'aristocrate et le riche marchand vivent dans des maisons mitoyennes ; à Paris, ils vivent dans des hôtels isolés. On élabora à Londres un plan qui convenait bien à ces maisons, si bien qu'elles furent standardisées avant la fin du XVIIe siècle. Sur le côté, l'entrée mène toujours droit à l'escalier ; à chaque étage une grande salle sur l'avant, une autre sur l'arrière, et les pièces de service rassemblées au sous-sol. Que la maison soit grande ou petite, elle connaîtra cette même disposition jusqu'à la fin de l'ère victorienne. On n'assistera à aucune recherche ingénieuse d'aménagement de l'espace. A Paris, par contre, dès 1630, les architectes s'attacheront à donner à chaque maison sa cohérence particulière et l'on cherchera de nouvelles combinaisons qui visent aussi bien le fonctionnel que l'esthétique. Les éléments fixes sont rares, tout au plus peut-on dire qu'en général il y a une cour d'honneur clairement isolée de la rue, que les services et les écuries sont dans les ailes à droite et à gauche et le corps de logis au fond. Les premières dispositions entièrement symétriques se trouvent à l'Hôtel de la Vrillière, dessiné par Mansart, et entrepris en 1635, et à l'Hôtel de Bretonvilliers, entrepris vers 1637 sur les plans de Jean du Cerceau. L'Hôtel Lambert, dessiné par Le Vau en 1639-44, prend des libertés avec la rigidité antérieure ; on y voit la cour centrale aux angles arrondis, et un vestibule ovale. Ce sont les mêmes motifs que nous avons notés à Blois, Vaux-le-Vicomte et au Collège des Quatre Nations. Un peu plus tard (1655-60) l'Hôtel de Beauvais, dessiné par Le Pautre, se complaît dans l'utilisation des courbes. Puis ce fut la réaction, tout comme au Louvre après Vaux, sous l'impulsion de Colbert, qui n'aimait pas les courbes parce que, disait-il en 1669, « elles n'étaient pas de bon goût, surtout dans les extérieurs ». Dans les appartements de Louis XIV, des années après, la décoration, quoique plus grandiose, sera moins tournée vers une utilisation ingénieuse de l'espace.

Entre 1700 et 1715, l'évolution se marquera surtout dans la décoration intérieure. Dans les mains de Jean Le Pautre, un des chefs de chantier d'Hardouin-Mansart, elle devint de plus en plus délicate et raffinée. La grandeur est remplacée par la finesse, le haut-relief par des jeux savants sur la surface, l'apparence virile par une grâce délicate et efféminée. La vogue du Rococo s'instaure fermement dans les dernières années du règne de Louis XIV.

Le Rococo est d'origine française bien que, dans ce livre, nous l'ayons cité pour la première fois à propos de l'Allemagne, où il a été porté à son sommet avec de brillantes réussites spatiales. Le terme Rococo est un calembour, semble-t-il, sur le « Baroque » tiré de ces ornementations en forme de coquillages et de rochers qui sont typiques de l'ornementation que nous avons analysée à Bruchsal et Vierzehnheiligen au cours des années 1730 et

540

541

1740. En fait, le Rococo remonte aux années 1715 en France. Encore convient-il de signaler que les promoteurs français du Rococo n'étaient pas purement français. Watteau était flamand, Gilles-Marie Oppenord (1672-1742) était Hollandais de père, Juste-Aurèle Meissonier (1695-1750) de souche provençale et né à Turin, Toro porte un nom italien et vivait en Provence, Vassé était Provençal aussi. Par eux la vigueur revint dans la décoration française qui, à partir de la légèreté de Le Pautre, se laissera influencer par les courbes du Baroque italien, se lancera dans des décors à trois dimensions, et concevra l'ornement fantastique, mais parfaitement original de la rocaille.

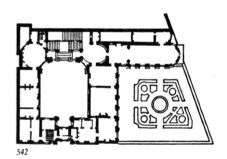

542

    L'architecture elle-même est moins soumise à ce développement. Les projets de façade conçus par Oppenord et Meissonier ne furent pas exécutés. C'est donc dans l'organisation et le domaine décoratif que le Rococo connaîtra ses plus grands triomphes. Le Rococo est un style de salon, de petit appartement et de vie raffinée. Cette décoration est de loin beaucoup plus gracieuse, mais aussi considérablement moins vigoureuse que celle de l'Allemagne, et l'organisation du plan est d'une subtilité inconnue jusque-là [36]. Ce développement s'était introduit déjà au Grand Trianon dans le parc de Versailles qu'Hardouin-Mansart avait construit pour le repos du roi et de Mme de Maintenon. L'édifice a un seul étage et se développe sur un plan perdu, asymétrique bien que grand et classique dans les détails.

    Une des difficultés que les architectes parisiens aimaient rencontrer et résoudre, c'était la symétrie imposée à la façade sur cour et à la

543

544

540
Paris. Hôtel Lambert, façade sur cour.
541
Paris. Hôtel de Beauvais, par Antoine Le Pautre, porche, 1655-1660.
542
Plan de l'Hôtel Lambert.
543
Nancy. L'Hôtel de l'Intendance et l'Hémicycle.
544
Versailles. Grand Trianon par Jules Hardouin-Mansart.
545
Nancy. Place Stanislas. La Carrière et l'Hémicycle, 1752-1755.

.545

313

546

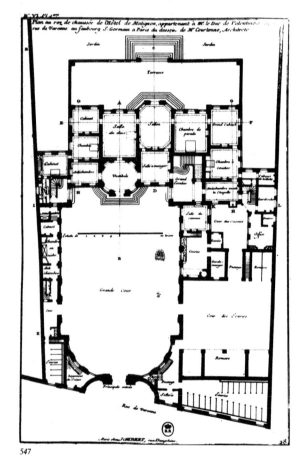

547

314

548

façade sur jardin, même si les deux axes ne coïncidaient pas. L'Hôtel Matignon, œuvre de Courtonne, propose une ingénieuse solution. Là et dans quelques hôtels contemporains on s'attache à disposer les antichambres, les cabinets, les garde-robes, les cours intérieures de service, de manière à obtenir en même temps une plus grande facilité d'utilisation et un meilleur emploi de l'espace. On s'intéresse aussi à la forme et à la situation de l'escalier. Il fallait que l'escalier desservît le vestibule et les pièces de service sans interrompre la communication des pièces de réception ni oblitérer les belles perspectives. La forme de l'escalier faisait l'objet de soins très spéciaux puisqu'il s'agissait de réunir les étages de la manière la plus harmonieuse.

On a déjà dit que l'Espagne du seizième siècle avait été particulièrement audacieuse dans la conception des escaliers et qu'on y avait deviné très tôt les possibilités de l'escalier baroque. Trois types prédominent : l'escalier à noyau carré et ouvert, l'escalier en T et l'escalier dit « impérial » qui furent adoptés dans le nord au cours du XVIIᵉ siècle. L'escalier carré à mur ouvert se répandit dans l'Angleterre jacobite où il fut interprété en bois et réduit à une échelle aussi resserrée qu'au Moyen Age, mais décoré richement par des sculpteurs sur bois, anglais ou flamands (Hatfield, Audley End, etc.) ; il faudra attendre Inigo Jones et Ashburnham House, à Londres pour voir l'escalier anglais rivaliser d'ampleur avec l'escalier espagnol ; encore Ashburnham House, Coleshill, Berks (œuvre de Roger Pratt, un des premiers rivaux de Wren) sont-ils de rares exemples en Angleterre. Il en est

546
Versailles. Grand Trianon par Jules Hardouin-Mansart, 1687.
547
Paris. Plan de l'Hôtel Matignon par Courtonne.
548
Paris. Hôtel Matignon, l'escalier.

315

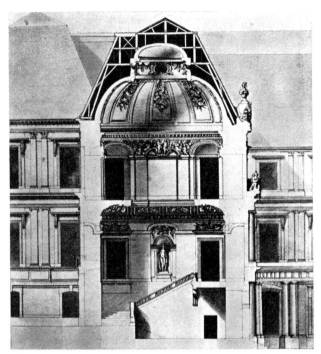

549   550

de même en Italie (Longhena : Saint-Georges-le-Majeur à Venise, 1643-5, qui servit peut-être de modèle pour Coleshill), si l'on excepte Gênes où l'on voit une réelle prédilection pour l'escalier grandiose, léger et aérien, à l'instar des modèles espagnols. La France puisa son inspiration à des sources diverses. Le Vau introduisit l'escalier en T à Versailles en 1671 (escalier des Ambassadeurs), l'escalier impérial aux Tuileries ; quant à l'escalier à noyau carré et mur ouvert, Mansart l'avait introduit à Blois longtemps auparavant. C'est de Palladio que Mansart tient cette élégante méthode de construction qui consiste à ne pas faire reposer l'escalier sur un mur solide mais à l'ancrer sur les murailles extérieures tandis que les volées de l'escalier ne sont supportées que par des arcs légers. Ce dernier type d'escalier, avec des variations mineures qui visent à l'assouplissement des formes, se rencontre dans de nombreux hôtels parisiens et nombre de maisons de campagne.

Aussi l'extérieur des hôtels parisiens manifeste-t-il une élégance et une variété remarquables, sans présenter toutefois les audaces du Rococo qui se déploieront en Allemagne et en Autriche, tandis que la maison londonienne du XVIIe et du XVIIIe siècle, si l'on excepte une ornementation classique, n'offre aux yeux qu'un édifice de brique assez stéréotypé sans aucun rapport avec le style classique français, sinon avec le style bon enfant des maisons construites sous le règne d'Henri IV ou bien, ultérieurement, des maisons hollandaises.

Quant aux maisons de campagne, du moins à partir de 1660, elles sont peu importantes en France, où la vie des classes dirigeantes est centrée

551

552

sur la cour. Au contraire, en Angleterre, la demeure londonienne n'est qu'un pied-à-terre et la maison de campagne le centre de la vie domestique. C'est donc là que nous devons chercher la variété et l'invention architecturale. Nous constatons que, dans la deuxième moitié du XVIIe siècle, dans le moment même où la maison urbaine tend vers un standard unique, surgit un nouveau type de petite maison de campagne (nettement sur le modèle du Mauritshuis) qu'on trouve dans les villages de la périphérie londonienne : Hampstead, Roehampton, Ham, Petersham, et aussi dans les dépendances de la cathédrale de Salisbury. Construites en brique avec chaînages de pierre, elles sont, soit complètement rectangulaires, soit flanquées de deux ailes courtes ; l'entrée est surmontée d'un fronton, d'un auvent ou précédée d'un porche et un plus grand fronton couronne le centre de la maison. Sur ce type, on brode des variations nombreuses et charmantes. Nous n'insisterons pas sur cette architecture à la fois aimable et harmonieuse qui est trop connue pour avoir besoin d'être décrite. On a cependant un peu laissé dans l'ombre son origine et sa diffusion.

L'exemple le plus ancien semble être Eltham Lodge, près de Londres. Dessiné par Hugh May (qui était, avec Pratt et Webb, un des plus importants rivaux de Wren vers les années 1660), il date de 1663. Entre 1685 et 1690, ce type de construction était franchement établi. En règle générale, la demeure compte un escalier spacieux à trois volées avec un mur ouvert et de riches boiseries sculptées ; les pièces sont géométriquement simples.

317

553

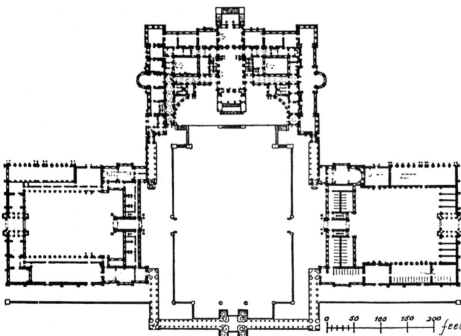

554

555

553
Blenheim. Le Château par Vanbrugh, commencé en 1705.
554
Plan du château de Blenheim.
555
Blenheim. Oxfordshire, l'avant-cour, aile des cuisines par Sir John Vanbrugh, commencé en 1705.

On s'est assez peu préoccupé de ces ingénieuses commodités dont s'inquiétaient, dans leurs écrits, les architectes français du XVIIIᵉ siècle. Apparemment, les Anglais et les Français n'avaient pas la même conception du confort. Mais quoi que les critiques français aient eu à reprocher à la maison anglaise de cette époque, elle se révèle souvent aussi pratique de nos jours que du temps où elle fut construite. Reconnaissons néanmoins que certaines demeures de campagne du XVIIIᵉ siècle, plus imposantes, semblent avoir été construites moins pour l'usage que pour l'apparat. C'est un reproche qu'on entend fréquemment à propos de Blenheim, près d'Oxford, palais que la nation offrit à Marlborough. Sir John Vanbrugh (1664-1726), qui le dessina en 1705, s'inspira du style de Wren dans son époque la plus grandiose et la plus baroque (le Wren de l'hôpital de Greenwich) mais demeura d'une originalité très personnelle. Wren semble ne jamais se laisser emporter par d'autres forces que celles de sa puissante raison. Les dessins de Vanbrugh sont d'une violence et d'un mouvement impérieux qui ne pouvaient qu'offenser les rationalistes de son temps. D'origine flamande, son tempérament expansif tient plus du concitoyen de Rubens que de Wren ou de Reynolds. Il avait débuté dans la carrière militaire en France ; il fut arrêté et emprisonné à la Bastille ; dès qu'il fut relâché, il retourna en Angleterre où il écrivit pour le théâtre. Ses pièces eurent un immense succès. Et soudain, on le voit engagé dans la carrière d'architecte, à Castle Howard. En 1702, il est nommé Contrôleur des Bâtiments, curieuse carrière, très différente de celle de Wren.

556

Blenheim est conçu sur une échelle colossale, inspirée soit de la villa palladienne avec ses ailes déployées, soit de Versailles avec sa cour d'honneur. Le corps de logis présente un portique massif aux colonnes d'ordre colossal encadrées de piliers colossaux supportant un lourd attique. La même lourdeur baroque caractérise les élévations latérales, en particulier les tours carrées et massives aux angles des ailes. Si, quand on parle de Wren, le terme de Baroque pouvait être utilisé seulement avec circonspection, tous ceux qui sont familiers avec les œuvres du Bernin ou de Borromini, et des autres Italiens, pourront qualifier ces tours de baroques. On y voit un combat où de puissantes forces de soutien s'opposent à des pressions envahissantes ; les moulures se projettent à l'extérieur ; les fenêtres sont coincées entre des pilastres épais et trop serrés ; il y a discordance voulue entre les fenêtres en plein cintre surmontées par un arc semi-circulaire et un autre arc surbaissé encore plus haut. Tout est dissonant et le sommet de cette composition n'harmonise rien. Dans ces formes qui couronnent la tour, ces obélisques, cette grosse boule, Vanbrugh trouve sa personnalité. Les pilastres et les fenêtres, sans manifester la même originalité, sont particuliers aussi à l'auteur. Certains détails feraient penser à Michel-Ange si le nom de Michel-Ange ne devait pas faire paraître l'ensemble vulgaire, en tout cas théâtral et spectaculaire : ceci est flamand aussi bien que baroque.

Cependant, on aurait tort d'insister exagérément sur l'hérédité flamande de Vanbrugh, qui ne fut pas seul à contruire Blenheim. Ici, comme

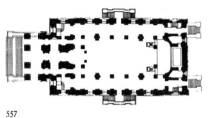

557

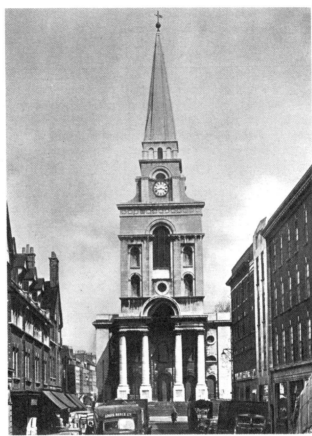

558

556
Blenheim. La façade du château.
557
Plan de Christchurch Spitalfields. Londres.
558
Londres. Christchurch Spitalfields, par Nicolas
Hawksmoor, 1723-1739.

dans quelques autres œuvres, il collabora avec Nicolas Hawksmoor (1661-1736), ancien assistant de Wren, homme d'expérience et, jusqu'à plus ample informé, Anglais de bonne souche. Le style de Hawksmoor est aussi baroque que celui de Vanbrugh et de Wren pour les tours occidentales de Saint-Paul ; on pourra s'en rendre compte pour les œuvres qu'il réalisa plus tard à son propre compte, particulièrement quelques églises à Londres. Un édifice tel que Christ Church à Spitalfields entre 1723 et 1739, qui n'est guère plus qu'une église paroissiale dans une banlieue en expansion, est aussi grandiloquent et capricieux que les architectures de Vanbrugh. On dirait que la composition est volontairement désarticulée, le portique avec son arc central de style romain tardif — dérivant de Wren — et, à l'étage supérieur, le même motif supporté par des pilastres sur une étendue plus large que la tour proprement dite, de sorte que l'étage forme une protubérance à droite et à gauche sans qu'aucun camouflage dissimule ce tour de force, et le tout surmonté d'une flèche élancée qui donne une note gothique dans ce complexe de Baroque romain tardif. Les tours d'autres églises de Hawksmoor seront

321

d'inspiration plus franchement gothicisante. L'auteur pouvait alors s'abriter derrière l'exemple des premières églises de Wren dans la Cité, et ce goût pour le Moyen Age, bien avant tous les autres pays, fait partie intrinsèque du Baroque anglais.

Car Baroque anglais est le seul terme raisonnable pour les œuvres de Wren contemporaines des tours occidentales de Saint-Paul, des églises de Hawksmoor et de Vanbrugh, bien que, en les comparant avec Bernin, ces architectes anglais du XVIIIᵉ siècle naissant soient classiques. Il n'y a presque rien de comparable au traitement plastique du mur que Michel-Ange avait d'abord conçu et qui amena les façades ondulantes et les intérieurs baroques de l'Italie et de l'Allemagne méridionale. Le mouvement ne fut jamais en Angleterre si insinuant ni si délirant. Les divers éléments n'abandonnèrent jamais leur existence propre, pour se dissoudre comme à San-Carlo ou à Vierzehnheiligen. Les colonnes rondes et massives ne perdront jamais leurs qualités de colonnes. Le Baroque anglais sera en lutte permanente contre une tendance innée au statique et à la sobriété.

Les intérieurs de Wren, Hawksmoor et Vanbrugh refléteront le même conflit. Des relations spatiales lient les pièces entre elles, pièces qui sont articulées et décorées selon les principes du classicisme — par des panneaux si elles sont petites, par des colonnes ou des pilastres si elles sont plus vastes. A Blenheim, l'énorme entrée mène au salon principal qui est situé au centre d'une enfilade symétrique de pièces le long de la façade sur le jardin, les portes étant disposées sur un axe unique, comme à Versailles. Mais — ceci est particulièrement significatif — l'escalier, élément dynamique par excellence, est loin d'avoir l'importance qu'il aurait dans les châteaux contemporains de France et d'Allemagne. Ce manque d'intérêt pour la dynamique spatiale n'est en aucune sorte un signe de médiocrité d'aménagement. Au contraire, Blenheim est aussi vaste, et, de notre point de vue, aussi peu pratique que les nouveaux palais des petits seigneurs germaniques.

D'autre part, on serait malavisé d'insister sur le fait que, par exemple, la cuisine et les offices étaient éloignés de la salle à manger (à Blenheim, selon une tradition palladienne, offices et cuisines sont dans une aile faisant pendant aux écuries). Les serviteurs devaient parcourir un long chemin, et les plats chauds étaient froids bien avant qu'ils n'arrivent à la salle à manger. Vanbrugh et ses clients eussent jugé nos reproches vulgaires. La domesticité était abondante et ce que nous appelons confort les préoccupait moins qu'une étiquette plus rigide qu'on ne saurait l'imaginer. La fonction d'un édifice n'était pas seulement l'utilité ; il y avait aussi une fonction idéale, que Blenheim remplissait parfaitement, encore cette fonction était-elle déjà discutée à l'époque. On connaît la phrase souvent citée de Pope : « Tout cela est bien beau, mais où dormez-vous ? où dînez-vous ? » phrase qu'il faut se garder d'interpréter comme une allusion au manque de confort. Ce que le philosophe entendait par là émanait de cette exigence qu'une pièce ou un bâtiment eût l'air de ce qu'il était. L'échelle colossale de Blenheim et sa splendeur ornementale déplaisaient à Pope en ce qu'ils lui semblaient déraisonnables et antinaturels. Car « la splendeur » emprunterait « tout son éclat au bon sens », dit-il et ailleurs : « Il y a quelque chose de plus nécessaire que la dépense, quelque chose qui précède le goût : c'est le bon sens. » En cela, il esquisse les sentiments de sa génération, celle qui suivit Vanbrugh. Car Pope était né en 1688 tandis que Vanbrugh avait le même âge que Swift et Defoe, et Wren que Dryden.

L'architecture qui correspond aux idées de Pope est celle patronnée par lord Burlington. Richard Boyle, comte de Burlington, né en 1694, était un peu plus jeune que Pope. Il fut gagné à la simplicité et la sérénité de Palladio par un jeune architecte écossais, Colen Campbell, mort en 1729, qui avait commencé, en 1715, une grande maison de campagne aux environs de Londres (Wanstead) dans le plus pur style palladien. Il est possible qu'au cours de la même année, il se soit essayé sur la maison de lord Burlington à Piccadilly, sans qu'on puisse en être sûr, car cette maison, bien qu'elle existe encore, a été largement modifiée. En 1716, un architecte vénitien, Leoni, avait commencé la publication d'une somptueuse édition anglaise de Palladio. Burlington dessina lui-même en 1717 pour ses jardins de Chiswick près de Londres un *bagno* palladien. En 1719, il fit un second voyage en Italie pour étudier les travaux de Palladio. En 1730, il finança la publication d'une collection d'œuvres inédites de Palladio qu'il avait rapportées d'Italie et, en 1727, il avait chargé le peintre, jardinier paysagiste et architecte, William Kent, de publier les œuvres d'Inigo Jones. Ces publications instaurèrent la mode palladienne si fortement dans les campagnes anglaises qu'elle se maintint presque cent ans sans modifications notables.

La maison urbaine, ainsi que nous l'avons dit, ne fut pas affectée par la mode palladienne, à l'exception de certaines modifications décoratives des façades. Quand lord Burlington lui-même prétendit rompre la monotonie londonienne en faisant construire une maison dans le style qui lui était cher, cette position d'un rationaliste fut aussi décriée qu'avait été décriée l'érection de Blenheim par les mêmes rationalistes. On sait que lord Chesterfield proposa à lord Burlington de lui offrir la maison qui faisait face à la sienne afin que le propriétaire pût admirer son œuvre sans être contraint d'y vivre.

Donc, c'est la maison de campagne qui, grâce aux efforts de lord Burlington, devint entièrement palladienne. Dans l'œuvre de Vanbrugh, la variété des plans et des compositions extérieures avait paru sans limite. Maintenant, le corps de logis central avec son portique, et les ailes éloignées reliées au centre par des galeries basses, deviennent de rigueur. Prior Park, près de Bath, en est un exemple typique. Il fut dessiné pour Ralph Allen en 1735 par John Wood l'Aîné (1700 env. - 1754), architecte local mais qui, par son talent et les occasions qu'il rencontra dans cette fameuse station thermale, devint l'un des artistes les plus influents de sa génération. Ce qui différencie les œuvres de Palladio de ces adaptations anglaises, c'est peut-être une certaine lourdeur du dessin et l'ampleur des bâtiments ; on peut dire aussi que les Anglais introduisirent des motifs décoratifs plus librement que le maître ne les eût tolérés et qu'il n'eût pas conçu sans doute de telles variétés dans la forme des pièces ou dans la manière dont un escalier extérieur s'incurvait vers le jardin (celui de Prior Park sent déjà son XIXe siè-

559

cle). Mais ce qui est le plus digne d'attention, c'est l'alliance de la maison palladienne avec le jardin anglais.

Il semble, à première vue, paradoxal que les mêmes clients aient commandé aux mêmes architectes des bâtiments de style massif classique et des jardins anglais. Il est de fait cependant que William Kent, le protégé de lord Burlington, connut la même renommée en tant que jardinier paysagiste qu'en tant qu'architecte. La villa de lord Burlington à Chiswick (vers 1720) représente à la fois une adaptation libre de la Villa Rotonda de Palladio et l'un des premiers échantillons du jardin « dans le goût moderne ». Comment cela a-t-il pu arriver? Une telle conception n'était pas une simple fantaisie mais l'effet d'une attitude concertée contre la politique française dans les arts. Tandis que le parc à la Le Nôtre exprimait l'absolutisme intégral, la primauté du roi sur la nation, la domination de l'homme sur la nature, la dynamique baroque expansive et active, qui modelait la maison, se répandait sur la nature. Les philosophes anglais libéraux parlent de la « moquerie des jardins seigneuriaux » (Shaftesbury) et Pope en fait la satire : « Mais chaque allée a sa soeur, chaque bocage se replie sur un bocage semblable, et une moitié du plan retrace exactement l'autre moitié. »

Il leur paraissait que l'extension des règles architecturales aux jardins n'était pas naturelle. Addison, en 1712, écrivait dans le *Spectator* : « Pour ma part, j'aime mieux voir un arbre dans sa profusion et sa luxuriance de rameaux et de branches qu'émondé et taillé en figure de géomé-

559
Bath. Prior Park par John Wood l'aîné, commencé en 1735.

trie. » Cette profession de foi qui exige que la nature s'épanouisse librement est évidemment une révolte de l'esprit de tolérance contre la tyrannie; c'est une révolte de *whigs*. Cependant, bien que ces attaques soient faites au nom de la nature, on songeait encore à la nature dans le sens où Newton et Boileau l'entendaient, c'est-à-dire une entité qui se confondait avec la raison. Boileau objectait au Baroque méridional, dans son *Art poétique* qui date de 1674, son manque de raison et de naturel. Raison et nature sont encore synonymes chez Addison et chez Pope, comme nous l'avons vu dans les commentaires sur Blenheim. Ajoutez à ceci la « passion de Shaftesbury pour les choses naturelles » et son idée « que la vanité et le caprice de l'homme ont gâché l'ordre originel en violant son état primitif » et vous serez bien près d'expliquer l'intrication de l'architecture classique et du jardin naturel. Ordre et harmonie constituent l'état primordial, l'harmonie qui règne dans le cours des étoiles, celle qui règne dans les organismes infimes ainsi que le télescope et le microscope nouveaux le révélaient. On doit déceler partout « la Raison, l'Ordre et la Proportion » pour employer les mots de Shaftesbury. Pour illustrer la supériorité de l'harmonie sur le chaos, Shaftesbury oppose « l'ordonnance et l'uniformité de ces édifices de pierre qu'érigent les bons architectes » à « un amas de pierres et de sable » sans s'aviser que l'amas de pierres et de sable pourrait bien figurer la nature en son état premier. Le XVIIIe siècle naissant était aveugle à cette hypothèse. La « simple nature » est, à priori, caractérisée par l'ordre et l'harmonie des proportions. Aussi en arrive-t-on à cette curieuse conclusion que l'architecture de Palladio est qualifiée de « naturelle » cependant que la fantaisie des bois et des prairies est également considérée comme « naturelle » et l'on pense, chez ces amateurs de grand air que sont les Anglais, que le jardin doit sembler aussi proche que possible de l'état sauvage. Addison exprime le premier cette idée clairement quand il s'écrie : « Pourquoi ne pas transformer un domaine en jardin? », et ailleurs : « Un homme pourrait faire de sa propriété un joli paysage. » Dans sa contribution à la revue *The Guardian* (1713), Pope suit Addison et surtout joint l'acte à la parole quand il fait exécuter son jardin miniature de Twickenham (1719-25). Cependant, il est remarquable que la sauvagerie n'ait jamais été prise à l'état brut, mais repensée, « améliorée ». Les jardins à l'anglaise sont d'abord des jardins antifrançais et la « nature sans ornements » de Pope n'a jamais été qu'un mythe. La sinuosité des allées et des bordures présente une irrégularité aussi artificielle que la régularité du Baroque. Ainsi que le déclarait Horace Walpole en 1750 : « Il n'y a pas de citoyen qui ne se creuse la cervelle pour tortiller son lopin de terre et y introduire des irrégularités là où, autrefois, il l'eût conçu aussi régulier que son nœud de cravate. » Ce besoin de compliquer la nature, de la torturer, c'est évidemment l'esprit rococo, plus proche de la rocaille que de ces jardins d'un XVIIIe siècle plus tardif qui s'attachent à imiter la nature non apprivoisée. C'est là la forme anglaise du Rococo — aussi spécifiquement anglaise que le Baroque de Wren l'était par rapport au Baroque continental.

Aussi, quand on évoque la grandeur et l'élégance de l'architecture française aux XVIIe et XVIIIe siècles, architecture urbaine s'il en fut, car les avenues rectilignes de Versailles ne font qu'introduire le genre de la ville dans les campagnes, on ne doit pas oublier, en constatant la régularité des maisons palladiennes en Angleterre de 1660 à 1750, que le jardin était leur complément indispensable. Aussi, l'on comprend l'assemblage à Prior Park d'une architecture sévère et d'un jardin tarabiscoté et l'on saisit, dans les développements urbains les plus importants de l'Angleterre georgienne tels que New-Edimburgh et surtout Bath, qu'on veuille garder la nature à portée de la main et l'incorporer délibérément dans la ville. John Wood fut le premier après Inigo Jones à avoir imposé l'uniformité palladienne au square anglais conçu comme unité architecturale. Pour tous les squares de Londres et d'ailleurs construits depuis 1660, chaque propriétaire avait la latitude de choisir le type de maison qui lui plaisait et ce fut par un accord tacite que les propriétaires de la société georgienne s'entendirent pour éviter les erreurs d'harmonie. John Wood, organise le Queen Square de Bath comme une façade de palais avec un portique central, des accents secondaires étant mis sur les bâtiments d'angle. Cela date de 1728. Vingt-cinq ans plus tard, il dessine le Circus, également à Bath, dans le même esprit d'uniformité (1754-1770 env.). Son fils et successeur, John Wood junior (mort en 1781) construisant le Royal Crescent de 1767 à 1775 env., assouplit l'aspect massif des premiers squares par une pelouse doucement inclinée où viennent donner les façades de trente maisons ornées de grandes colonnes ioniques et disposées en demi-ellipse. Ici nous voyons éclater une tendance exactement contraire à Versailles. La nature n'est plus la servante de l'architecture. Les deux entités jouent sur un pied d'égalité. Nous ne sommes plus loin du mouvement romantique.

A Londres, le principe de l'ordonnancement des façades fut introduit par Robert Adam pour son Adelphi — ce magnifique ensemble de rues, avec ce quai de la Tamise connu de l'Europe entière, qui fut détruit non par les bombes, mais juste avant la guerre au nom d'intérêts mercantiles — puis à Fitzroy Square et Finsbury Square. Mais ce n'est pas ici le lieu d'étudier l'œuvre d'Adam de réputation mondiale dans les environs de 1760 et 1770 — au moment même où l'influence du jardin anglais commençait à se faire sentir sur le continent : nous sommes encore trop près du palladianisme, du groupe de Burlington. Or elle est fondamentalement d'une autre espèce. Pour des raisons de clarté, il convient de placer Adam aux origines de ce que l'on a appelé le mouvement néo-classique, qui fait partie de ce grand bouleversement que fut le mouvement romantique. De ce mouvement romantique, problème capital pour l'Europe entre 1760 et 1830, on peut dire qu'il tire son impulsion de deux sources : une nouvelle manière d'envisager l'antiquité gréco-romaine et ce sentiment de la nature que nous avons vu naître avec la mode des jardins anglais.

560

560
Bath. Queen Square, côté Nord par John Wood l'aîné 1728.
561
Bath. Royal Crescent par John Wood le jeune, 1767-1775 environ.

561

327

Le Romantisme
L'Eclectisme
Le mouvement moderne

de 1760 à 1914

Les sources du romantisme sont anglaises. Le fait est assez bien connu dans le domaine littéraire ; il n'est pas suffisamment établi dans celui des beaux-arts et de l'architecture. Le romantisme littéraire est une réaction du sentiment contre la raison, de la nature contre l'artifice, de la simplicité contre l'emphase, de la foi contre le scepticisme. La poésie romantique exprime un nouvel enthousiasme pour la nature, un abandon de l'individu à la vénération de l'ambiance universelle, une nostalgie de la vie élémentaire et des civilisations primitives ou lointaines. Le Bon Sauvage, le Noble Grec, le Romain Vertueux, le Preux Chevalier sont des découvertes romantiques. Quel que soit son objet, l'attitude romantique est faite d'antagonisme au présent, présent vu par les uns comme un divertissement rococo, par d'autres comme une construction rationnelle dépourvue d'imagination, par d'autres encore comme une monstruosité industrielle et commerciale.

Cette opposition au présent et au passé immédiat se retrouve derrière toutes les manifestations du romantisme, quoique certaines tendances soient sorties du rationalisme du XVIIIe siècle et du Rococo. La conception du jardin paysager, conception romantique s'il en fut, remonte à Pope et à Addison comme nous l'avons vu, et apparut d'abord sous la livrée rococo. De même, la renaissance en architecture des formes médiévales chéries des romantiques anticipe de beaucoup le nouveau mouvement. Elle s'est fait sentir dans toutes les phases de style du XVIIIe siècle.

La tradition gothique, à vrai dire, ne s'est jamais interrompue en Angleterre. Avant 1700, on peut noter dans certains bâtiments de province une survivance inconsciente des formes gothiques ; elle est même délibérée à des époques aussi hautes que les dernières années de la reine Elisabeth (Wollaton Hall, 1580) ou les années du roi Jacques (Bibliothèque de St-John College, Cambridge, 1624). Quand Wren adopta le style gothique pour l'édification de plusieurs églises londoniennes, les deux raisons qu'il donna ne diffèrent pas notablement des arguments du XVIIIe et du XIXe siècle. Il disait d'abord que sur des fondements gothiques il faut construire gothique, car « dévier des anciennes formes serait s'égarer dans une mixture hétéroclite qu'aucun homme de goût ne saurait accepter ». Il disait aussi qu'il considérait ses églises londoniennes gothiques comme « non disgracieuses, mais ornementales ». On voit régner ici un double souci d'élégance et de

562

conformité avec le passé. Hawksmoor, en surmontant ses églises de tours gothiques, ne cherchait ni la conformité au passé ni la grâce. Le Moyen Age
fut pour lui l'expression achevée de la virilité primitive — cette conception
va au-delà de celle de Wren et l'on pourrait la qualifier de gothicisme baroque
dont Vanbrugh est le premier propagateur.

Vanbrugh introduisit aussi le gothique dans l'architecture domestique. Sa propre maison de Blackheath, érigée en 1717-18, a les apparences
d'une forteresse et présente une tour ronde aux allures de donjon. On retrouve les mêmes structures fortifiées dans les bâtiments qu'il construisit
ou dont il dressa les plans. Dans sa correspondance, il exposa et développa
les raisons de son attitude. Il souhaitait une architecture masculine. Il ne
répugnait aucunement à doter des maisons modernes de créneaux, de contreforts, de tours de guet et autres artifices médiévaux en ce qu'ils lui semblaient donner de la puissance à sa construction. Pourtant les structures
médiévales avaient, à ses yeux, un autre charme : sans aller jusqu'à l'excès
d'édifier de fausses ruines, ainsi qu'on le verra à la fin du XVIIIᵉ siècle, il
tenait à la préservation des ruines authentiques, les considérant comme « ins-
piratrices de réflexions vivantes et plaisantes sur les êtres qui y vécurent et
les événements remarquables qui s'y déroulèrent », et parce que « avec des ifs
et des houx émergeant d'épais buissons, elles sont parmi les objets les plus
agréables que puisse inventer le meilleur des paysagistes ».

562
Blackheat, London. Maison de Vanbrugh, construite par lui en 1717-1718.

L'austère version médiévale de Vanbrugh et Hawksmoor ne survécut pas à la disparition de ses promoteurs, mais les deux passages que nous avons extraits du mémorandum de Vanbrugh (sur Blenheim) peuvent servir de manifeste à la Renaissance romantique. On y trouve deux arguments déjà exposés par les théoriciens du XVIIIe siècle : le pittoresque et l'association des idées. On construit un bâtiment dans tel style parce que ce style doit susciter telle émotion. Construisant ce bâtiment, l'on doit tenir compte de la nature environnante, parce que les *virtuosi* avaient découvert dans la Grand-Tour, parmi les ruines romaines des environs de Rome, la vérité et le pittoresque des paysages idylliques et héroïques de Claude Lorrain, Poussin, Dughet et Salvator Rosa. Achetés librement par les collectionneurs anglais, ces tableaux contribuèrent à former le goût des artistes et des jardiniers amateurs ou professionnels.

Dans le temps même où Lorrain faisait l'admiration de Pope et de Kent (peintre avant de devenir architecte), les jardins de Twickenham et de Chiswick n'avaient rien du calme serein des paysages de Lorrain. Il fallait que le Rococo meure avant que l'on puisse réaliser l'idéal de beauté du peintre. Les « Leasowes », dont le poète William Shenstone dessina lui-même les plans vers 1745, furent sans doute le premier jardin où l'on voit se substituer aux « tortillons et entrelacs » une perspective de courbes adoucies qui, semée de monuments discrets et de petits temples, aident à dégager un sentiment de plaisante mélancolie. Mais c'est Lancelot Brown (Capability Brown, 1715-1783) qui demeure le grand nom des jardiniers paysagistes en ce milieu du XVIIIe siècle. A lui reviennent ces larges pelouses doucement vallonnées, ces boqueteaux artistement disséminés, ces lacs serpentins qui révolutionnèrent l'art du jardin en Europe et en Amérique. Nous avons alors abandonné le Rococo pour l'aimable simplicité du *Vicaire de Wakefield* de Goldsmith et l'élégance chaste des architectures de Robert Adam.

Le cas de Robert Adam (1728-1792) est plus complexe que celui de Brown. De renommée mondiale, il est le père du Néo-Classicisme en Grande-Bretagne. Son utilisation du stuc à la manière romaine et son adaptation des motifs classiques ont fortement influencé l'architecture du continent autant que les réalisations de Brown l'avaient fait en matière de jardins. Pourtant, la délicatesse n'est pas la caractéristique dominante qu'on se serait attendu à voir se dégager d'une véritable renaissance classique. On chercherait en vain dans les œuvres d'Adam les reflets de la sévère noblesse athénienne ou la virilité romaine, telles qu'on s'en fait l'image de nos jours. Il y a plus d'austérité dans le palladianisme de lord Burlington et de vigueur chez Vanbrugh qu'on n'en pourrait déceler chez Adam. Que l'on compare ainsi la Grande Galerie d'Adam à Syon House avec celle d'une maison palladienne. Adam orne ses murs d'un travail au stuc exécuté de manière ravissante et qui confère à l'ensemble un rythme alerte et léger. Il aime ouvrir une pièce sur une niche élégamment arrondie isolée par deux colonnes dont le seul office est de soutenir un léger entablement. Ce camouflage des relations spatiales, cette transparence qui laisse passer le jour de part et d'autre des colonnes et par-dessus l'entablement, ceci est original, spirituel, mais résolument antipalla-

563

564

563
Blenheim.
564
Syon House. Grande galerie, commencé en 1761 par Robert Adam.

dien. Même procédé à la grille d'accès de Syon House. Ici aussi lord Burlington aurait pu parler de fantaisie et de mascarade. En comparaison, les pavillons élevés par Vanbrugh au milieu des ailes de Blenheim ressemblent à des rocs épaulés par des géants. Les pilastres décoratifs d'Adam et ce lion qui se profile sur le ciel donnent l'impression que Vanbrugh est un Tartare et Burlington un pédant.

Selon ses propres expressions, Adam admirait dans une construction « l'élan et la chute, l'avance et la retraite, la diversité des formes », et « la variété des fines moulures ». Cette confession est bien caractéristique en ce qu'elle révèle des préoccupations qui ne sont ni baroques ni palladiennes — bien qu'Adam se soit rarement départi des canons palladiens pour l'extérieur de ses maisons de campagne — ni même classiques. Pourtant, on est obligé de rattacher Adam au mouvement rococo qui régna sur le continent au milieu du XVIIIe siècle — pour ne faire en Angleterre qu'une apparition si discrète —, autant que de voir en lui un représentant du Néo-Classicisme. Jeune homme, il avait fait le voyage d'Italie. De Spalato, il avait rapporté une

331

565

étude minutieuse sur les ruines du palais de Dioclétien, qu'il publia en 1763 dans une édition somptueuse. L'on s'accorde à reconnaître que ces gravures de monuments antiques inspirèrent les premiers tenants de l'école néo-classique. Adam avait été précédé par James Stuart et Nicolas Revett qui avaient publié en 1762 le premier volume de leurs très importantes *Antiquités d'Athènes*. Ces deux architectes avaient été subventionnés par la récente Société de Dilettantes, le club des gentlemen londoniens férus d'archéologie. Deux ans plus tard, Dumont publiait son ouvrage sur le temple de Paestum. L'architecte et l'amateur découvraient pour la première fois dans ces livres la force et la simplicité de l'ordre dorique grec. Ce que, depuis les traités sur les ordres du XVIᵉ siècle, on avait coutume d'appeler dorique n'en était qu'une variété d'apparence beaucoup plus légère appelée maintenant dorique romain si les colonnes étaient cannelées, ou dorique toscan dans le cas contraire. Les proportions trapues et épaisses du dorique grec, l'absence totale de base, choquèrent les palladiens. Sir William Chambers, champion des traditions palladiennes dans la génération postérieure à Burlington, et l'un des fondateurs de l'Académie Royale en 1768, considérait le dorique grec comme barbare. Adam ne le goûtait pas non plus. Sa réapparition dans les années soixante est mémorable. Il devint le *leitmotiv* de la phase la plus sévère du Néo-Classique connue en Angleterre sous le nom de Néo-Grec. L'ouvrage de Stuart et Revett avait pour parallèle, en français, *les Ruines de la Grèce* de Leroi, de 1758, et en allemand, la classique *Histoire des arts antiques* de Winckelmann, de

1763 — le premier livre qui reconnût et analysât les qualités profondes de l'art grec, sa noble simplicité et sa grandeur tranquille.

Sans doute l'appréciation de Winckelmann était-elle plus littéraire que visuelle, car il place au premier rang des chefs-d'œuvre *l'Apollon du Belvédère* et le *Laocoon*, exemples caractéristiques du Baroque et du Rococo grec tardif. Les statues d'Olympie et d'Egine, peut-être même celles du Parthénon, l'auraient-elles choqué? Cela n'est pas invraisemblable. Ses goûts hellénisants n'allaient sans doute pas plus loin que ceux d'un Josiah Wedgwood qui fabriquait des vases sur les modèles du cinquième siècle grec, en croyant qu'ils étaient étrusques, et qui baptisa « Etruria », son atelier de Stoke-on-Trent... Mais le style de Wedgwood est élégant et souriant, c'est un style plus apparenté à Adam qu'à la Grèce. Pourtant, derrière ces contresens, il y a une aspiration indéniable vers la Grèce, il y a dans les publications archéologiques, si ce n'est dans celles d'Adam, mais dans celles de James Stuart, une préférence marquée pour Athènes, aux dépens de Rome. « Stuart l'Athénien » (1713-88), va jusqu'à reproduire et transplanter intégralement des structures grecques sur le sol anglais et élever des petits temples grecs pour ses clients nordiques... N'a-t-on pas réuni toutes les conditions requises pour une Renaissance grecque? Mais encore une fois, si nous laissons de côté les intentions et que nous regardons tout simplement, nous verrons des pavillons miniatures de style dorique dans les jardins paysagers, morceaux pittoresques pour meubler les jardins. Un tel temple dorique, œuvre de Stuart, embellit les propriétés de Hagley, près de Birmingham, et, à quelques pas de là et en même temps, le propriétaire fit élever une ruine gothique comme loge de gardien et un pavillon à la mémoire du Thomson des *Saisons*. Le temple dorique de Hagley fut construit en 1758 et c'est le premier monument de néo-dorique grec en Europe.

On est frappé de voir que l'édifice grec est aussi correct qu'est fantaisiste la ruine gothique. L'amateur de formation classique était seulement capable de surveiller un seul de ces styles. Les architectes, aussi, même les constructeurs de province, étaient en 1760 assez avertis de l'antiquité classique pour donner une restitution valable du Panthéon en miniature, ou bien construire une ruine d'aqueduc romain sans trop de fautes. Mais on était encore fort peu renseigné sur les œuvres gothiques. Ainsi, tandis qu'on verra les pastiches grecs et romains devenir rapidement orthodoxes, fidèles, desséchés, les innombrables retraites, pavillons, kiosques, ruines, haltes et autres folies gothiques, feront preuve longtemps d'une fantaisie naïve et débridée — un Gothique rococo comme le style d'Adam était un classique rococo.

A Horace Walpole revient le crédit d'avoir mis le style gothique à la mode dans la construction des maisons de campagne. Sa propriété à Strawberry Hill, près de Londres, acquit une grande notoriété auprès des connaisseurs et des architectes de la jeune école de l'Europe entière. C'était un bâtiment qu'il avait agrandi dans le style gothique en 1750. Il se place à la tête de tout un ensemble d'amateurs ayant les mêmes goûts, notamment William Kent, que nous avons déjà rencontré comme adepte de Pal-

566

565
Syon House. Portique d'entrée, 1773.
566
Fabrique de jardin. Tirée de Gothic Architecture Decorated, 1759.

ladio et comme pionnier des jardins pittoresques. Walpole tenait à l'exactitude des détails dans la décoration intérieure. Les cheminées, les panneaux muraux, étaient copiés sur les gravures de tombes médiévales ou de jubés. Mais il faut convenir qu'il admirait dans le Gothique des qualités que nous n'y voyons plus. Sa correspondance de 1748 et 1750 fait état du « charmant et vénérable Gothique », de « cet air de nouveauté capricieuse » que les motifs gothiques confèrent à une habitation moderne. Charmant et capricieux sont bien les épithètes qui s'appliquent à Strawberry Hill, avec sa façade en papier découpé et sa jolie galerie intérieure aux voûtes en éventail et aux remplages soulignés d'or enchâssant des miroirs. Cet usage amusant du Gothique est plus proche de l'esprit du mobilier chinois de Chippendale que des méditations de Wordsworth à Tintern Abbey, ou même des églises néo-gothiques victoriennes. Sans doute est-il vrai que Walpole était opposé aux « chinoiseries », mais, aux yeux de la postérité, un commun dénominateur semble rapprocher le pont chinois, le Panthéon miniature et la ruine gothique des années 1750. Ne voyons-nous pas d'ailleurs Adam se complaire à dessiner des ruines dans le style rococo et brillant du Piranèse et, lui l'hellénisant, faire des projets d'un mobilier d'inspiration doucement médiévale? Et sir William Chambers, héraut convaincu du palladianisme, dresser les plans de la pagode pour les jardins de Kew?

Il y avait, dans les jardins de Kew, toutes les extravagances du jardin rococo : outre la pagode, qui par bonheur subsiste, un temple de Pan, un temple consacré à Eole, d'autres à la Solitude, au Soleil, à Bellone, à la Victoire, une maison de Confucius, un théâtre romain, un alhambra, une mosquée, une cathédrale gothique, un arc en ruine, etc. Toutes les utopies turques, mauresques, gothiques, chinoises, dans ce rassemblement de styles exotiques sont de même nature que la raillerie des œuvres de Voltaire, *Zadig* et *Babouc*, ou des *Lettres persanes* de Montesquieu, celle d'un rococo raffiné à double signification. Car cela n'était pas encore le romantisme. Dans le spectacle d'une pagode rien n'évoquait la méditation grandiose des romantiques. La plupart de ces ornements courants succombèrent à la révolution provoquée par l'infiltration des sentiments romantiques dans l'art des jardins. Mais le culte du passé survécut, on se prit d'amour pour le lointain, qu'il le fût dans l'espace ou dans le temps. Au demeurant, Walpole n'était pas dépourvu de sentiments romantiques quand il édifia Strawberry Hill, il y voyait son *Château d'Otrante*, disait-il. Il est difficile d'y croire. Plus tard, l'excentrique Beckfort s'effrayait lui-même de cette abbaye de Fonthill dont il avait ordonné la construction à James Wyatt (1746-1813) à partir de 1796. La profondeur des galeries et l'énormité de la tour le remplissaient d'une horreur sacrée qui n'est pas incompréhensible, à la vision des dessins qui, seuls, ont subsisté. Fonthill Abbey est déjà véritablement une construction romantique due aux libéralités d'un fou. En 1772, face à la cathédrale de Strasbourg, Gœthe trouve les mots qui expriment l'admiration passionnée pour l'esprit de l'architecture gothique. « Elle s'élève sublime, largement arquée comme un arbre de Dieu, qui, par ses mille branches, ses millions de rameaux, son feuillage plus nombreux que les sables de la mer, raconte

567

568

567
Jardin de Kew, Surrey, par Sir W. Chambers, 1761.
568
Twickenham, Middlesex. Strawberry Hill, agrandi et accommodé en style gothique, 1750-1770 environ.
569
Twickenham. Strawberry Hill, « Chambre Holbein ».

569

alentour la gloire de Dieu, son maître... Jusqu'à la moindre tige, tout est forme, tout concourt à l'ensemble. Voyez comme le géant solidement planté sur le sol s'élève légèrement dans l'air. Voyez comme, étant toute délicatesse, il touche à l'éternité... Arrête-toi, frère, et discerne la vérité en son sens le plus profond... quand elle jaillit du cœur puissant, âpre, de l'Allemagne... N'égare pas, cher jeune homme, la grandeur amère pour les tentations de cette beauté moderne qui zézaye. »

Dès lors, le style gothique ne répond plus aux mêmes aspirations que le Rococo, le pseudo-chinois ou l'hindou ; il vient symboliser les énergies élémentaires, les sources profondes des sentiments humains — en fait ce que Winckelmann, et Gœthe lui-même un peu plus tard, virent dans l'art de la Grèce. Aux yeux des artistes et des esthéticiens sérieux, le style grec et le style gothique étaient le remède à la superficialité du XVIIIᵉ siècle. Ce mouvement réactionnaire fut encore plus sensible en France qui avait été, encore plus que l'Angleterre, imprégnée du Rococo. La révolte commença dans les années 1750. Un amateur éclairé, l'abbé Laugier, dans son *Essai sur l'architecture* (1753) s'écriait : « Tenons-nous-en au simple et au naturel. » Charles-Nicolas Cochin le Jeune (1715-1790), un jeune graveur de talent, dans sa *Supplication aux Orfèvres*, implorait les artisans d'abandonner les courbes serpentines et autres « ornements tortueux et extravagants » pour en revenir à « l'angle droit » qui seul peut « faire un bon effet ».

Ange-Jacques Gabriel (1698-1782) fut le premier grand architecte français à se tourner vers des formes plus classiques. Il ne fit jamais le voyage d'Italie, la maturité de son style est due principalement à la méditation sur l'œuvre de ses prédécesseurs du XVIIᵉ siècle, ainsi qu'en Angleterre, Inigo Jones avec Palladio. Ses ouvrages les plus importants sont : le château de Compiègne commencé en 1751, les deux hôtels qui bordent la place de la Concorde commencés en 1757, l'Ecole Militaire dessinée déjà en

571

572

1751, mais recomposée en 1768, et le Petit Trianon commencé en 1762. On n'y décèle aucun caractère révolutionnaire. L'escalier de l'Ecole Militaire est construit sur le type de l'escalier de Mansart à Blois, mais les voûtes aux caissons peu profonds et la solide rampe de bronze donnent une fermeté rassurante après les élégances du Rococo. Le travail de la pierre dans toutes les œuvres de Gabriel est admirable. Pour les façades de la place de la Concorde, Gabriel a disposé les loggias au premier étage, rappelant l'œuvre de Perrault pour la façade orientale du Louvre. Le Petit Trianon ne compte pas de saillies bombées, pas de dômes, pas même de fronton. C'est un petit cube de proportions parfaites dont l'œil n'est distrait par aucun décor extérieur.

On a prétendu que le Petit Trianon portait la marque de l'influence du palladianisme anglais. Cette hypothèse n'est pas très bien étayée, et fort peu nécessaire. L'influence anglaise se fera sentir à Versailles, un peu plus tard, à la fois sous la forme du palladianisme — Couvent de la Reine des environs de 1770, œuvre de Richard Mique (1728-1794) — et sous la forme plus mouvementée du pittoresque : telle cette rotonde, monoptère,

573

574

575

576

577

dédiée à Cupidon et érigée vers 1777, et surtout le Hameau pseudo-normand de Marie-Antoinette vers 1781, construits par le même Mique. Puis la vogue gagna Paris où les riches amateurs voulurent avoir leur jardin anglais et les garnitures adéquates : une maison ronde en forme de colonne tronquée dans le Désert de Retz ou de Monville (1771), une pagode à peine chinoise à Chanteloup (1775-8) etc. Rien d'ailleurs n'est plus caractéristique que ce nom de « folies » donné à ces propriétés d'inspiration anglaise. Le spécialiste de ces folies était François-Joseph Bélanger (1744-1818) qui créa Bagatelle et la Folie St-James dans les années 1770. Celle d'Ermenonville de Rousseau est de la même période [37]. En 1775, on publiait une lettre « sur la manie des jardins anglais ». Un peintre — et c'est un fait caractéristique — était intimement lié à Bélanger et aux jardins paysagers, c'est Hubert Robert (1733-1808), le meilleur paysagiste français du temps. Il travaillait à Versailles en 1775 et paraît avoir eu quelque part dans l'élaboration du Désert de Retz.

Hubert Robert avait été envoyé à Rome en 1754, patronné par le frère cadet de Mme de Pompadour, Surintendant des Bâtiments, qui, lui-même, avait fait le voyage quatre ans auparavant. M. de Marigny avait été accompagné dans cette quête d'un style plus sévère et plus classique par Cochin, l'auteur de la *Supplication aux Orfèvres*, et par Jacques-Germain Soufflot (1713-1780), l'architecte le plus représentatif de la génération qui suivit Gabriel : Soufflot est connu pour avoir construit la basilique Sainte-Ge-

578

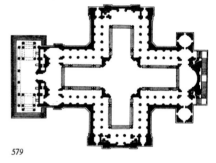

579

nevière, baptisée Panthéon pendant la Révolution. On peut affirmer, sans jeu de mots, que, pour la France, ce bâtiment était révolutionnaire. En Angleterre, il eût moins étonné, car l'influence anglaise y est sensible en ce qui concerne le dôme, très inspiré du dôme de Wren pour la cathédrale Saint-Paul. Elevé sur une haute colonnade circulaire, le dôme de Soufflot domine la grande croisée d'un bâtiment en croix grecque libre. Des coupoles moins élevées couvrent les quatre bras de la croix à la manière de ce qui fut fait dans l'église des Apôtres à Byzance, à Périgueux, à la basilique Saint-Marc à Venise, et pour le Mémorial Sforza, ainsi qu'on témoigne la médaille de 1460. Mais, tandis que pour ces derniers bâtiments la coupole repose sur de solides murailles ou piliers, Soufflot imagine de la faire reposer, autant que possible, sur des colonnes supportant des entablements droits. Le déambulatoire, qui fait le tour complet de l'église, n'est soutenu que par des colonnes à l'exception de quatre minces piliers triangulaires flanqués de colonnes qui soutiennent le dôme à l'intersection des branches de la croix. Ultérieurement, les piliers furent épaissis et les verrières comblées, ce qui eut pour effet de détruire l'impression de légèreté que Soufflot voulait donner à l'édifice. Cette combinaison de la stricte et sévère régularité romaine avec la légèreté du dessin est la contribution originale de l'architecte. Cette conception n'est pas très éloignée de celle de Robert Adam. Mais, tandis qu'Adam agissait d'instinct, l'allégement souhaité par Soufflot était le fruit d'une théorie élaborée, théorie si curieuse et si ambiguë qu'il convient de

580

581

s'y arrêter. Laugier et d'autres artistes avaient dénoncé les pilastres engagés sur des piliers comme antinaturels. Par antinaturel, il faut entendre baroque. A leur avis, la colonne était naturelle et conforme aux impératifs grecs, tel était le support le plus mince et, si elle était en mesure de supporter la charge prévue, elle devenait la solution la plus rationnelle. Alors on s'avisa que des réalisations gothiques réussissaient à équilibrer le maximum de poids sur le minimum de volume de maçonnerie et Soufflot écrivit en 1762 qu'il souhaitait combiner les ordres grecs avec « la légèreté qu'on admire dans certains bâtiments gothiques ». Perronet, directeur de la fameuse Ecole des Ponts et Chaussées, disait quelques années plus tard : « Sainte-Geneviève tient le milieu entre les architectures massives de l'antiquité et les légères constructions gothiques. » Dans ce sens, la France, au milieu du XVIIIe siècle, a aussi sa renaissance gothique [38]. Mais, tandis qu'en Angleterre, la réforme obéit à des considérations sentimentales et pittoresques, en France on obéit à des impératifs de structure, d'où il s'ensuit que cette Renaissance fut à peine marquée.

582

583

584

585

Soufflot avait donné une conférence sur le Gothique dès 1741. Quand il était en Italie en 1750, il alla voir les temples de Paestum et les releva dans les moindres détails. Ses dessins furent publiés en 1764 par Dumont dans le volume que nous avons mentionné. Mais la réflexion de Soufflot ne l'amena pas à l'imitation. Il n'en fut pas de même avec les architectes français de la génération suivante envoyés à Rome, vers les années 1750 et 1760. Cette génération d'hommes nés entre 1725 et 1740 n'eut pas vraiment de chef en France. Les plus connus de nos jours sont Ledoux et Boullée, récemment découverts, bien que ni l'un ni l'autre n'aient connu la fortune de beaucoup de leurs confrères, pourtant à peine connus au-delà d'un cercle étroit : Charles de Wailly et Marie-Joseph Peyre, les deux architectes de

586

587

l'Odéon (1778-82), J.-D. Antoine, Victor Louis, Rousseau, Gondoin qui construisit la Faculté de médecine, Brongniart, l'auteur du couvent des Capucins, de la Chaussée-d'Antin, devenu lycée Condorcet, Chalgrin qui construisit l'Arc de Triomphe et St-Philippe-du-Roule, Desprez qui travailla en Suède, Bélanger et d'autres encore. Leur style, issu de Gabriel et de Soufflot, se ressent des influences anglaise et romaine. Il est caractérisé par des formes strictement cubiques sans toits en pavillon ou plus exactement sans toit visible, par des dômes sur le modèle de celui du Panthéon de Rome (plutôt que du Panthéon de Paris, trop rattaché au Baroque) et de Bramante, par des portiques couronnés par des entablements droits en place de fronton (hôtel d'Uzès en 1767, et château de Bénouville en 1768 par Ledoux, hôtel de Brunoy en 1772 par Boullée, théâtre de Bordeaux en 1772-80 par Louis, hôtel de Salm, aujourd'hui Légion d'honneur, par Rousseau en 1782-86, Odéon, Bourse par Brongniart en 1807 etc.), par des voûtes en berceau à caissons (Chalgrin à St-Philippe-du-Roule, 1774-84) et par la préférence pour le toscan et le dorique grec sur les autres ordres plus délicats. L'Angleterre avait aimé le toscan depuis les dernières années de Wren et introduit le dorique grec à Hagley dès 1758. En France, il apparut en 1778 au théâtre de Besançon par Ledoux, et entre 1778 et 1781 au portail de la chapelle de l'hôpital de la Charité par Antoine. Mais les Français aimaient mieux la colonne toscane courte et trapue que le dorique grec. L'absence de cannelure le rendant encore plus primitif, Brongniart utilisa cet ordre dans le cloître des Capucins

343

588

en 1780; le peintre David dans son *Serment des Horaces* de 1784 qui fit époque; Poyet dans l'ensemble de la rue des Colonnes en 1798; Thomas de Thomon pour la Bourse de St-Pétersbourg en 1801 et ainsi de suite. Les colonnes toscanes et doriques sont l'antithèse des pilastres sur les surfaces courbes que le rococo avait aimés. Elles représentent la puissance vis-à-vis de l'élégance. De la même manière, en contrepartie de la délicatesse et de la petitesse du Rococo, les architectes se mirent à composer sur une échelle grandiose. On vit surgir sur le papier des rêves architecturaux qui se souciaient à peine de ce qui serait ou pourrait être réalisé, qu'il s'agisse de palais royaux ou de bâtiments à usage plus démocratique, musées, librairies, académies vaguement définies ou ce mémorial à Isaac Newton, découvreur d'un ordre dans l'infini.

On peut dire que les jeunes architectes furent particulièrement séduits par Jean-Baptiste Piranèse (1720-1778), architecte vénitien qui vécut à Rome et construisit fort peu, et dont les rares réalisations sont assez décevantes. Mais Piranèse avait dessiné d'innombrables planches d'architecture, quelquefois fantastiques mais qui le plus souvent voulaient être des reconstitutions de l'Antiquité romaine. L'exactitude du détail y est jalousement respectée mais l'échelle et la composition sont fantastiques. Piranèse peint Rome sous des couleurs sublimes, « au-delà, dit Horace Walpole, de ce que Rome elle-même prétendait être quand elle se trouvait au zénith de sa splendeur ». A son retour de la Ville Eternelle, Flaxman confessait qu'il avait trouvé les ruines « moins frappantes qu'on ne pouvait s'y attendre après avoir connu les gravures de Piranèse ». Les planches de Piranèse le firent admirer de l'Europe entière. Il fut nommé membre honoraire de la Société des Antiquaires à Londres en 1757, et dédia à Robert Adam la publication de son *Circus Maximus*. Il fait des bâtiments antiques l'œuvre de titans où les hommes rampent et se faufilent comme de chétifs pygmées. Il y a là plus qu'une

588
Leningrad. La Bourse.
589
Piranèse. Temple de Vesta.

touche du caprice rococo, de même que dans le maniement spirituel du burin et de l'aiguille de l'aquafortiste. Mais considérant la ferveur qu'il met, pour citer Horace Walpole encore, à « faire rivaliser le Ciel même avec ces montagnes d'architecture » et la délectation qu'il éprouve pour certaines formes élémentaires comme la pyramide et, à l'extrême fin de sa vie, pour les colonnes doriques de Paestum, il est permis de voir en lui un des premiers messagers du romantisme.

Les fruits de cette admiration qu'éprouvaient les étudiants de l'Académie de France pour Piranèse ne se firent pas attendre. Les *Œuvres d'Architecture* de Peyre furent publiées en 1765. Elles contiendrent des dessins mégalomanes, pour un palais des académies de France, une cathédrale, etc. Peyre était à Rome de 1753 à 1757, Chalgrin de 1750 à 1763, Gondoin de 1761 à 1766 et ainsi de suite. Mais ni Boullée ni Ledoux, croit-on, ne connaissaient l'Italie [39], pourtant leur style ne peut pas être compris si on ne se réfère à Piranèse et à Peyre. L'œuvre architectural d'Etienne-Louis Boullée (1728-1799) ne présente pas un intérêt considérable, tout comme Piranèse. Sa gloire repose sur de nombreux dessins exécutés vers 1780 ou 1790 pour des conférences ou la publication. On y voit une cathédrale en forme de croix grecque qui s'ouvre aux quatre points cardinaux sur des porches soutenus par seize colonnes géantes, un musée de plan central où l'on pénètre par quatre immenses porches semi-circulaires, chacun flanqué de cent cinquante-deux colonnes réparties en profondeur sur quatre rangs de trente-huit colonnes chacun, une Bibliothèque Nationale dont la salle de lecture est couverte d'une voûte en berceau de dimensions inouïes, un cimetière dont l'entrée a la forme d'une pyramide aplatie flanquée de deux obélisques, un cénotaphe pour un guerrier en forme de sarcophage apparemment d'une hauteur de soixante-quinze mètres, un monument à Newton dont l'intérieur est entièrement sphérique et d'un diamètre de trois cents mètres, s'il faut s'en rapporter pour les mesures à la dimension des figures humaines. Au demeurant, la précision des proportions n'est peut-être pas à rechercher. Piranèse ne s'en était pas soucié. Boullée dans ses commentaires plaide en faveur d'une architecture sentie non pas raisonnée, exprimant la force, la grandeur, la magie de l'esprit créateur. Les impératifs pratiques, eux non plus, n'étaient pas envisagés.

Claude-Nicolas Ledoux (1736-1806) fut plus en vogue. En dépit d'une humeur excentrique et d'un caractère irritable, il reçut de nombreuses commandes pour l'édification de maisons de ville ou de campagne et de quelques bâtiments publics. Des plus riches maisons qui se construisirent à Paris entre 1760 et 1820, bien peu survivent et non les plus caractéristiques. A un voyageur qui visitait la capitale, le style de ces maisons devait s'imposer plus qu'à nous qui devons nous contenter de gravures. Parmi les bâtiments d'architecture non domestique que nous a laissés Ledoux, les plus remarquables sont, ou étaient, les suivants : les pavillons d'octroi de Paris, construits de 1784 à 1789, où l'on note une grande diversité de plans et d'élévations, mais tous dans un style massif, puissant, avec l'usage de la colonne toscane ou dorique ou même de colonne à bagues non épannelées, le théâtre de Be-

590

591

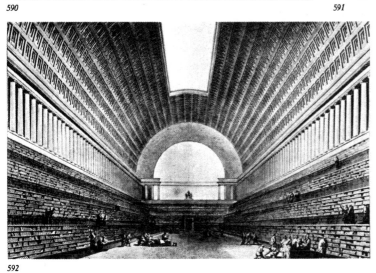

592

593

590
Boullée, Cénotaphe. Monument à Newton, 1784,
coupe.
591
Boullée. Monument à Newton, vue extérieure.
592
Boullée. Projet pour une Bibliothèque Nationale.
593
Cl. N. Ledoux. Rotonde de la Villette, 1789.

Barriere de Pantin.

Barriere St Martin.

Barriere de la Chopinette

Barriere des trois Couronnes

Barriere de Belleville (*)

Barriere de Ménil-Montant (*)

Barriere de Charonne.

Barriere des Rats (*)

Barriere du Trône.

Barriere de St Mande

Barriere de Reuilly.

Barriere de Montreuil

Barriere de Charenton (*)

Barriere de Picpus

sançon qui fut élevé en 1778-84, avec ses colonnes en dorique grec à l'intérieur, comme nous l'avons déjà noté. Elles formaient une colonnade au sommet d'un amphithéâtre semi-circulaire. Le demi-cercle, forme géométrique simple, devait plaire à Ledoux et à ceux de son groupe. Gondoin l'avait déjà utilisé en 1769-70 dans ses dessins pour l'Ecole de chirurgie, et, après la Révolution, de Gisors et Lecointe en firent autant pour le Conseil des Cinq-Cents au Palais-Bourbon (1797). Mais l'œuvre de Ledoux la plus frappante, même dans la forme fragmentaire que nous connaissons, est la saline de Chaux à Arc-et-Senans, sur la Loue, près de Besançon, construite principalement entre 1775 et 1779. L'entrée est formée d'un porche profond supporté par de robustes colonnes toscanes ; au fond, il y a une niche immense, à peine dégrossie comme si l'on avait laissé la pierre à l'état naturel, des urnes de pierre d'où s'écoulent des congélations sculptées, parfait mariage du classique et du romantique soudés l'un à l'autre par la vénération du primitif, de l'élémentaire.

Ces qualités cependant prenaient des formes différentes et parfois contradictoires dans d'autres dessins de Ledoux, dessins qui, pour des raisons bien compréhensibles, ne furent jamais exécutés. A l'usage du garde des eaux de la Loue, Ledoux voulait faire construire sur la rivière une maison en forme de tonneau d'où l'eau jaillirait en cascade. Pour les gardiens du parc de Maupertuis, il imagina des maisons complètement sphériques et des pyramides pour loger les hauts fourneaux d'une fonderie de canons. Ainsi

594
Cl. N. Ledoux. Les Barrières de Paris, 1785-1789.
595
Arc et Senans. Portique d'entrée des Salines par Cl. N. Ledoux, commencé en 1775.
596
Cl. N. Ledoux. Décoration des Salines.

349

597

ce désir de retourner aux formes élémentaires de la géométrie que le Rococo avait remplacées par des formes plus complexes et des courbes plus gracieuses entraînait l'artiste vers une architecture pour l'architecture détachée de toute considération utilitaire. Ledoux dessina aussi le plan d'une cité idéale, qu'il publia en grand in-folio en 1806, l'accompagnant d'un manifeste assez confus sur les rapports entre l'architecture et les réformes sociales. Les bâtiments publics remplissent des fonctions mal définies, tel ce « Palais destiné au culte des valeurs morales ». Le vague est souvent caractéristique de la rhétorique révolutionnaire en France. Ledoux n'était pas, lui-même, partisan de la Révolution, mais le groupe auquel il appartenait et dont il était l'organe le plus vociférant, est considéré à juste titre comme celui des architectes de la Révolution, car il était en révolte contre l'autorité acceptée et combattait pour défendre le droit à l'originalité.

On voit combien la situation avait évolué depuis les années 1750-60. Alors l'ennemi avait été le Rococo, maintenant la règle absolue était l'acceptation aveugle de l'Antiquité. Ledoux refusait aussi bien Palladio que les Grecs. Lui et ses confrères voulaient repenser le problème, re-sentir la solution à chaque nouvelle circonstance proposée. On ne saurait leur donner tort car aucune santé artistique n'est possible si l'imitation d'un art plus ancien est posée à priori. La Renaissance ne s'était jamais contentée d'imiter. Les palladiens du XVIIIe siècle, les néo-grecs du début du XIXe siècle montraient des tendances à la servilité. Gœthe, dans la plus classique inspiration de son *Iphigénie*, demeurait original, et ce qu'il admirait le plus dans la cathédrale de Strasbourg, c'était précisément l'originalité dans le sens de Young. Ainsi les quelques grands architectes de l'époque de Gœthe usèrent-ils des formes gréco-romaines avec la plus grande liberté.

Nous en citerons deux : sir John Soane, pour l'Angleterre, et Friedrich Gilly, pour la Prusse. Soane (1753-1837) était comme Ledoux un homme

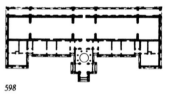

598

597
Cl. N. Ledoux. La maison des Directeurs sur la Loue.
598
Plan du musée de Dulwich.
599
Sir John Soane. Dessin pour la rotonde de la Banque d'Angleterre, 1788-1808.
600
Dulwich, Londres. Le musée de peinture de Dulwich college par Sir John Soane, 1811-1814.
601
Londres. La maison de Soane à Lincoln's Inn Fields, 1812-1813.

350

599

600

601

de tempérament autocratique et d'humeur ombrageuse et querelleuse quoique généreux. Il avait douze ans quand parut le *Livre d'Architecture* de Peyre et l'on imagine qu'il en fut imprégné avant le voyage à Rome qu'il fit en 1776. Il y rencontra peut-être Piranèse, en tout cas il visita Paestum et commença d'utiliser la colonne dorique grecque (signe certain d'une aspiration pour l'austérité) en 1778, l'année même où Piranèse publia son album de gravures sur Paestum. Il fut nommé architecte de la Banque d'Angleterre en 1788. Avant d'être converti par de récents gouverneurs en une sorte de podium prétentieux et commercial du XXᵉ siècle, l'extérieur du bâtiment faisait montre de cette sévérité nouvelle pour tous, et choquante pour beaucoup. L'intérieur donne une idée encore plus claire du sens de l'intégrité de la surface. Les murailles se fondent insensiblement dans la voûte. Les moulures sont réduites au minimum. Les arcs se dressent sur des piliers qu'ils semblent à peine effleurer. Le style ne s'encombre d'aucun précédent. La Dulwich Gallery (1811-1814) et la maison de Soane dans Lincoln's Inn Fields, construite en 1812-13 et destinée à être deux fois plus large, sont ses créations les plus indépendantes. Le rez-de-chaussée de la maison présente en façade de sévères et simples arcades. Le premier étage respecte la même disposition inhabituelle avec une variation au centre où des colonnes ioniques supportent une très légère architrave ; sur les ailes, l'austérité des arcades est égayée par une ornementation typiquement personnelle. Les pavillons du dernier étage, à droite et à gauche, sont d'une conception également originale. Si donc l'on excepte l'emploi des colonnes ioniques, il n'y a pas un motif de la façade qui puisse se réclamer d'un cousinage grec ou romain. Ici, par excellence, nous voyons naître en Angleterre un style nouveau, détaché du passé. Mais les composantes du style de Soane sont encore plus complexes, dans la mesure où, derrière les influences française et piranésienne, on découvre l'élément anglais. La façade de la maison de Soane,

351

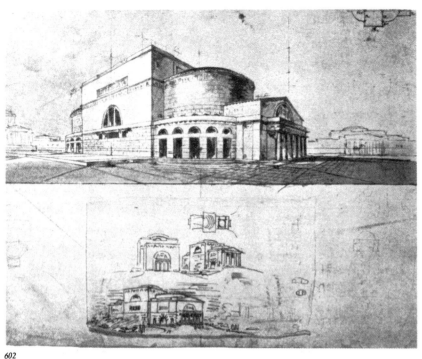

602

dans sa réalisation, ne comprend qu'un seul des panneaux projetés et celui-ci est agrémenté de quatre consoles ne supportant rien. Ces consoles furent apportées de Westminster Hall et incorporées à la façade lorsque Soane travaillait au Palais de Westminster. C'est une manifestation patente de ce que Perronet appelait une position intermédiaire entre l'Antique et le Gothique. Ajoutons que Soane avait aménagé et équipé un musée à l'arrière de sa maison, musée où l'on voit se côtoyer des fragments de bâtiments antiques et gothiques, où des motifs néo-classiques alternent avec des motifs néo-gothiques, le tout centré sur un authentique sarcophage égyptien, clé d'une composition extrêmement compliquée où l'on voit de petites pièces s'encastrer ou déboucher dans d'autres petites pièces, de surprenantes dénivellations, où le sol vient presque à manquer sous les pieds, à moins qu'un coin de ciel, venu d'on ne sait où, ne se manifeste au-dessus de votre tête. Ajoutons encore des miroirs, souvent déformants, placés de manière à faire perdre au visiteur la notion d'espace et de limite. Une de ces pièces en contient quatre-vingt-dix. Cette absence de confiance dans la solidité des choses et leur sécurité, absolument antihellénique en son essence, est parfaitement romantique. La renaissance classique, comme on l'a déjà remarqué, est une des facettes du mouvement romantique.

Friedrich Gilly (1772-1800), qui a fort peu construit, fait montre du même esprit. Elevé à Berlin, il n'alla jamais en Italie, mais il eut l'occasion de se rendre à Paris et à Londres où il prit connaissance des compo-

602
Esquisse pour un théâtre national pour Berlin par F. Gilly 1798.

352

sitions du groupe de Ledoux, et peut-être de Soane, mais il ne faut pas exagérer l'influence franco-anglaise car avant ce voyage il avait dessiné un des deux chefs-d'œuvre qui témoignent de son génie — dessins qui ne furent jamais réalisés. Le premier est le monument national à Frédéric le Grand (1797), le second un théâtre national pour la ville de Berlin, d'une conception toute gœthéenne. Le portail dorique sans fronton est empreint d'une gravité puissante. Les fenêtres semi-circulaires, motif favori des architectes révolutionnaires parisiens, bien qu'importé d'Angleterre, ajoute la force à la force, et le contraste entre le demi-cylindre de la salle — demi-cylindre du théâtre de Ledoux à Besançon — et le cube correspondant à la scène est parfait du point de vue fonctionnel et magnifique du point de vue esthétique. Ici encore, nous pouvons nous attendre à voir fleurir un style neuf dans un siècle neuf.

Comment alors expliquer qu'il faudra attendre une centaine d'années avant que la conscience publique accepte réellement un style original et moderne? Comment expliquer qu'après Soane et Gilly les gens se soient complu dans le démarquage plus ou moins heureux du passé? Comment une société si audacieuse dans les domaines commercial, industriel et de l'invention a-t-elle pu être si timorée sur le chapitre des beaux-arts? Car l'époque victorienne a manqué de vigueur et de courage sur le plan spirituel. Le standard de l'architecture devait s'évanouir le premier; car les poètes et les peintres travaillant dans l'isolement de leur chambre ou de leur atelier peuvent bien oublier le temps où ils vivent, mais un architecte ne saurait vivre en opposition avec la société pour laquelle il travaille directement. On peut dire, d'une part, que ce qu'il y avait d'aspirations artistiques, de sensibilité visuelle, est mort de découragement devant le jaillissement chaotique et incontrôlable des nouvelles cités, des nouvelles usines, et ne put résister qu'en se réfugiant dans le culte du passé. Si, d'autre part, on se tourne du côté des commanditaires, on voit naître une clientèle de maîtres de forges, de propriétaires de filatures, d'industriels nouveaux riches pour l'immense majorité et dont on ne pouvait exiger qu'ils possédassent la culture raffinée des gentilshommes, leurs prédécesseurs. De là sortit la presque totale uniformité des maisons anglaises du XVIIIᵉ siècle. L'inculture et l'individualisme sont les caractéristiques du nouveau riche victorien. Si, pour une raison quelconque, tel directeur d'usine s'est entiché d'un style, rien ne l'empêche de faire construire sa maison, son atelier, son bureau, son club, dans ce style. Malheureusement, les recherches effectuées par les générations précédentes avaient été si nombreuses et si variées, les amateurs du XVIIIᵉ siècle avaient exploré tant de formes fantaisistes, proposé tant de styles, les poètes romantiques se complaisaient dans tant de rêveries nostalgiques du lointain à la fois dans le temps et l'espace que les nouveaux mécènes n'avaient que l'embarras du choix. Le Rococo avait réintroduit des styles étrangers, le mouvement romantique les dotait d'associations sentimentales. Le XIXᵉ siècle perdit la légèreté de touche du Rococo et la ferveur émotionnelle du romantisme, mais il tint à la variété de style parce que les valeurs d'associations en architecture étaient les seules accessibles à la nouvelle classe dirigeante.

603

604

Nous avons cité le plaidoyer de Vanbrugh en faveur des ruines pour des raisons d'association. Sir Joshua Reynolds, dans son treizième *Discours* de 1786, expose le même argument plus nettement encore. Parmi les principes de l'architecture, il compte « l'émotion qui doit saisir l'imagination par l'association des idées ; ainsi puisque l'Antiquité nous inspire naturellement un sentiment de vénération, tout bâtiment qui rappellera les anciennes coutumes et manières de vivre, tels que les châteaux des barons de la vieille chevalerie, est assuré de procurer de la joie au public ».

Garantis par l'opinion de l'ancien président de l'Académie Royale, le négociant et l'industriel se sentirent justifiés en avançant des critères éclectiques. Leurs yeux n'étaient pas entraînés à apprécier les critères visuels, tandis que ceux de l'architecte y étaient préparés — est c'est bien le symptôme d'un siècle malade que l'architecte doive abandonner son rôle d'artiste pour celui de conteur d'histoires. La peinture, d'ailleurs, n'est pas mieux traitée. Les peintres, pour réussir, doivent raconter une histoire ou, avant la photographie, reproduire les objets avec une fidélité scientifique.

Ainsi nous aboutissons, vers 1830, à une impasse esthétique et sociologique en architecture. Dans l'esprit des architectes, toute création antérieure à l'âge industriel est préférable par principe à la tentative d'exprimer le caractère contemporain. Les clients se laissant mener par des impératifs qui n'ont rien à voir avec l'esthétique, qu'ils ne sentent pas, se laissent séduire par l'association des idées. Mais, sur un point, ils sont à même de juger et de donner leur avis : l'orthodoxie de l'imitation. La libre interprétation des styles fait place à l'exactitude archéologique. Est-ce une coïncidence si nous assistons concurremment à la naissance des sciences historiques qui caractérisent le XIXe siècle ? C'est en vérité le siècle de l'historicité. Après le XVIIIe siècle construisant des systèmes, le XIXe apparaît satisfait d'une étude historique et comparative des philosophies existantes

603
Londres. Regent's Park Cumberland Terrace par John Nash, 1827.
604
Londres. Regent's Park Chester Terrace par John Nash.

au lieu de l'étude de l'éthique ou de l'esthétique elles-mêmes. Ainsi en va-t-il pour la théologie et la philosophie aussi. Grâce à la division du travail, que l'architecture comme tous les autres arts, lettres et sciences, accepta de l'industrie, l'architecte pouvait dessiner d'après un stock immense de détails historiques. Ne nous étonnons pas que le XIXᵉ siècle n'ait pas poursuivi la recherche d'un style original. Nous ne devons pas cependant surestimer l'originalité et la modernité d'artistes tels que Soane et Gilly. Soane construisit des bâtiments autrement conventionnels que sa propre maison, on a de lui des projets gothiques. Gilly dressa et publia les plans détaillés du plus grand château médiéval de Prusse ; que l'on reconnaisse aux dessins de Gilly le charme qui s'en dégage et le travail qu'ils représentent, leur caractère romantique, patriotique, il n'en demeure pas moins qu'ils répondent à des préoccupations archaïsantes. Le cas de Girtin et de Turner, dans leurs premières aquarelles, est similaire, bien que l'inspiration romantique entre dans les aimables gravures du XVIIIᵉ siècle représentant les ruines d'Athènes ou de Paestum, et dans ces volumineux traités du XIXᵉ siècle où l'on dissèque les cathédrales en toutes leurs parties. Encore y a-t-il des transitions entre les premiers traités qui partent de l'esquisse et les derniers où la minutie extrême amène l'ennui.

Pour ce qui est des constructions elles-mêmes, nous assistons à la même déclinaison de l'élégance capricieuse et quelquefois inspirée vers l'érudition pesante. Partant de Strawberry Hill, qui représente le Rococo gothique, et des œuvres de Robert Adam pour le Rococo classique, nous passons à la génération suivante dont John Nash (1752-1835) est le meilleur représentant. Nash n'était pas animé de l'intransigeante fureur créatrice de Soane. Il était, au moral, insouciant, généreux, sociable, artistiquement conservateur. Ses façades sur la vieille Regent Street et la plupart de ses hôtels sur Regent's Park, dont les façades ont des allures de palais, furent conçus et réalisés entre 1811 et 1825. On y retrouve la souplesse du XVIIIᵉ siècle. Ce qui les rend dignes d'attention est le fait qu'ils furent destinés à s'intégrer dans un ensemble urbain, très brillant, qui pouvait joindre le pittoresque du XVIIIᵉ à l'idée que nous nous faisons de cités-jardins. Les vastes alignements s'ouvrent sur un parc paysager où l'on a disséminé avec art d'élégantes villas, accomplissement de ce qui avait été entrevu dans la juxtaposition des maisons et de la nature au Royal Crescent de Bath. Les façades de Regent Street et Regent's Park sont presque toutes classiques, mais Nash ne répugnait pas à construire gothique avec la même virtuosité. Il avait un sens charmant de la convenance éclectique. Son choix du néo-classique pour son hôtel de Londres, et du gothique pour sa maison de campagne (avec sa serre gothique) le montre très bien. Il édifia aussi : Cronkhill, dans le Shropshire (1802), villa italianisante avec une loggia à arcs en plein cintre soutenue par des colonnes élancées et un toit avançant beaucoup comme dans les fermes du Sud (le *Lorenzo de Médici* de Roscoe était sorti en 1796). Le village de Blaise Castle, près de Bristol (1809), dans le style rustique des vieux cottages anglais au toit de chaume et aux larges pignons (on évoque *le Vicaire de Wakefield*, la laiterie de Marie-Antoinette à Versailles, les charmants

605

petits paysans de Gainsborough et de Greuze); le pavillon de Brighton, enfin, qu'il acheva dans le genre hindou introduit vers 1800 à Sezincote, dans les Cotswolds, sur l'exigence du propriétaire à qui ce style rappelait des souvenirs personnels. « Gothique indien », tel était le nom bien caractéristique de l'esprit contemporain, que l'on avait donné à ce style.

Ainsi le bal travesti de l'architecture bat son plein au début de ce dix-neuvième siècle : on se déguise aux couleurs classiques, gothiques, italiennes, *Old England*. Vers 1840, d'autres livrées paraissent dans les albums : le Tudor, la Renaissance française, la Renaissance vénitienne etc. Ceci ne signifie pas qu'à tout moment, tous les styles furent réellement utilisés. Le choix changeait avec la mode. Certains styles devinrent associés à certaines fonctions. Un exemple familier est le style mauresque pour les synagogues, un autre l'idée de camoufler les prisons en châteaux crénelés. Un inventaire des styles entre 1820 et 1890 mettrait en lumière les étranges fluctuations de la mode entre les styles des différentes périodes.

Si nous nous en tenons à l'inspiration classique, nous la voyons, entre 1820 et 1840, s'orienter vers le néo-grec, très correct. Le souci de l'interprétation scrupuleuse envahit l'interprétation de l'Antiquité bien avant de s'attaquer au Gothique. Entre les mains d'architectes compétents, on obtient des résultats d'une dignité certaine. Le British Museum, commencé en 1823 par sir Robert Smirke (1780-1867), en est un des meilleurs exemples en Grande-Bretagne, ou, du moins, le serait si l'on pouvait prendre du recul pour ap-

606

précier sa façade ionique sur le modèle de l'Erechtéion d'Athènes; Carl Friedrich Schinkel (1781-1841), élève de Gilly, est le plus important, le plus sensible et le plus original représentant de l'architecture néo-grecque continentale; aux Etats-Unis, William Strickland (1787-1854) en est le plus vigoureux.

En effet, à la faveur de la renaissance grecque, il nous faudra compter avec l'Amérique quand on parlera de l'architecture occidentale. Jusqu'à la fin du XVIIIe siècle, l'architecture américaine avait été coloniale, c'est-à-dire calquée sur le Gothique, la Renaissance et le Baroque importés d'Espagne et du Portugal en Amérique du Nord et du Sud. La renaissance grecque aux Etats-Unis ne saurait sans doute être dissociée de ce qui se faisait en Europe, en Angleterre particulièrement, mais l'originalité américaine se manifeste dans l'attention portée aux techniques de construction, aux installations sanitaires et à l'équipement en général. Le contenu idéologique qui est impliqué dans la renaissance du style grec trouve en Amérique un terrain fertile: c'est l'humanisme libéral des classes cultivées du début du XIXe siècle, l'esprit de Gœthe, celui qui créa les premiers musées publics, les galeries d'art, les théâtres nationaux et la vulgarisation de l'enseignement.

Si nous envisageons maintenant la renaissance gothique, nous nous replaçons dans l'axe du romantisme. L'enthousiasme du jeune Gœthe devant la cathédrale de Strasbourg est un acte de vénération du génie pour le génie, un acte de foi révolutionnaire. Pour les générations suivantes, le

605
Cronkhill, Shropshire, par John Nash, 1802.
606
Londres. British Museum, par Robert Smirke, commencé en 1823.

357

607

Moyen Age devient l'idéal de la civilisation chrétienne. Friedrich Schlegel, un des plus brillants esprits romantiques et gothicisants, se convertit au catholicisme en 1808. En 1802, Chateaubriand avait écrit son *Génie du Christianisme*. Vers 1835, l'Anglais Welby Pugin (1812-1852) transférait en architecture théorique et pratique les termes de *l'identité*: Gothique et Chrétienté. Construire selon les formes médiévales était pour lui un devoir. Allant plus loin, il prétendait que l'architecte médiéval étant honnête artisan et bon chrétien, l'architecture médiévale était admirable, donc pour être, de nos jours, un bon architecte, il fallait être travailleur honnête et bon chrétien. C'était pousser cette prétention à sa conclusion inexorable. Les tenants du néo-classique le sentirent bien, eux qui traitèrent les néo-gothiques d'obscurantistes et de papistes. Dans cette lutte, les arguments des néo-gothiques s'avérèrent plus forts et, d'une manière paradoxale, ils eurent sur l'évolution de l'art et de l'architecture une influence plus bénéfique que les néo-classiques dont les œuvres étaient cependant de plus haute valeur. Les bâtiments du Parlement de Londres, commencés en 1836, sont esthétiquement plus heureux qu'aucun autre bâtiment de grande échelle construit dans le style néogothique. On avait demandé — proposition symptomatique — un ensemble gothique ou élisabéthain, tant il était admis qu'un bâtiment où s'abriteraient les traditions nationales dût être édifié dans un style national. L'architecte, sir Charles Barry (1796-1860), préférait le classique et l'italien. Mais il collabora avec Pugin qui fut plus spécialement responsable de l'ornementation

607
Londres. Le Parlement par Ch. Barry et A.W.N. Pugin, commencé en 1836.

intérieure et extérieure. Il en résulta pour les bâtiments une intensité de vie qu'on ne trouverait pas dans les tentatives de style perpendiculaire des autres architectes.

Voici donc un bâtiment dont le gothique de Pugin n'est guère qu'un placage si on le regarde en son ensemble. Certes, il y a dans la disposition des tours et des flèches une dissymétrie pittoresque qui ferait croire au gothique, mais la façade côté Tamise se présente comme une composition d'un formalisme palladien. « Tout est grec », se serait écrié Pugin, selon son biographe et élève Ferrey, « je ne vois que des ornements Tudor sur un corps classique. » Et l'on imagine, en effet, sans beaucoup d'efforts, la façade du bâtiment avec des portiques à la manière de William Kent ou de John Wood. Pour être juste, on pourrait aussi bien remarquer que le British Museum n'est parfaitement grec qu'au premier coup d'œil ; si l'on y regarde de plus près, on retrouve une structure à la Palladio dans le portique central et le développement des ailes latérales. L'Athènes de Périclès n'a jamais connu ce déploiement aéré.

Les gothiques et les païens ne se rendaient pas compte qu'ils bataillaient sur des questions d'ornements tandis que le véritable problème n'était pas mis en question. Les arguments moraux et les étendards des éclectiques étaient brandis au nom de principes décoratifs, mais on méprisait ou laissait sans discussion la raison même de l'architecture. Aujourd'hui encore, quand on parle du British Museum ou des Palais du Parlement, on songe trop à l'esthétique, pas assez à la fonctionnalité. On ne devrait pourtant pas oublier qu'un bâtiment destiné à héberger un gouvernement démocratique ou un centre d'instruction pour le peuple posait des problèmes nouveaux. Avant 1800, de telles entreprises avaient été extrêmement rares si l'on excepte les maisons communales, telles que le splendide Hôtel de Ville d'Amsterdam (1648-55) (actuellement Palais Royal) ou les bourses d'Anvers, Londres et Amsterdam. Somerset House, à Londres, avait été originairement conçue pour abriter les administrations gouvernementales et les sociétés savantes. Mais en fait de bâtiments publics, ils étaient des exceptions. Quand on aborde le XIXe siècle et qu'on s'efforce de retenir les meilleurs spécimens d'architecture urbaine de tout pays et de tout âge, on est amené à inclure des églises, quelques palais, des maisons privées naturellement, mais aussi des bâtiments administratifs, gouvernementaux, municipaux, des musées, des galeries, des bibliothèques, des universités, des écoles, des théâtres, des salles de concert, des banques, des bourses, des gares, de grands magasins, des hôtels, des hôpitaux, c'est-à-dire des édifices publics construits ni pour l'apparat ni pour la dévotion mais à l'usage et au profit des collectivités. On voit apparaître une nouvelle fonction sociale de l'architecture, représentative d'une nouvelle stratification de la société. Mais l'adoption des plans à ces nouveaux usages fut une évolution anonyme, ou qui nous paraît telle. Qu'il s'agisse d'une bibliothèque ou d'un hôpital, on s'en était tenu généralement au prototype des constructions monastiques médiévales ; c'est toujours à peu près le même plan du bâtiment comprenant un grand hall à deux ou trois nefs. Au XIXe siècle, on voit des bibliothèques conçues pour résoudre les deux problèmes du stockage des livres et de la commodité du lecteur ; on essaie dans les hôpitaux de séparer les quartiers et de construire des bâtiments séparés pour chaque sorte de maladie... Pour les prisons, on invente le plan en étoile (Pentonville). Pour les bâtiments bancaires ou boursiers, une grande salle centrale couverte par une verrière se révèle la meilleure solution. Les musées et les galeries essaient de résoudre le problème essentiel de l'éclairage qui bouleverse la forme du bâtiment ; les immeubles de bureaux réclament un plan très souple qui facilite les allées et venues. Ainsi chaque nouveau type de bâtiment réclame une solution propre.

Mais les architectes arrivés auraient cru s'abaisser que d'effleurer ces questions ; ils préféraient laisser à des anonymes le soin de les résoudre. Sir George Gilbert Scott (1811-1878), le plus réputé des architectes victoriens, déclarait que le but premier de l'architecture était de « décorer la construction » et même Ruskin qui eût dû être mieux informé, disait : « L'ornementation est la partie principale de l'architecture. » Ainsi pendant que se poursuivait la lutte entre classiques et gothiques, d'autres styles apparaissaient. Les prédécesseurs de Pugin prônaient tous le Perpendiculaire. Pour Pugin et les nouvelles générations, Scott en tête, le Perpendiculaire est à rejeter. Ils ne veulent connaître que le Rayonnant. Dans le cas où l'on avait à restaurer une église, Scott et ses collègues ne se faisaient pas scrupule de remplacer une fenêtre authentique de style perpendiculaire par une reconstitution de Rayonnant. A mesure que se développent les connaissances archéologiques, les pastiches gagnent en sensibilité. On peut dire que le retour au gothique anglais primitif date des années 1830, malgré un intermède dans le style gothique vénitien pendant les années 1850-60, intermède occasionné par la révélation des *Pierres de Venise*, l'ouvrage de Ruskin. De ces reconstitutions du XIIIe siècle, les plus fines se situent à la fin de la période victorienne : les églises de Bodley, et surtout de Pearson (à Londres, Saint-Augustin ; à Kilburn, la cathédrale de Truro). Mais sous le rapport de l'originalité, ces antiquaires accomplis sont dépassés par des tempéraments comme ceux de William Butterfield ou de James Brooks. Dans le détail, Butterfield se montre original jusqu'à la rudesse et éloquent jusqu'à la laideur (à Londres, église Tous-les-Saints, dans Margaret Street ; Saint-Alban de Holborn) ; quant à Brooks, il lui arrive de s'écarter, dans ses plans, de tout précédent gothique anglais (à Londres, église de l'Ascension, Lavender Hill).

Aucune nation plus que l'Angleterre ne prit tant à cœur la renaissance du Gothique sous toutes ses formes et variétés. La France s'abstint longtemps. Les fabriques « Gothique pittoresque » dans les jardins sont rares, le Gothique romantique apparut seulement vers 1820, l'interprétation archéologique progressivement vers les années 1830 et 1840. La décoration conçue par Hittorff pour le baptême du duc de Bordeaux en 1820 est une manifestation de Gothique romantique ; l'exemple le plus probant de Gothique archéologique est l'église Ste-Clotilde commencée par Gau en 1846 ; Hittorff et Gau étaient tous deux originaires de Cologne (J.-I. Hittorff, 1792-1867, F.-X. Gau 1790-1853). Cologne, en fait, était devenue un centre international de recherche gothique, depuis qu'on avait décidé d'achever sa cathédrale suivant

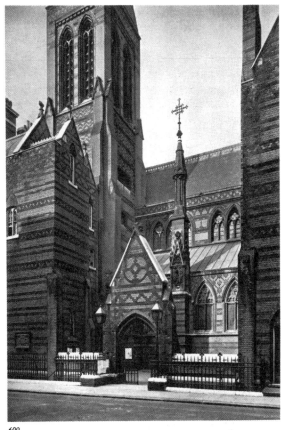

les plans originaux découverts en 1814 et 1816. En 1842, le roi de Prusse posait la première pierre des nouveaux travaux. Alors, de Hambourg jusqu'à Vienne, on voit se dresser des églises dans le bon vieux style gothique qui, de proche en proche, contamine les bâtiments publics, tandis qu'en France, Arcisse de Caumont instaurait les Congrès Archéologiques (1833), fondait la Société Française d'Archéologie (1834) et donnait le départ à un inventaire des édifices médiévaux (Statistique monumentale du Calvados 1846, etc.) et que la Commission des Monuments Historiques était établie (1837).

Le camp opposé ne restait pas inactif. Après la chasteté du néo-grec, les Méditerranéens découvraient le grand style des « palazzi » de la Renaissance classique italienne. On sait que Ledoux et quelques-uns de ses contemporains avaient déjà introduit dans leurs œuvres les arcades ou les loggias avec colonnes, motif du Quattrocento. Mais le premier bâtiment vraiment néo-Renaissance semble avoir été le palais Beauharnais construit à Munich en 1816 par Klenze. La ville de Munich s'enorgueillit également d'excellents spécimens édifiés au cours des années 1830, telle la Bibliothèque Nationale par Gärtner (1831). Il en est de même pour Dresde avec Gottfried Semper (Opéra, 1837). A Paris, le premier exemple intéressant est la caserne de la

608
Décor de N.D. de Paris pour le baptême du duc de Bordeaux, par Hittorff, Lecointe et Chasselat.
609
Londres, église de Tous les Saints. Margaret Street par W. Butterfield, 1859.

361

610

612

611

613

614

610
Dresde. Opéra de Gottfried Semper, 1837. Lithographie de W. Bässler vers 1850.
611
Paris. Caserne de la garde républicaine, rue Mouffetard, façade sur la rue Gracieuse.
612
Londres. Traveller's Club 1829 par Ch. Barry.
613
Sacrow, près de Potsdam. Heilandskirche par L. Persins, 1841.
614
Marseille. La Cathédrale par Léon Vaudoyer, commencée en 1852.

rue Mouffetard (1827) par Rohault de Fleury (1801-1875) avec son lourd bossage rustique du Quattrocento. Ce style fit son apparition à Londres avec le Travellers' Club (1829) et le Reform Club (1837), œuvres de Charles Barry. Le public sans doute apprécia ce style dont la plasticité s'opposait à la platitude du néo-classique et la maigreur du néo-perpendiculaire, et d'autant plus qu'il donnait une impression d'opulence bien faite pour flatter les classes dirigeantes de la période victorienne.

Un autre moyen de réintroduire l'arc en plein cintre dans l'architecture était de se tourner vers le Roman du Nord, le Roman italien, le Paléochrétien, le Byzantin. Les Allemands ont été sages en forgeant, pour couvrir ces imitations et pour celles de la Renaissance italienne, le terme de *Rundbogenstil*. Schinkel l'introduisit en Allemagne vers 1820 avec des dessins pour des églises vaguement paléochrétiennes, son élève Ludwig Persius (1803-1845) le développa avec succès (Heilandskirche à Sacrow 1841, Friedenskirche à Potsdam 1842). En Angleterre, les têtes de file sont l'église du Christ de Streatham à Londres élevée de 1840 à 1842 par J. W. Wild, nettement influencée par la Prusse, et l'église de Wilton par Wyatt (1842-43). En France, l'église néo-romane de St-Paul à Nîmes par Ch.-Aug. Questel (1807-1888) date de 1835-51, la cathédrale de Marseille en Roman lombard (ou byzantin) par Léon Vaudoyer date de 1852, etc. Mais, déjà avant 1830, la France redécouvrait sa propre Renaissance. La maison de François Ier, était réédifiée et in-

615

tégrée en 1822 dans une nouvelle composition; en 1835, l'Hôtel de Ville datant de la première Renaissance, était notablement agrandi dans le même style par Godde et Lesueur, et en 1839, Vaudoyer commençait le Conservatoire des Arts et Métiers dans le style de la Renaissance française. L'Angleterre, pour ne pas être en reste, redécouvrit l'élisabéthain et le jacobite utilisés surtout pour les maisons de campagne. Ils exaltaient l'amour-propre national et offraient aux yeux de vivantes surfaces ouvragées. Derrière toutes ces reprises apparemment chaotiques, un élément commun se fait sentir: le goût du mouvementé et du spectaculaire qui oscille entre la rhétorique flamboyante de Disraëli et l'emphase du style de Gladstone. On peut même dire que le style français de l'Empire se distingue du style de Ledoux et de son groupe par un caractère moins sévère, plus emphatique, plus orné. La Madeleine des années 1816 et suivantes par Pierre Vignon (1763-1828) est décidément d'un caractère romain, ni plus grec ni plus original que Ledoux. A partir de 1840-1850, les formes méditerranéennes deviennent de plus en plus indisciplinées et exubérantes jusqu'à atteindre le néo-Baroque. L'Opéra de Paris de 1861-74, chef-d'œuvre de Charles Garnier (1825-1898) en est un des meilleurs et des premiers exemples. On peut citer aussi l'énorme Palais de justice de Bruxelles (1866-83), œuvre de Poelaert. Ce style second Empire laisse peu de traces en Angleterre; on assiste plutôt à une renaissance du palladianisme sous son aspect le plus baroque, fortement inspiré par le Greenwich Hospital de Wren. Alors, avec des formes légèrement plus sobres et une influence mar-

615
Paris. L'Opéra par Ch. Garnier, 1861-1874.
616
Paris. L'Opéra, escalier d'honneur.

364

616

617

quée d'une nouvelle renaissance classique en Amérique McKim, Mead et White) on arriva au style cossu de l'empire édouardien. En Allemagne, de la fin du XIXᵉ aux débuts du XXᵉ, le style néo-Baroque se poursuit sous le règne de Guillaume II ; en Italie, l'atroce Mémorial au roi Victor-Emmanuel II dépare la Ville Eternelle.

Néanmoins, au moment où ces bâtiments étaient en voie de construction, une réaction se faisait sentir contre des conceptions si résolument superficielles de l'architecture. Les architectes furent étrangers à cette réaction ; il ne pouvait pas en être autrement, parce qu'elle mettait en cause des problèmes de réforme sociale et de technique qui n'intéressaient pas les architectes. Détestant, ainsi que les peintres contemporains, la destinée qui les avait fait naître à l'âge industriel, les architectes ne se rendaient pas compte que la révolution de la machine qui détruisait l'ordre établi et bousculait les conceptions esthétiques séculaires créait la possibilité d'une nouvelle forme d'harmonie et de beauté. Elle offrait, d'une part, de nouveaux matériaux, de nouveaux procédés de construction ; elle ouvrait, d'autre part, la possibilité d'une architecture planifiée d'un modèle inconnu jusqu'alors.

Le fer, et à partir de 1860, l'acier, permettaient d'atteindre des portées plus grandes que jamais, de construire plus haut et de développer des plans plus souples. Le verre, employé avec le fer et l'acier, permettait à l'ingénieur de réaliser des toits et des murs entièrement transparents. Le ciment armé, introduit à la fin du siècle, combinait la résistance à la traction du fer avec la résistance à l'écrasement de la pierre. De ces détails, bons pour les ingénieurs, les architectes voulaient tout ignorer. De fait, par un processus lent, les fonctions d'architecte et d'ingénieur s'étaient dissociées au début du siècle jusqu'au moment où l'on exigea des diplômes distincts

617
Londres. Exposition de 1851. Crystal Palace par I. Paxton.
618
Paris. Bibliothèque Ste-Geneviève par H. Labrouste, commencée en 1843.
619
Paris. Bibliothèque Ste-Geneviève, la salle de lecture.

366

618

619

pour les deux professions. Les architectes apprenaient leur métier dans les ateliers de leurs aînés et dans les écoles d'architecture, jusqu'au moment où ils s'établissaient à leur propre compte, ainsi que faisaient les architectes du roi au XVIIᵉ siècle, à cette seule différence qu'ils devaient presque exclusivement travailler pour la clientèle privée, et non plus pour l'Etat. Quant aux ingénieurs, ils recevaient leur instruction auprès de facultés fondées à cet effet ou bien (France et Europe centrale) dans des écoles techniques spéciales. Les plus parfaits exemples des premières architectures de fer sont l'œuvre d'ingénieurs et non d'architectes [40]. Paxton, qui conçut en 1851 le Crystal Palace, était un éminent jardinier et horticulteur que l'édification des serres avait familiarisé avec l'emploi du fer et du verre. Les hommes qui introduisirent des étançons de fer dans la construction des magasins américains et, à l'occasion, dans les années 1840 et 1850 ouvrirent les façades en plaçant des vitrages sur tout l'intervalle existant entre les étançons, ces hommes sont totalement inconnus comme architectes. Et, en France, les architectes compétents et sérieux (la bibliothèque Ste-Geneviève [1843-50] par Henry Labrouste [1801-1875] est extérieurement d'un style Renaissance italienne noble et sobre, mais les supports et les arcs de la voûte à l'intérieur sont en métal) qui utilisèrent le fer sans déguisement, voire dans la construction des églises (Saint-Eugène entrepris en 1854) furent attaqués et ridiculisés par la majorité [41].

Nous savons qu'une telle conception de l'architecture détachée de son utilité sociale est faible. Le premier à s'en rendre compte fut Pugin qui ne vit qu'un seul remède : le retour au catholicisme. Peu après, vint Ruskin qui dans *les Sept Lampes de l'architecture* (1849) proclamait que la première qualité d'un bâtiment doit être la vérité. Plus tard, il fut amené à conclure que, pour réaliser cet idéal de vérité, il fallait considérer les problèmes aussi bien sociaux qu'esthétiques. Le passage de la théorie à la pratique fut donné par William Morris (1834-1896). Ayant subi l'influence de Ruskin et des préraphaélites — il fut, un temps, l'élève de Rossetti — il se montra un des architectes néo-gothiques les plus consciencieux. Mais, bientôt, ni la peinture ni l'architecture, telles qu'elles étaient pratiquées, ne le satisfirent — c'est-à-dire peinture se contentant de présenter des tableaux dans les expositions, et architecture ramenée à des travaux à la plume et au lavis.

Mais, tandis que Ruskin établissait une cloison entre ses activités sociales et ses théories esthétiques, Morris relia ces deux préoccupations de la seule manière qu'on pouvait alors relier ces deux éléments. Délaissant peinture et architecture, il fonda un atelier pour la fabrication des meubles, tissus d'ameublement, papiers peints, tapis, vitraux, etc., où il invita les préraphaélites à venir le rejoindre. L'art, pensait-il, ne sera sauvé de son anéantissement par la machine que si l'artiste redevient un artisan et l'artisan un artiste. Morris haïssait la machine et la division du travail en qui il voyait la source de la sclérose artistique de son temps. De son point de vue, il avait raison. Sa solution était esthétiquement juste bien que socialement elle dût à la longue se montrer inadéquate. Il était raisonnable de rechercher un nouveau style, mais essayer de le faire sans tenir compte des possibilités techniques du siècle était aussi dérisoire que déguiser l'hôtel de ville en temple grec comme faisaient les néo-classiques. Comme la poésie de Morris était inspirée du Moyen Age, ainsi s'orientent les productions de la firme Morris et Cⁿ. Cependant, Morris n'imitait pas car il avait senti les dangers de l'éclectisme ; il ne voulait que se plonger dans l'esprit médiéval, s'imprégner de ses principes esthétiques et créer, sur les mêmes principes, des objets ayant la même saveur. C'est pourquoi les tissus et les papiers peints de Morris subsistèrent longtemps après que la mode des pastiches fut close.

Les théories socio-esthétiques de Morris, telles qu'elles sont contenues dans les conférences et manifestes qu'il publia à partir de 1877, contribueront à lui garder une place dans l'histoire. Parce qu'il a rétabli la notion de l'artiste au service de la société, parce qu'il a stigmatisé l'indifférence arrogante de l'architecte et de l'artiste à l'égard des besoins quotidiens de la population, parce qu'il a jeté le discrédit sur les œuvres destinées à des collectivités restreintes de connaisseurs, parce qu'il n'a cessé de proclamer que les formes artistiques n'ont d'intérêt et d'importance que si « tous sont appelés à les partager », on peut dire qu'il est le précurseur du Mouvement Moderne.

La campagne que Morris avait entreprise en faveur d'une nouvelle philosophie de l'art fut doublée dans le domaine plus précis de l'architecture par Richardson aux Etats-Unis et par Webb et Norman Shaw en Grande-Bretagne. Henry Hobson Richardson (1838-1886) appartient sans aucun doute à la génération des architectes éclectiques. Ayant étudié à Paris, il était revenu en Nouvelle-Angleterre fort impressionné par la puissance du style roman français. Il en fit usage pour la construction d'églises et de bâtiments publics ou de bureaux (Marshall Field Wholesale Store, Chicago),

620

mais, à l'inverse de ses contemporains, il était moins guidé par le souci de faire revivre le Roman que de saisir l'harmonie qu'il pouvait y avoir entre l'esprit contemporain et ces surfaces de pierre massives et lisses, ces arcs ronds et vigoureux. Lui et ses successeurs, au cours des années 80, dressèrent les plans de maisons de campagne, d'un dessin plus libre et plus hardi que ce que l'on avait coutume de réaliser en Europe à la même époque, à l'exception de Philip Webb (1830-1915). Webb avait une prédilection pour les murs de brique unis, percés de fenêtres élancées, dans le goût de l'époque de Guillaume-et-Marie ou de la reine Anne, tout en restant en sympathie avec les traditions de la bonne construction solide des styles Gothique et Tudor. La Maison Rouge, à Bexley Heath, près de Londres sa première œuvre, conçue pour Morris et avec lui en 1859, montre une combinaison intéressante d'arcs brisés et de hautes fenêtres cintrées à guillotine.

Les possibilités pittoresques d'un mélange de motifs tirés de styles différents n'échappèrent pas à Richard Norman Shaw (1831-1912). Il avait beaucoup plus de légèreté, une imagination bien plus vive, quoique son goût fût moins sûr. Dans sa carrière professionnelle qui s'étend sur plus de quarante ans, il ne cessa d'essayer, suivant le goût des contemporains, de nouveaux styles d'époque. On lui doit des maisons de campagne à colombages dans le style Tudor, des architectures en brique aux nombreux pignons dans le style renaissance hollandaise; il eut une période très courte néo-Reine Anne, ou plutôt néo-Guillaume-et-Marie, et finit par adopter le pompeux style édouardien. Mais il préférait — et c'est ici que nous le voyons sous son meilleur jour — jouer avec les motifs d'époques disparates. Combinant le Tudor et le XVIIe siècle avec des motifs de son invention, il obtient des effets de légèreté et d'animation qui font paraître ennuyeux les dessins de Morris.

369

L'influence de Norman Shaw sur la profession fut immédiate et profonde. De son atelier sortit une génération d'architectes auxquels le maître laissait toute latitude d'adhérer aux idées de Morris tout en suivant ses propres formes. Ceux-ci et des disciples plus proches de Morris fondèrent le mouvement des « Arts and Crafts », titre à la fois humble et ambitieux qui correspond bien à l'idéal de Morris. Sous l'impulsion de ce mouvement, on en vint à traduire de plus en plus librement les traditions séculaires de l'architecture. Lethaby, Prior, Stokes, Halsey Ricardo sont les noms les plus connus. Leurs œuvres, qui se limitent à des habitations privées pour la ville ou la campagne, ont été un peu oubliées de nos jours, mais elles font preuve d'une originalité, d'une indépendance, d'une fraîcheur de conception uniques en Europe, du moins au début du mouvement, entre 1885 et 1895. Le plus brillant d'entre ces architectes, Charles F. Annesley Voysey (1857-1941) n'eut de contacts personnels ni avec Shaw ni avec Morris, mais ses dessins de tissus d'ameublement, papiers peints, mobilier et surtout d'objets métalliques, si gracieux et si nouveaux, suscitèrent une révolution comparable à celle de Morris. Les maisons qu'il construisit font preuve des mêmes qualités. Si on les examine dans le détail, rien ne relève véritablement de l'historicisme, mais l'ensemble dégage, sans effort, le charme du passé en ce qu'il a de plus séduisant. On est également frappé par l'audace de ces grands murs nus et de ces longs alignements de fenêtres. Jamais le style des années 1890 ne s'est autant rapproché du Mouvement Moderne.

622

Au cours des quarante années qui suivirent, les quarante premières années de ce siècle, aucun nom anglais ne vaut d'être mentionné. L'ascendant qu'avait exercé l'architecture anglaise sur l'Europe et l'Amérique s'était relâché. D'Angleterre étaient venus l'art des jardiniers paysagistes, les styles d'Adam et de Wedgwood; en Angleterre avait été conçue la renaissance gothique; à l'Angleterre étaient dues la dégradation de l'art appliqué par les produits de la machine et la réaction salutaire. La renaissance domestique de Morris, Norman Shaw et Voysey était britannique; britanniques aussi la nouvelle conception sociale d'un art unifié sous une supervision architecturale ainsi que les balbutiements d'un art qui se détachait complètement du passé. On peut les sentir dans l'œuvre d'un Arthur H. Mackmurdo (Century Guild, 1885), d'un Voysey et des architectes qu'il influença : Baillie Scott, C. R. Ashbee et surtout Charles Rennie Mackintosh.

L'Art Nouveau est le premier style continental neuf, bien que nous nous rendions compte maintenant qu'il recherchait désespérément la nouveauté pour la nouveauté. Il tirait son inspiration des artistes anglais, spécialement de Mackmurdo. Il débuta à Bruxelles en 1892 avec la maison de Victor Horta, rue Paul-Emile-Janson. Vers 1895, il était le « dernier cri » en France et en Allemagne (Guimard : Castel Béranger, Paris, 1894-98 ; Endell : Atelier Elvira, Munich, 1897). Mais il demeura presque exclusivement un style décoratif. Travaillant aux confins de l'Europe, deux architectes font exception à cette règle : Antoni Gaudí (1852-1926) à Barcelone et Charles Rennie Mackintosh (1868-1928) à Glasgow. En dépit de certains rapports avec le Gothique tardif d'Espagne, avec l'exubérance fantaisiste du Baroque espagnol,

623

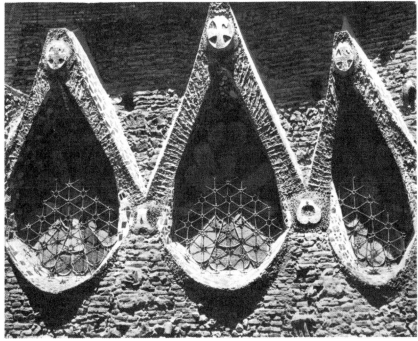

622
Colwall. Malvern maison par Voysey, 1893.
623
Munich. Atelier Elvira.
624
Santa Colonna de Cervello. Colonie Güell, chapelle 1898-1914 par A. Gaudí.

624

371

626

627

625
Barcelone. La Sagrada Familia par A. Gaudi, 1903-1926.
626
Glasgow. École d'art par Ch. R. Mackintosh, 1898-1899.
627
Glasgow. École d'art, intérieur.

et semble-t-il aussi avec l'architecture du Maroc, le style de Gaudí est essentiellement original — original à l'extrême. Dans la petite église de la colonie Güell (1898-1914), dans les structures du parc Güell (1905-1914), dans la façade de transept de la Sagrada Familia (1903-1926) et dans deux immeubles d'habitation (1905) les formes jaillissent comme des pains de sucre ou des fourmilières, les colonnes ne sont pas à la verticale, les toits ondulent comme des vagues ou des serpents, et les surfaces étalent des revêtements de majolique ou sont formées de morceaux d'assiettes ou de tasses enrobés dans un épais mortier. Cela peut paraître de mauvais goût, mais c'est plein de vitalité et utilisé avec une audace impitoyable.

On ne trouve aucune de ces hardiesses un peu barbares chez Mackintosh, qui est cependant bien aussi original que Gaudí. Ce que le Gothique et le Baroque d'Espagne avaient apporté à Gaudí, Mackintosh le trouva dans les châteaux écossais et les manoirs. A l'Ecole d'Art de Glasgow (1898-99), son travail montre une combinaison entre les courbes longues, étirées, nostalgiques, les nuances gris argenté, lilas et rose de l'Art Nouveau d'une part,

373

et une structure forte, rigide, anguleuse, d'autre part. Quand le bois apparaît, il est laqué blanc. Dans cette combinaison apparaissait une possibilité de dépassement de l'Art Nouveau. Et si Mackintosh a été plus admiré en Autriche et en Allemagne qu'en Grande-Bretagne, c'est que ces pays, très vite après 1900, commencèrent à chercher le moyen de sortir de la jungle de l'Art Nouveau. L'Angleterre de Voysey pouvait leur être aussi utile que l'Ecosse de Mackintosh. Ainsi. le gouvernement prussien envoya Hermann Muthesius à Londres en 1896, auprès de l'ambassade, comme observateur en matière d'architecture, d'urbanisme et de dessin. Celui-ci séjourna sept ans et fit connaître en Allemagne le renouvellement de l'architecture domestique anglaise. Les créateurs allemands du nouveau style vingtième siècle n'ont jamais caché leur dette vis-à-vis de l'Angleterre. Nous abordons ici la différence fondamentale entre la situation de l'Allemagne et celle de la France ou de l'Amérique. Ces trois pays se sont taillé la part du lion dans la formation de l'architecture moderne ; à ce moment crucial, l'Angleterre céda. Le caractère anglais est trop hostile aux révolutions, aux conséquences logiques, aux mesures énergiques et à l'action intransigeante. Ainsi le progrès fut-il stoppé pendant trente ans. A la tradition Tudor de Voysey succéda une tradition inspirée par l'époque de Wren ou des rois George, toujours charmante, mais faible, pour ne pas dire douloureusement ampoulée dans les grands édifices officiels.

Les premières maisons privées dans lesquelles on peut reconnaître le nouveau style du vingtième siècle sont celles que Frank Lloyd Wright (1869-1959) éleva vers 1900 dans le voisinage de Chicago. Leurs plans s'étalent librement, l'intérieur et l'extérieur s'enchevêtrent grâce aux terrasses et aux toits en encorbellement, les pièces ouvrent les unes sur les autres, les horizontales prédominent, les fenêtres forment de longues bandes, traits qui nous sont tous familiers aujourd'hui. A Chicago aussi, dans les années 80 et

628

629

630

90, on commença à élever des édifices à squelette d'acier (William Le Baron Jenney : Home Insurance Company, 1884-85) avec des façades ne les déguisant pas (Holabird et Roche : Marquette Building, 1894). Si on utilisait encore un style historique pour les détails extérieurs, c'était le simple style roman américain de Richardson, jusqu'à ce que Louis Sullivan (1856-1924) réalisât une complète indépendance du passé, dans des gratte-ciel tels que : le Wainwright Building à St Louis (1890), le Guaranty Building à Buffalo (1895), et le Garson, Pirie & Scott Store à Chicago (1899-1904). Le réseau, inventé par Sullivan, de poutres et de piliers qui traversent tous les planchers sauf ceux de la base et du sommet, est le fondement d'un système encore valable à ce jour.

Compte tenu de cette avance américaine, la France était le premier pays à concevoir des maisons purement en fonction du béton. Ce fut l'œuvre de Tony Garnier (1867-1948) et d'Auguste Perret (1874-1955), dans les premières années du siècle. Tony Garnier fut pensionnaire de l'Académie de France à Rome en 1901. Là, au lieu d'étudier sagement les restes de la Rome impériale, il travailla à une cité industrielle idéale, ville qui aurait pu

631   632

être construite dans la vallée du Rhône. C'était un travail de pionnier du
point de vue de l'urbanisme, comme nous le verrons, mais aussi du point de
vue de l'architecture. Par principe, tous les bâtiments étaient en ciment, les
maisons privées strictement cubiques, les édifices publics avec des auvents
en porte-à-faux, au moins aussi audacieux que ceux des maisons de Frank
Lloyd Wright. La Cité Industrielle fut exposée en 1904, mais publiée seulement en 1917. Cela laissa la priorité de l'emploi utilitaire du ciment à Perret.
Son fameux immeuble de la rue Franklin date de 1902-03, son garage de la
rue de Ponthieu, où le ciment est laissé sans aucun revêtement, de 1905, son
Théâtre des Champs-Elysées, le premier édifice public construit en ciment
armé, de 1911-12.

Exactement dans les mêmes années Josef Hoffmann (1870-1956) et
Adolf Loos (1870-1933) dessinaient des constructions et des intérieurs dans
un style également neuf et tout aussi approprié. En Allemagne, la date significative est celle de la fondation du *Deutscher Werkbund* (1907) conçu comme
un carrefour de chefs d'entreprise novateurs, d'architectes et de dessinateurs.
Un an seulement après la fondation, l'Allgemeine Elektrizitätsgesellschaft de
Berlin, l'AEG, demandait à l'architecte Peter Behrens, de se charger du dessin de ses nouvelles constructions, de ses produits, de ses empaquetages et
même de sa papeterie. L'usine des turbines de Behrens proclame, en 1909,
la dignité de l'architecture nouvelle. Le premier ouvrage de son disciple le
plus important, Walter Gropius (né en 1883) fut aussi une usine, le Faguswerk
à Alfeld près de Hanovre, construite de 1911 à 1914. Les rythmes de la façade
du bâtiment principal, le vitrage continu sans montant aux angles, le toit plat
et l'absence de corniche, les bandes horizontales du porche, tout ceci pourrait
être daté des environs de 1930. Il en va de même pour l'œuvre suivante de
Gropius, l'usine modèle et l'immeuble de bureaux, à l'exposition du Werkbund
tenue à Cologne en 1914. Le motif le plus surprenant était celui des deux
cages d'escalier en verre courbe, si bien que la structure et le fonctionnement
intérieurs étaient clairement exposés. Il faut voir dans ce motif, comme dans

633

631
Tony Garnier. Cité Industrielle pl 23, la gare.
632
Tony Garnier. Cité Industrielle pl 72, le quartier d'habitation.
633
Berlin. A.E.G. par Peter Behrens, 1909.
634
Théâtre des Champs-Elysées par Perret, 1911-1912.

634

le plan libre de Wright, encore une expression de l'éternelle passion de l'Occident pour le mouvement dans l'espace.

Ainsi vers 1914, les maîtres de la jeune génération d'architectes avaient courageusement rompu avec le passé et accepté le machinisme, dans toutes ses conséquences : nouveaux matériaux, nouveaux procédés, nouvelles formes et nouveaux problèmes. Un de ces problèmes n'a pas encore été mentionné, bien qu'il soit, pour l'architecture, de plus grande importance que l'architecture elle-même : l'urbanisme. On a dit qu'un des plus grands changements apportés par la révolution industrielle était la croissance soudaine des villes. Les architectes auraient dû se concentrer sur les conditions d'habitation convenant à ces foules nouvelles de classe laborieuse, et sur l'organisation des routes nécessaires pour que le travailleur aille à son travail et revienne chaque jour. Mais ils ne s'intéressaient qu'aux façades, et à rien d'autre ; d'une certaine manière, il en était de même pour les municipalités du XIXe siècle. De nouveaux édifices publics, aussi magnifiques que le permettaient les ressources, s'élevaient partout. L'Opéra de Paris, le Palais de justice de Bruxelles ont déjà été cités. Sur le même plan, on pourrait en citer beaucoup d'autres : le Palais de justice de Rome, le Rijksmuseum d'Amsterdam, la Technische Hochschule de Berlin. Le plus grand rassemblement et le plus incongru est celui qui s'élève le long de la nouvelle Ringstrasse à Vienne : l'Hôtel de Ville gothique, les maisons du Parlement classiques, les musées Renaissance, etc. ; on ne peut pas dire que les gouvernements et les

635
Cologne. Werkbund Exposition 1914 par W. Gropius et A. Meyer.

conseils municipaux aient failli à leur devoir indéniable de donner leur chance aux architectes.

Mais ils manquaient au devoir, infiniment plus grave, de procurer à leurs citoyens des conditions de vie décentes. On peut dire que c'était un effet du libéralisme, philosophie qui prônait le bonheur dans la liberté de chacun à prendre soin de lui-même, et pour qui l'emprise sur la vie privée n'était pas naturelle et toujours néfaste. Mais si cette explication peut satisfaire l'historien, il n'en sera pas de même pour le réformateur social. Celui-ci voyait que 95% des nouvelles maisons dans les villes industrielles étaient bâties par des spéculateurs à aussi bon compte que les pauvres réglementations le permettaient et il faisait de son mieux. S'il s'agissait d'un homme comme William Morris, il prêchait un socialisme médiévalisant, et s'évadait dans le monde plus heureux des artisans; s'il s'agissait d'un prince Albert ou d'un lord Shaftesbury, il fondait des associations pour l'amélioration, par la générosité privée, des demeures de l'artisan et du travailleur. Si, cependant, c'était un employeur éclairé, il franchissait un pas de plus et acquérait un domaine pour y faire construire des habitations, d'un standing plus satisfaisant, pour ses propres ouvriers. Ainsi Titus Salt fonda-t-il Saltaire près de Leeds en 1853. Cela nous paraît sordide maintenant, mais c'était une œuvre de pionnier. La maison Lever Brothers entreprit Port Sunlight en 1888, et Cadbury, Bournville en 1895. Ces deux cités ouvrières étaient les premières à être organisées en faubourgs-jardins. De ces initiatives, et de Bedford Park, près de Londres, dessiné par Norman Shaw dès 1875 sur le même principe, quoique pour des locataires privés de classe plus aisée, sortit le faubourg-jardin et le mouvement de la cité-jardin, autre contribution britannique à la préhistoire de l'architecture moderne européenne. On peut en situer l'apogée avec la fondation de la première cité-jardin indépendante, Letchworth, dessinée par Barry Parker et Raymond Unwin, en 1904, et avec le Hampstead Garden Suburb, œuvre esthétiquement très réussie des mêmes architectes, en 1907. Mais tout ceci, conception de la cité-jardin et du faubourg-jardin est une échappatoire de la conception de la ville elle-même. Le premier architecte qui attaqua le problème de la ville, et reconnut le besoin de régions réservées à l'industrie, à l'habitation et aux édifices publics est Tony Garnier dans sa *Cité Industrielle*, conçue exactement au même moment.

De la fin de la
première guerre mondiale à nos jours

Ce dernier chapitre différera nécessairement des précédents, qui étaient de l'histoire. Il sera bien loin de l'histoire, si l'on considère qu'il débute, avec plus ou moins d'exactitude, quand l'auteur devenait adulte.

Quand la construction reprit, après la pause de six ou sept ans de la première guerre mondiale et de ses suites immédiates, la situation se présentait ainsi : en architecture, un nouveau style existait ; il avait été établi par des hommes de grand courage, de détermination et dont l'invention et l'imagination sortaient de l'ordinaire. Personne n'a accompli de révolution plus grande, depuis que, cinq cents ans auparavant, la Renaissance avait chassé les formes et les principes gothiques. Leur audace paraît presque supérieure à celle de Brunelleschi et d'Alberti, car les maîtres du Quattrocento avaient prôné le retour à Rome, tandis que ces nouveaux maîtres prêchaient une aventure dans l'inexploré. Nous avons vu leurs noms et leurs œuvres dans le chapitre précédent, nous les retrouverons de temps à autre dans celui-ci. Qu'ils aient eu de leur côté tous les arguments de la logique, cela ne peut être mis en question. Ce qu'ils ont fait devait être fait. Le style qu'ils ont créé était foncièrement en accord avec la nouvelle situation sociale et industrielle de l'architecture. On peut, sans généralisation excessive, avancer que le XXᵉ siècle est un siècle de masses et un siècle de science. Le nouveau style, par son refus de l'artisanat et des fantaisies de dessin, est éminemment adapté à une large clientèle anonyme, et, par ses surfaces nettes, ses moulures réduites au minimum, adapté à la production industrielle des différentes parties. L'acier, le verre et le ciment armé n'ont pas créé le nouveau style, ils lui appartiennent. Cela étant dit, on aurait pu croire — et quelques-uns l'ont fait — que le nouveau style, une fois établi, se développerait sans crise. Mais assez curieusement, entre 1920 et 1925, les constructions ne montrèrent pas de progrès direct dans la ligne proposée par les pionniers de 1900 à 1914.

Au lieu de cela, la mode agitée de 1919, traduisant la confiance irrémédiablement perdue dans la paix et la prospérité, s'adressant à des hommes revenant de passer des années dans la violence et des conditions de vie primitive, inclinait la nouvelle architecture et ses projets vers un expressionnisme plus voisin de l'Art Nouveau que du style de 1914. Les exemples les plus célèbres sont le Chilehaus à Hambourg (1923) par Fritz Hoeger

636
Hambourg. Chilehaus, par R. Höger, 1923.

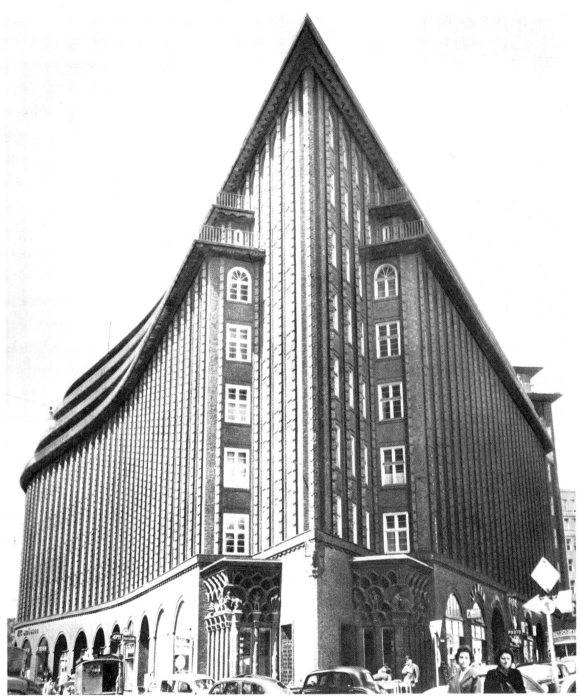

636

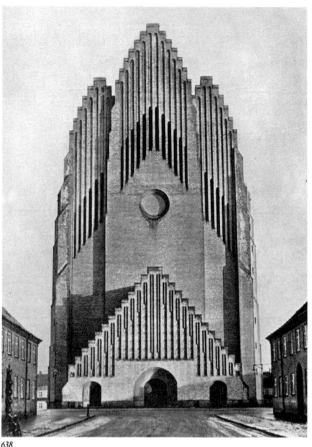

637

638

(1877-1949) avec ses sensationnels piliers verticaux montant de fond en comble, et son travail de briques découpées, ainsi que l'intérieur du Grosses Schauspielhaus à Berlin (1919) par Hans Poelzig (1869-1936) avec ses stalactites fantastiques. Ce qui est moins connu, c'est que Gropius, lui-même, dans son Mémorial de guerre en ciment à Weimar (1921), paya un tribut passager à l'expressionnisme, et que Mies van der Rohe, en 1926, dessina un monument aux communistes Karl Liebknecht et Rosa Luxemburg dans l'expressionnisme cubiste le plus convaincu. Ce dessin trouve difficilement sa place parmi les immeubles d'habitation, parfaitement rationnels de 1925 et de 1927. Plus que ce caprice surprenant, l'expressionnisme de Mendelsohn dans la tour d'Einstein à Potsdam (1920) devait avoir de l'importance pour l'avenir; car en marge des dessins nombreux exécutés par Mendelsohn entre 1914 et 1924, qui semblent influencés par Sant'Elia, s'établit la ligne aérodynamique qui devait faire fortune dans tous les projets industriels américains. En architecture aussi, les horizontales entourant les coins, à la Mendelsohn, ont été imitées plus souvent qu'on ne saurait dire. Quant à Mies van der

639

Rohe (né en 1886 à Aix-la-Chapelle), les murs de verre des gratte-ciel qu'il commence à imaginer en 1919 ont un élément de fantaisie inconnu de ses premières œuvres, quoique dans l'avenir ils dussent poursuivre l'évolution rationnelle des années précédentes. L'intérêt pour le gratte-ciel, en tant que tel, réfléchit l'attrait général pour l'Amérique et l'admiration pour son audace, pendant ces années. Ce trait peut être considéré comme un signe de romantisme plus qu'une disposition d'esprit rationnelle. L'album sur l'Amérique, publié en 1926 par Mendelsohn, illustre ceci d'une manière frappante. Le Corbusier (né en 1888) se fit aussi remarquer en 1922 par un projet fantastique pour une cité de trois millions d'habitants. Les habitations étaient réparties suivant un quadrillage rigide, les bureaux rassemblés au centre de la ville dans vingt-quatre gratte-ciel en forme de croix.

Pour des raisons politiques sans doute, notamment l'inflation, la tendance expressionniste fut très forte en Allemagne. Elle n'est cependant pas entièrement absente d'autres pays, comme en témoigne la façade de l'église Grundtvig à Copenhague, par P. V. J. Klint avec ses portails grêles, son mur

637
Berlin. Grosses Schauspielhaus, par Hans Poelzig, 1919.
638
Copenhague. Eglise du Grundtvig, par P.V.J. Klint, 1913-1926.
639
Potsdam. Tour d'Einstein, par E. Mendelsohn, 1920.

383

de brique uni au-dessus, ses gables et ses pignons décorés de tuyaux d'orgue. La contribution à l'expressionnisme, en architecture, la plus connue dans le monde entier est celle de la Hollande. On a déjà signalé le plan hardi des nouveaux quartiers périphériques d'Amsterdam. Il fut le signal du départ d'une politique rationnelle et progressiste. C'était d'autant plus étonnant, que l'architecture de ces nouveaux quartiers n'était ni rationnelle ni progressiste. Elle était fantastique et reprenait certains éléments anguleux que les Hollandais avaient tirés avant la guerre du mouvement « Arts and Crafts » et de l'Art Nouveau. Le monument le plus échevelé est le Scheepvaarthuis à Amsterdam de J. M. van der Mey (1911-16).

La source en était l'œuvre beaucoup plus sobre de Hendrik Petrus Berlage (1885-1934), notamment la Bourse d'Amsterdam (1897-1903), qui peut être mise en parallèle avec les innovations modérées et judicieuses, en architecture domestique, d'un Voysey. Berlage, en dépit de sa raison et de sa franchise, aimait jouer avec la brique et exécuter des décorations anguleuses originales. Les ensembles d'habitation dessinés par Michel de Klerk (1884-1923), Piet Kramer (né en 1881) et collaborateurs, à partir de 1917 présentent des saillies anguleuses ou courbes des plus bizarres, il en va de même pour les toits et les lignes de faîte. Willem Marinus Dudok (né en 1884) débuta dans le même sens quand il fut nommé architecte de la ville d'Hilversum, mais bientôt il rejeta l'héritage de l'Art Nouveau pour se tourner vers un groupement varié de blocs cubiques en brique, dont l'influence devait s'étendre bien au-delà de la Hollande. Son chef-d'œuvre est l'hôtel de ville d'Hilversum de 1928-32. A ce moment, l'épisode expressionniste était définitivement clos.

En fait, il s'était éteint de lui-même vers 1924 ou 1925. Les années qui s'écoulèrent entre 1925 et le déchaînement de la seconde guerre mondiale sont marquées d'un caractère différent. Le nouveau style de 1914, temporairement endormi par les fumées de l'expressionnisme, se rétablissait et produisait dans quelques pays un style accepté et entraînant pour toutes sortes de travaux. Dans d'autres pays, il se transformait en une monumentalité semi-classique plus acceptable pour ceux qui étaient trop faibles pour absorber la nouveauté dans son intégrité, ou trop empressés de plaire aux masses encore non converties. L'adhésion au style du XXᵉ siècle se répartit géographiquement ainsi. En Europe centrale, c'est-à-dire l'Allemagne, l'Autriche, la Hollande, la Suisse, le style est universellement admis ; en France, il n'a jamais dépassé, avant la seconde guerre mondiale, la petite clientèle de quelques architectes entreprenants, entraînés depuis 1923 par Le Corbusier. La Suède vit le changement en 1930 ; en Italie, il n'y a rien de neuf avant la Casa del Fascio à Côme par Terragni (1932) ; en Angleterre, rien avant que Peter Behrens construisît une maison à Northampton pour un chef d'entreprise anglais (1926), et alors très peu de chose pendant cinq ans, après quoi l'arrivée de réfugiés allemands hâta le mouvement (Gropius, Mendelsohn, Breuer etc.). Aux Etats-Unis, le mouvement débuta par quelques gratte-ciel de Raymond Hood à New York (1928, spécialement le *Daily News* de 1930 et le McGraw Hill Building de 1931) et la Philadelphia Savings

640

640
Amsterdam. Immeuble d'habitation, par M. de Klerk, 1921.
641
Hilversum. Hôtel de ville, par W.M. Dudok, 1928-1932.

641

642

Fund Society par Howe et Lescaze (1931), mais se développa peu avant la deuxième guerre mondiale. Au Brésil, la première apparition du nouveau style se fit avec des maisons élevées par un Russe, Gregori Warchavchik, à São Paulo en 1928, mais peu de chose suivit dans la décennie d'après. En Russie, les débuts audacieux, d'ailleurs rares, furent fermement stoppés en 1931, et on fit machine arrière vers un classicisme conventionnel et naïf. L'Allemagne de Hitler fit machine arrière en 1933; après quelques années de dictature, le pays disparut de la scène de l'architecture moderne.

Mais l'Allemagne s'était déjà trop avancée pour être menacée par un retour aux colonnes géantes et aux modénatures grasses. Elle rejoignait les pays, tels que la France, qui croyaient à la possibilité d'un renouveau, ou même à une survivance des principes et des proportions classiques, en coupant les bases et les chapiteaux des piliers, pour les rendre uniformément carrés, en supprimant les moulures autour des portes et des fenêtres et en coupant les corniches. Ce style régnait en France avec plus ou moins de succès (il existe encore), en Italie et en Allemagne. Pour la France, il dérivait directement du travail de Perret, qui, après des débuts audacieux, s'était tourné vers le problème de la mesure classique en béton armé. Son église du Raincy (1922-23), avec ses murs de verre ornés d'un réseau de motifs géométriques limités par du ciment, montrait encore le courage de ses premières œuvres, et sa tour saccadée, montant par degrés, se rattache assez bien au mouvement expressionniste d'alors; mais ses immeubles pour le Mobilier National, et les bureaux du ministère de la Marine, tous deux à Paris et de 1930, montrent les vertus négatives du classicisme en ciment. Perret a toujours utilisé ce style avec foi, spécialement dans sa composition d'après guerre d'immeubles de bureaux sur le Front de Mer du Havre (1948-50). L'expression la plus élégante, et peut-être la plus française, de ce classicisme est l'œuvre de Michel Roux-Spitz (né en 1888; immeuble d'habitation à

643

644

645

646

647

648

647
Stockholm. Hôtel de ville, par Ragnar Östberg, 1913-1923.
648
Paris. Eposition de 1937, Pavillon de l'Italie.

Paris, 1925, etc.). La même tendance, mais plus timide et sans originalité, est connue en Angleterre sous le nom de « néo-georgien ». Quant aux constructions allemandes pour le Parti National Socialiste à Munich, et pour le gouvernement à Berlin, le mieux c'est de n'en pas parler [42]. Les fascistes en Italie ont été certainement plus heureux en utilisant ce style, dont les termes de référence s'imposaient à eux et leur étaient facilement intelligibles. Leur tradition classique était plus forte, et revenait plus naturellement. Ils avaient d'ailleurs moins connu le nouveau style et pouvaient se tourner plus aisément et plus naturellement vers le langage fasciste. De plus, pour une mise en scène noble et sans vulgarité, personne ne peut rivaliser avec les Italiens. Des bâtiments tels que ceux du nouveau Bergame ou du nouveau Brescia, ou dans les nouvelles villes de Littoria ou de Sabaudia, tels que le pavillon de l'exposition de Paris de 1937 (par Marcello Piacentini et Pagano), tels que le Foro Mussolini à Rome (1937), etc., et beaucoup d'immeubles d'habitation ou de bureaux dans le centre des villes seront acceptés un jour dans le patrimoine. Ils combinent tous une orthogonalité marquée avec des échantillons de marbre brillants, à l'intérieur et à l'extérieur. Mais Mussolini ne se désintéressa jamais entièrement du style du XXe siècle, et fut assez tolérant. Par exemple, Giovanni Michelucci (né en 1891) put élever en 1936, sans aucun compromis, sa nouvelle gare de Florence, qui se trouve en vis-à-vis de la façade d'Alberti pour Ste-Marie-Nouvelle. Cela aurait été impossible en Allemagne ou en Russie.

Le classicisme du Danemark et de la Suède était de nature différente, beaucoup moins prétentieux et beaucoup moins rigide. On peut citer, au Danemark, le siège de la police par H. Kampmann, Aage Rafn et collaborateurs (1918-24) et l'Hornbaekhus par Kay Fisker (1922), tous deux à Copenhague, et l'école Oregaard à Hellerup par E. Thomsen (1923). En Suède, le traitement était plus original et plus amusant, avec des colonnes délicatement amincies (salle de concert de 1926 par Ivar Tengbom, la bibliothèque par Asplund, dès 1921, et le cinéma Scandia de 1922, tous trois à Stockholm). Mais ce qui, soudainement, rendit fameuse dans toute l'Europe l'architecture suédoise ce n'est pas la contribution classique, mais l'éclectisme subtil et très libre de l'hôtel de ville de Stockholm par Ragnar Östberg (1866-1945). Ce bâtiment fut commencé en 1913 mais achevé seulement en 1923. Nous y relevons un plan audacieux, convenable pour ce site superbe, avec la tour d'angle grande, forte, couronnée par une jolie petite lanterne ouverte. Un rien du Palais des Doges, un rien de romantisme, des détails vigoureux inspirés par le XVIe siècle suédois qui s'opposent à d'autres d'un expressionnisme amusant, forment un édifice honnête et original, mais qui, dangereusement, sanctionne la continuité avec l'historicisme de la jeunesse d'Östberg.

Nous avons parlé de tout ceci avant de revenir au développement du courant principal dont la source était le travail des pionniers de 1900 à 1914, parce qu'il était essentiel de bien mettre en valeur que le nouveau style était loin d'être seul en lice entre 1924 et 1939. Nous avons déjà établi son domaine d'expansion. Les exemples que nous examinerons seront choisis dans les pays les plus attachés aux nouvelles conceptions. Néanmoins, malgré la

649

répugnance de la France, le premier architecte dont nous parlerons sera Le Corbusier (né en 1888). Suisse de naissance, il s'établit à Paris après un stage chez Perret et un autre à Berlin chez Behrens; depuis, il a toujours vécu à Paris. Brillant, d'un esprit d'invention inépuisable, d'humeur fantasque, spontané, c'est le Picasso de l'architecture. Il forme un contraste net avec Gropius à qui la raison, la conscience sociale, la foi pédagogique ont fait gagner l'estime du monde entier, comme les écrits étincelants et les dessins pour Le Corbusier. Cependant, ils sont unis par un langage commun reposant sur le style développé avant 1914, style créé en grande partie par Gropius lui-même. Les bâtiments élevés de 1925 à 1930 étaient blancs (bien qu'ils ne dussent pas le rester longtemps) et cubiques. Cela vaut pour les villas de Le Corbusier à Vaucresson (1922), Auteuil (1923), Boulogne-sur-Seine (1926), Garches (1927), aussi bien que pour les logements ouvriers que J. J. P. Oud éleva à Rotterdam et dans sa banlieue (1924-30) et pour les bâtiments du Bauhaus de Gropius, sur lesquels nous reviendrons. Le parallélisme avec les problèmes des cubistes en peinture est manifeste, spécialement pour Le Corbusier qui est peintre lui-même, et admet plus la fantaisie que Gropius ou Oud. On pourrait aussi citer Rietveld en Hollande vers 1924, Mendelsohn avec une paire de maisons jumelées à Berlin, en 1922 déjà, Robert Mallet-Stevens à Paris aux environs de 1927 etc. Une fantaisie d'un ordre architectural supérieur empêcha Le Corbusier de faire du cubisme un système. Déjà au Pavillon de l'Esprit Nouveau, pour l'exposition des Arts

650

649
Garches. Villa, par Le Corbusier et P. Jeanneret,
1927
650
Utrecht. Villa du Dr Schroeder, 1924.
651
Paris. Hôtel rue Mallet-Stevens.

651

652

653

654

655

ris. Exposition de 1925, Pavillon de l'Esprit
uveau.
3
ssau. Bâtiments du Bauhaus, par W. Gropius,
25-1926.
4
an du Bauhaus.
5
ris. Cité Universitaire, Pavillon Suisse, par Le
rbusier, 1930.

décoratifs (Paris 1925) un arbre était inclus dans la maison, et s'élevait à travers le toit. Au pavillon suisse de la Cité Universitaire de Paris (1930) des moellons irréguliers — matériau naturel, traité assez grossièrement — apparaissent à côté du verre, du ciment et du plâtre blanc. La nature, en ce qu'elle a d'irrationnel, revendiquait sa place. Mais ce n'était pas encore l'heure — il y a pourtant lieu de se féliciter de tout cela.

Ici et toujours, l'œuvre de Le Corbusier est individuelle et inimitable, cependant on a essayé souvent de l'imiter et même d'en tirer des clichés. Les œuvres du meilleur standard de 1925 sont presque anonymes dans leur absence d'individualité voulue. Le Bauhaus de Gropius à Dessau est parmi les meilleures productions de l'époque, de même qu'un certain nombre d'immeubles d'habitation. Le Bauhaus fut construit en 1925-26 : il est constitué d'un corps central avec des bâtiments secondaires de hauteurs et de volumes variés, ressemblant approximativement à deux L se recouvrant partiellement. Le centre est un immeuble de bureaux à deux étages sur pilotis. Au nord, se trouve le bloc de l'école professionnelle à quatre étages. Au sud, une aile en croix renferme la salle de conférence, la cantine etc., et prolongeant cela le bloc du dortoir à six étages, avec de nombreux petits balcons et l'atelier tout en verre. La composition est logique et satisfaisante pour l'œil. Parmi les immeubles d'habitation, ceux de Mies van der Rohe à Berlin (1925) et à Stuttgart (Weissenhof — dont nous parlerons plus loin — 1927) méritent une mention ; parmi les grands ensembles d'habitation, il faut citer

656

ceux de Bruno Taut (1880-1938) à Berlin et d'Ernst May (né en 1886) à
Francfort, commencés tous deux en 1926, l'un aux frais de l'Etat, l'autre par
la municipalité. L'ensemble expérimental du Deutscher Werkbund à Weissenhof
près de Stuttgart (1927) offre une synthèse de ce qui s'était fait de mieux.
Un grand nombre d'architectes y collaborèrent depuis Gropius et Mies van
der Rohe jusqu'à Oud et Le Corbusier. Les cubes blancs et les groupes d'immeubles cubiques diversement composés sont indéniablement la marque du
style 1925-30.

    La libération de la dictature du cube commença vers 1930. Le
Corbusier, lui, ne l'avait jamais pleinement acceptée. L'événement capital a
été l'exposition de Stockholm durant l'été de 1930. Là, Gunnar Asplund
(1885-1940), quittant le classicisme nuancé qui avait été le sien jusqu'alors,
démontra les possibilités de la légèreté et de la transparence ; il réussit à
convaincre bon nombre des architectes qui visitèrent l'exposition. L'in-
terconnexion serrée des espaces intérieurs et extérieurs, déjà exploitée bien
des années avant par Frank Lloyd Wright en Amérique, et la foi dans la
légèreté des membres d'acier laissés visibles plutôt que dans les solides surfaces de ciment caractérisent les meilleurs travaux des années trente. Si
l'on devait désigner l'œuvre la meilleure, ce serait sans doute le Pavillon
allemand de l'exposition de Barcelone de 1929, par Ludwig Mies van der
Rohe : bas, avec un soubassement de travertin sans aucune moulure, des
murs de verre et de marbre vert sombre, et un toit plat blanc. L'intérieur

657

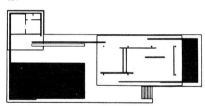

658

656
Stuttgart. Ensemble d'habitation à Weissenhof, par L. Mies Van der Rohe, Le Corbusier, P. Behrens et associés, 1927.
657
Barcelone. Exposition de 1929, Pavillon de l'Allemagne, par L. Mies Van der Rohe.
658
Plan du pavillon allemand à l'exposition de Barcelone.
659
Barcelone. Exposition de 1929, Pavillon de l'Allemagne.

659

était entièrement ouvert, avec des supports d'acier brillants en X, seulement divisé par des murs-écrans en onyx ou en glace vert bouteille. Dans ce pavillon, détruit depuis longtemps malheureusement, Mies van der Rohe a démontré, ce que les détracteurs du nouveau style avaient toujours refusé d'admettre, qu'on pouvait atteindre la monumentalité non seulement par des colonnes feintes, mais aussi par des matériaux splendides et un rythme noble de l'espace. L'architecture religieuse avait naturellement beaucoup souffert de cette hostilité. Il est vrai qu'en Suisse des églises franchement modernes s'étaient élevées dès 1925-27 (St-Antoine à Bâle, par Karl Moser)[43], mais le problème était évidemment moins complexe pour l'Eglise réformée de Suisse que pour toute autre. Asplund cependant, dans sa dernière œuvre, le four crématoire de Stockholm (1935-40) réussit à obtenir la grandeur aussi bien que la consolation. Le portique avec ses lignes verticales et horizontales monotones — assez proches des meilleures œuvres italiennes du moment — la grande croix, tout unie, dressée comme un signal, forment un tout vraiment monumental. Les chapelles, à l'intérieur, et les petites salles d'attente sont enchevêtrées et apaisantes. L'austérité extérieure est somme toute adoucie par la situation romantique du sol en déclivité, avec des pelouses, un étang et des arbres dans le fond. Jamais l'architecture et le paysage n'avaient été si parfaitement liés. Cela devait être une des leçons les plus profitables pour l'avenir. Dans des conditions plus quotidiennes, la même liaison avait déjà été réalisée dans le projet pour un moulin à farine, avec des logements en dépendance, construit sur le Kvarnholm près de Stockholm en 1927 par Eskil Sundahl (né en 1890). Les élévateurs à grain, l'usine, les immeubles d'habitation et les petites maisons sont arrangés ingénieusement entre les rochers et les pins de l'île.

La Société Coopérative, une des entreprises les plus éclairées du monde à l'époque, avait adopté dans toutes ses constructions l'architecture moderne, continuant ainsi l'œuvre d'avant-garde entreprise par l'AEG de Berlin. Une autre entreprise à remarquer était la London Transport, dirigée, quant à sa politique de projets, par Frank Pick. Le fait qu'au XXe siècle de grands corps aient pris la place des Suger, des Médicis, des Louis XIV est d'une grande signification. S'ils agissent comme corps constitués représentés par des comités — c'est trop souvent le cas — les résultats esthétiques tombent très bas et, même lorsqu'il n'en est pas ainsi, ils manquent d'individualité. Un mécène peut plus facilement choisir un architecte et lui donner toute sa confiance. Les cas où un comité est dirigé par un homme qui est un mécène-né, et qui de plus a le don de convaincre et d'entraîner le lourd comité, sont extrêmement rares. C'est toutefois ce qui s'est produit avec Frank Pick. Il avait déjà, avant la première guerre mondiale, commencé à réformer le caractère des lettres, en faisant dessiner pour l'usage de son entreprise un des meilleurs caractères modernes, et il sut en convaincre des millions d'esprits, si bien qu'une révolution dans les caractères anglais s'ensuivit. En même temps, il mena une campagne pour l'amélioration des affiches, et réussit encore à placer la Grande-Bretagne à l'avant-garde dans ce domaine. Vers les années vingt et trente, quand il fallut construire de nom-

660

660
Stockholm. Crématorium, par G. Asplund, 1935-1940, l'entrée.
661
Londres, Arnos Grove Station. Entrée du métro, par Ch. Holden, 1932.

661

662

663

664

398

662
Amsterdam. Immeuble d'habitation, par J.F. Staal, 1931.
663
Marseille. Cité Radieuse, par Le Corbusier.
664
Berlin, Interbau 1957, Immeuble suédois à 10 étages sur les plans de F. Jaenecke et Sten Samuelson.
665
Maquette d'un gratte-ciel en verre de Mies Van der Rohe, 1919.

breuses gares de banlieue, il comprit que le continent avait élaboré un style infiniment plus approprié à cet usage que l'élégant « néo-georgien » ou le pompeux Baroque néo-palladien alors courants en Angleterre. Aussi voyagea-t-il avec son architecte, Charles Holden (1875-1959). Il en résulta des gares aussi bonnes que celles du continent, fonctionnelles dans leur plan, réservées dans leur élévation — en fait, pas tellement éloignées des traditions georgiennes anglaises, si on les étudie suffisamment. Elles datent de 1932 et ont contribué plus que tout, en Angleterre, à ouvrir la voie au style du XXᵉ siècle. Les très brillantes réalisations de Le Corbusier n'y seraient pas arrivées.

Il en va de même des rêves de gratte-ciel de Le Corbusier et de Mies van der Rohe. Leur audace même les contraignait à rester sur le papier. C'est un peu différent pour les immeubles-tours. Leur introduction occasionnelle dans des villes du continent (Anvers entre autres, 1924-30) a déjà été mentionnée. Ils commençaient alors à apparaître pour la résidence. Le premier à mériter l'attention est celui d'Amsterdam par J. F. Staal en 1931 [44]. Mais ils ne prendront un caractère d'urbanisme domestique que quinze ans plus tard, quand les Suédois s'en emparèrent et construisirent des domaines constitués plus ou moins entièrement par de tels immeubles. Le premier est Danviksklippan à Stockholm par Backström & Reinius de 1945 à 1948.

Ainsi la barrière de la seconde guerre mondiale est franchie. La guerre signifia pour beaucoup de pays — pas tous néanmoins — une nouvelle coupure de cinq ans et plus. Le Brésil pouvait construire ce qu'il aimait, les Etats-Unis élevaient de grandes usines et de nombreuses cités de secours. Le style du XXᵉ siècle, renforcé, commença une conquête spectaculaire du continent en 1947. L'Italie proclama sa conversion d'une manière à la fois enthousiaste et excessive. L'Angleterre en fit autant avec plus d'hésitation et de modération. La France adoucit et accepta le nouveau style au moins pour les groupes d'habitation de banlieue. L'Allemagne, libérée du National Socialisme et bénéficiant de la *Währungsreform*, prit un nouveau départ, et atteignit facilement l'avant-garde en quelques années. Seules la Russie et l'Espagne résistèrent. Mais ce style du siècle, si largement admis, est-il toujours celui que les grands maîtres avaient créé et que les leaders de 1925-35 avaient prêché? Dans un certain sens, oui, dans un autre, ce n'est plus le même, et c'est alarmant.

Nous allons suivre les deux courants, celui du changement et celui qui est resté le même. Ce qui a changé, au premier chef, ce sont les conditions dans lesquelles opère l'architecture. On a déjà noté un changement important, qui s'est introduit au début du siècle, mais qui prend chaque jour un peu plus de force, c'est le passage du client personnel au client impersonnel. Qu'un style impersonnel, comme le rationalisme et le fonctionnalisme de 1930 lui soit plus adapté que les styles tirés du passé, cela va sans dire. Que l'anonymat d'un comité, qu'il soit municipal ou commercial, tende à décourager l'entreprise individuelle et le génie, c'est encore patent. Les batailles furent longues et orageuses entre Le Corbusier et les autorités, pour Pessac près de Bordeaux d'abord, pour l'Unité d'habitation de Marseille ensuite, pour l'Interbau à Berlin enfin. On a vu dans l'entre-deux-guerres, que de grands corps réussissent parfois à maintenir l'architecture à un niveau élevé, le Gehag de Berlin par exemple, l'administration municipale du logement à Francfort (voir plus haut), et maintenant encore l'Ina Casa en Italie. Le client personnel peut encore exister, ce fut le cas de Frank Pick dans l'Angleterre de l'entre-deux-guerres, et, après la guerre, celui d'Adriano Olivetti en Italie. Mais, de même que le client cesse d'être un homme pour devenir un comité, de même, l'architecte tend à devenir une association ou une firme. La section des architectes du comté de Londres emploie 3 000 architectes dont 1 500 sont diplômés. Skidmore, Owings & Merrill, aux Etats-Unis, une firme ne produisant rien qui ne soit du plus haut standard, avait, en 1953, dix directeurs, sept associés, onze associés adjoints et mille employés. D'autres firmes modernes ont des personnels de cent employés et plus. Sur le continent, ce développement est moins marqué, mais il doit se faire, parallèlement au déclin des petites agences, avec l'américanisation universelle de l'Europe. En connexion avec ce développement, il faut placer les cas où un groupe d'architectes individuels se sont réunis pour dessiner un édifice. C'est ce qui est arrivé pour le Secrétariat des Nations Unies construit par W. K. Harrison après consultation de Le Corbusier, Markelius, Niemeyer, sir Howard Robertson, N.D. Bassov, Ssu-Chen Liang et quatre autres. C'est aussi le cas pour l'Unesco à Paris, avec Breuer, Zehrfuss et Nervi. La reconstruction de la Hansaviertel pour l'Exposition Interbau à Berlin (1956-58) peut être vue sous cet angle : plus d'une douzaine d'architectes allemands y collaborèrent, et neuf étrangers dont Oscar Niemeyer du Brésil. Rien ne pouvait mieux traduire le changement spectaculaire survenu entre 1930 et 1950, changement d'un style de pionniers en un style répandu sur le monde entier. Le style gothique a été créé en Ile-de-France, il a fallu une génération pour qu'il s'introduise en Angleterre, deux ou trois pour l'Allemagne, l'Italie et l'Espagne. Le style de la Renaissance a été créé à Florence, il lui a fallu une génération pour s'acclimater à Rome et à Venise, quatre-vingts ans et plus pour pénétrer en Espagne, en France, en Allemagne et en Angleterre. Grâce à la grande facilité de nos voyages, à la diffusion de l'imprimerie bon marché et à la bonne illustration de la presse technique, le style du XXe siècle a été bien plus rapide, cinquante ans après sa création il a des avant-postes presque partout. Il ne faut pas moins d'un voyage autour du monde pour faire connaître au critique ou à l'amateur ses essais ou ses plus sensationnelles réalisations. Il faut visiter le Brésil sans doute, le Venezuela, et Chandigarh au Punjab, et le Japon, de même que certains établissements d'éducation élevés par des architectes anglais en Afrique occidentale aussi bien qu'en Birmanie. On peut se rendre compte du style de Le Corbusier à Chandigarh et à Berlin, de celui de Niemeyer à Berlin aussi comme nous l'avons vu, de Skidmore, Owings & Merrill à Istanbul, de Breuer à Paris, d'Eero Saarinen à Londres, d'Alvar Aalto à Cambridge (Massachusetts) et ainsi de suite.

Cet accroissement de l'internationalisation — car dès ses débuts le nouveau style était international, comme tout style plein de santé — a été bien accueilli par les uns, vilipendé par les autres. Dans une époque de communications aussi rapides que la nôtre, et de réalisations internationales

666

666
New York. Secrétariat des Nations Unies par W. H. Harrison et associés, 1949-1951.
667
Paris. Unesco, Bâtiments du secrétariat, salle des conférences et Piazza.

667

telles que celles de la science moderne, les styles nationaux, en architecture et en dessin, seraient désuets, et chacun a pu voir les dangers que le nationalisme exacerbé a fait courir à la paix et à la prospérité, disent les uns. A quoi les autres répondent que tous les styles sains, après une phase internationale, se sont toujours transformés en styles nationaux bien différenciés : le Gothique perpendiculaire en Angleterre vis-à-vis du *Sondergotik* d'Allemagne, le style des édifices de Ph. de l'Orme en France en face de celui de Burghley House en Angleterre. Cela doit-il nous décourager ? Les caractères nationaux existent aussi indéniablement que les langages ; ils doivent enrichir la scène internationale et non la mettre en danger. En tout cas, même maintenant, le critique peut en général distinguer l'édifice important d'Essen de celui de Rio ou de Milan. En ce sens, l'aventure de l'Interbau à Berlin, malgré tout le respect qu'on peut avoir pour la hardiesse de la conception et de l'exécution, pourra, en définitive, avoir fait plus de mal que de bien à l'Allemagne.

Le changement d'échelle entre les domaines de Weissenhof, de 1927, et de la Hansaviertel, de 1957, est tout à fait significatif. L'échelle de la construction s'accroît partout. Une demi-douzaine de villes nouvelles de soixante à quatre-vingt mille habitants sont organisées près de Londres ; le « Grand Londres » couvre 50 km de l'ouest à l'est et 25 km du nord au sud. L'idée horrifiante d'une ville linéaire sans fin de Portland (Maine) à Norfolk (Virginia) a été récemment évoquée par Christopher Tunnard en Amérique où Los Angeles s'étire déjà sur plus de 100 km dans toutes les directions. Le corollaire de cette croissance des villes et de leurs cités - dortoirs est l'accroissement du réseau routier et l'incroyable ingéniosité qu'on déploie pour son tracé. Les croisements tréflés, les passages inférieurs ou supérieurs, les routes à deux étages en Amérique, spécialement à New York et dans ses environs, défieront la sagacité des archéologues de l'an 7000 autant que Karnak et Stonehenge aujourd'hui.

La ligne de partage entre le domaine de l'ingénieur et celui de l'architecte dans de tels travaux d'urbanisme n'existe plus. Ce problème avait été soulevé pour la première fois lors de la construction des premiers ponts suspendus. Le Werkbund et Le Corbusier s'intéressèrent à des élévateurs à grain, Le Corbusier à des paquebots ou à des avions. Aujourd'hui, dans les grands travaux, le nom de l'ingénieur doit être cité à côté de celui de l'architecte, et sa contribution, architecturalement, est plus stimulante que celle de l'architecte. Pier Luigi Nervi (né en 1891), l'ingénieur du béton, est en fait un des plus grands architectes vivants. Il fut mis en vedette, en 1930-32, par le stade de Florence, célèbre par sa structure en ciseaux, sa paire d'escaliers en spirales entrelacées et en encorbellement, hors d'œuvre, et son toit courbe dont l'encorbellement atteint facilement quinze mètres. Il continua avec le hangar d'Orbetello (1938), long de 100m, d'une portée de 40m et construit en voile de béton ; et le fameux hall d'exposition à Turin en 1948-50, d'une portée d'environ 100 m, et toute une suite de projets et d'œuvres dont la hardiesse n'a d'égale que l'imagination, et dont on peut assurer la solidité.

Les escaliers en spirale du stade de Florence peuvent s'avancer sans aucun support, parce qu'ils sont conçus en plaques de béton courbes,

etello. Hangar d'avions, par P.L. Nervi, 1938.

qui travaillent à la traction ; on découvrait que le béton armé n'avait pas besoin d'être employé selon le vieux système des piliers et des linteaux, comme faisait Perret, mais pouvait être traité monolithiquement, en éléments de plaques courbes, ou en réalisant l'unité du support et de la charge. Cela nous ramenait à l'année 1905, année dans laquelle Maillart construisait, en Suisse, son premier pont en béton avec des arches formées de dalles de béton en tension, ou vers 1908, quand il bâtit le premier plafond champignon, qui est un plafond constitué de chapeaux de champignons réunis à des piliers en forme de parapluie.

L'usage complet de ce principe dernier cri est le fait seulement de quelques architectes, et seulement dans ces dernières années. Esthétiquement, le résultat est une révolution aussi grande que celle de 1900-1914, si ce n'est plus. Les travaux les plus éminents sont tous américains, ce qui est parlant en soi. L'orgueil de la place appartient aux constructions de l'Arena à Raleigh (Caroline du Nord), dessinées par le brillant Américain, d'origine polonaise, Martin Nowitzki, qui mourut très jeune, à 41 ans en 1951. Il avait

403

669

dessiné l'Arena cette année-là, en collaboration avec l'ingénieur W. H. Deitrick. La construction ne fut achevée qu'en 1953. Elle comprend deux arcs entrecroisés, inclinés vers l'extérieur, tout en se redressant, supportés par des piles verticales (plus nombreuses que l'architecte ne l'avait prévu). A ces arcs est suspendu un toit formé d'une mince membrane, s'affaissant en son milieu. La largeur est de 100m. Le principe même en a été exporté en Europe assez récemment pour le hall des congrès à Berlin, œuvre de l'Américain Hugh Stubbing. Les arcs ne sont pas entrecroisés mais sont bandés sur deux fondations jointes. L'espace est encore de 100m dans toutes les directions. La salle renferme 1250 places assises.

De telles formes n'avaient jamais été créées ni par les architectes ni par les ingénieurs. Il en est de même pour les formes très différentes que Félix Candela étudia à Mexico. Candela (né en 1910) est Espagnol, et les formes déchiquetées, inspirées des falaises et des pics, qu'il a données à son église de la Vierge Miraculeuse à Mexico City (1955-57) rappellent en quelque sorte les œuvres de Gaudí. Pour la structure, Candela est aussi novateur que Nervi et Nowitzki, son emploi de paraboloïdes hyperboliques dans ses toits — membranes, souples comme un tissu, qui se redressent soudainement en angles aigus — est d'un intérêt aussi grand que les arcs de Nowitzki. Le premier bâtiment d'ordre international élevé par Candela fut l'Institut des Radiations Cosmiques à l'Université de Mexico (1954), encore très proche pour la structure des projets des autres pionniers. Mais l'église aussi

670

bien que le marché de Mexico City prouvent la possibilité d'une expression extrêmement individuelle dans ces nouveaux emplois du béton. Leur effet, en architecture comme en art, a été un renouveau radical de l'individualisme.

Cela peut avoir du bon. C'était certainement une réponse aux arguments du profane contre la naissance de ce style entre 1900 et 1914 ou lors de sa maturité en 1930. Que lui reprochait-on? Sur le terrain formel, d'être un style de boîte à biscuits; sur le terrain humain, d'être dur, intellectuel, mécanique, d'avoir perdu sa grâce et sa plénitude — en bref, d'être inhumain. Et comme personne ne pouvait nier ses mérites fonctionnels, on le trouvait tout juste bon pour les usines. On peut juger de la valeur de ces arguments, plus impartialement aujourd'hui qu'il y a vingt-cinq ans. D'abord, le reproche de boîte à biscuits se révèle juste dans la mesure où le cube ou les groupes de cubes sont aussi caractéristiques du style du XXᵉ siècle que l'arc brisé du XIIIᵉ siècle. Au style transparent des années trente, ce reproche est difficilement applicable. Le manque de grâce est également vrai, et même quelquefois le manque d'humanité. Toutefois, il reste une faille troublante, c'est que les régimes les plus inhumains, celui du National Socialisme et celui des Communistes, étaient les plus grands ennemis de ce style « inhumain », très soucieux qu'ils étaient de parer leur inhumanité de colonnes ou de piliers carrés géants. La mécanisation est une caractéristique véritable du style aussi, mais un manteau de colonnes géantes ou de piliers ne l'aurait pas empêchée. *Mechanization takes Command* (la machine

405

commande) est le titre d'un des livres de recherches de Giedion, et ce titre traduit un des faits de base du XIXe et du XXe siècle. Le nouveau style l'admet, le vieux style d'imitation le déguise, voilà tout. Il y a donc une once de vérité dans l'accusation portée contre le nouveau style d'être un style pour usines. Qu'il puisse être un style idéal pour les usines, on s'en est rendu compte très tôt à l'usine Van Nelle dans la banlieue de Rotterdam par Brinkman & Van der Vlucht (1929). Il a aussi, parmi ses ancêtres lointains, l'utilitarisme non déguisé des usines de la fin du XVIIIe et du début du XIXe siècle et la hardiesse des premiers ponts métalliques faits en produits manufacturés, et parmi ses ancêtres immédiats, comme l'a dit Le Corbusier, les élévateurs à grain et les paquebots. Il est vrai aussi, bien sûr, qu'un style qui insiste sur la franche exposition de la fonction convient beaucoup mieux à des bâtiments dont la fonction est évidente pour tous parce qu'ils sont d'ordre pratique et moins à des édifices dont la fonction est d'ordre spirituel plutôt que pratique. C'est pourquoi l'architecture religieuse et celle des grands édifices civiques sont restées en arrière.

Les halls d'exposition de Nervi à Turin, ou l'Arena de Nowitzki à Raleigh ne peuvent encourir aucun des reproches du profane. Ils peuvent paraître industriels, plutôt qu'individuels, mais seulement dans la mesure où tout objet tout fait plutôt que fait à la main paraît industriel. Ils paraissent organiques et non cristallins, personnels et non anonymes. Ainsi peuvent-ils affronter bon nombre des objections de l'entre-deux-guerres. Ils les affronteraient avec une audace admirable et l'invention la plus hardie. Ces solutions formelles sans précédent furent trouvées par des hommes dont le premier souci était le désir du vieil Occident de maîtriser l'espace. Mais un nouveau désir va de pair avec ceci, désir que les années trente auraient détesté, désir immédiat de créer de nouvelles formes. Ce désir ne s'est manifesté que dans les dix dernières années, et on doit apprécier son apparition comme un facteur positif. Une fois encore, juste comme au temps de Suger, le besoin spirituel d'une nouvelle expression a créé de nouvelles formes et trouvé le moyen technique de les exprimer.

Le besoin était grand, et il n'a pris que rarement la route ardue du calcul mathématique et l'effort vers une synthèse de la forme et de la structure. Bien plus souvent il est apparu purement et simplement comme une révolte contre la raison. Tous les toits de ces dernières années, qui s'incurvent vers le haut ou vers le bas, qui ondulent comme le monstre du Loch Ness, qui s'avancent en bondissant, qui s'affaissent au milieu, ne sont pas le résultat d'une sérieuse considération des besoins et du prix. Ils sont ce que Nervi appelait dans le privé des acrobaties structurales, des morceaux difficiles à calculer et à construire, introduits pour leur seule fantaisie. Pour leur fantaisie — cela signifie, plus sérieusement parlant, pour la recherche de la saveur de formes bizarres qui n'existaient pas vingt ans auparavant même si elles avaient existé cinquante ans plus tôt, lorsque l'Art Nouveau régnait. Le Brésil est le pays où la fascination et les dangers de l'irresponsabilité du siècle apparaissent avec le plus de force. Il n'y a pas lieu de s'en étonner, puisque le Brésil n'a été converti qu'en 1930-35 et qu'il avait d'ail-

671

671
Rotterdam. Manufacture de tabac Van Nelle par
Brinkmann et Van der Vlucht, 1929.
672
Turin. Hall d'exposition par P.L. Nervi, 1948-1950.

672

673

674

leurs une tradition de Baroque, des plus hardies et des plus irresponsables du XVIIIe siècle. Ainsi, au Brésil, trouve-t-on les structures contemporaines les plus fabuleuses et aussi les plus gratuites. L'église de Niemeyer à Pampulha (1943) avec sa section de nef parabolique, ses petites paraboles pour le transept et sa tour carrée s'élargissant à mesure qu'elle s'élève, et le domaine Pedregulho par Affonso Reidy à Rio (1950-52) avec son immeuble d'habitation long et sinueux, ses immeubles isolés, son lycée et son école, sa piscine, ses boutiques etc., sont des exemples très audacieux. L'école, aussi bien que les boutiques, a des murs rejetés en arrière. De telles recherches, ou les tours effilées en bas de Niemeyer, ou un porche avec un toit en bande, ondulant sans aucunement protéger (Casino de Pampulha, 1942), ou des plans qui se contractent et s'étendent en courbes très libres, indépendamment de la fonction, se rencontrent beaucoup trop souvent. Le Brésil n'est pas un cas unique dans cette révolte contre la raison. Le Corbusier a été consulté pour le nouveau bâtiment du ministère de l'Education à Rio en 1937 ; il visita alors le Brésil. On comprend que le pays ait développé les traits irrationnels du caractère de l'architecte et qu'il ait communiqué son enthousiasme impulsif à ses jeunes admirateurs. Toujours est-il que Le Corbusier a, depuis, complètement changé son style, et la chapelle de pèlerinage de Ronchamp, non loin

675

673
Pampulha. Eglise St. François par O. Niemeyer, 1943.
674
Coupe de l'église de Pampulha.
675
Rio de Janeiro. Grand ensemble de Pedregulho, par Affonso Reidy, 1950-1952.
676
Rio de Janeiro. Grand ensemble de Pedregulho.

676

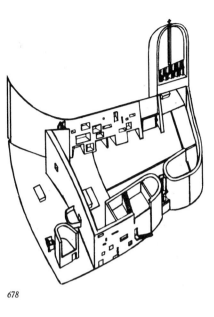

678

de Besançon, est le monument le plus discuté du nouvel irrationalisme. Ici, une fois encore, le toit est moulé comme s'il était le chapeau d'un champignon, et de plus l'éclairage est donné par d'innombrables petites fenêtres de forme arbitraire et de place non moins arbitraire. La chapelle est petite, prévue seulement pour des rassemblements de 200 personnes ; elle est construite entièrement en béton brut. Quelques visiteurs disent que l'effet de mystère est émouvant. Mais malheur à celui qui succombe à la tentation de reproduire le même effet dans un autre édifice moins isolé, moins lointain, placé d'une manière moins inattendue, et de fonction moins exceptionnelle [45].

La révolte contre la raison ne s'est pas confinée aux Brésiliens et à Le Corbusier. Elle a fait son apparition dans la plupart des pays. En Angleterre, la forme qu'elle a prise est moins énergique, il n'est pas besoin de le dire. Les architectes aiment se servir de réseaux géométriques pour placer les fenêtres et les balcons. Sur une façade aux balcons régulièrement disposés, on placera les appuis de balcon verticaux de façon à créer un effet d'échiquier, ou les balcons eux-mêmes seront en matériaux alternés, béton ou réseau de fer, afin d'obtenir le même effet. Des architectes italiens vont plus loin, par exemple Luigi Moretti (né en 1909) qui place en encorbellement le bout étroit d'un immeuble à huit ou dix étages au-dessus du rez-de-chaussée, formant un angle avec lui, et de plus forme des pans coupés avec les murs verticaux de telle sorte que des angles inattendus se présentent entre les différentes parties. Dans d'autres bâtiments, une étroite fente s'ouvre entre les deux moitiés d'un immeuble. L'Allemagne s'est gardée de cette nouvelle tendance, protégée sans doute par l'émotion de son retour à la raison, après dix ans d'un faux classicisme exaspéré. La nouvelle mode l'atteint cependant maintenant, plus dans les monuments publics que dans les bureaux et les appartements ; quelques-unes des salles de concert ou d'opéra sont d'une bizarrerie sans pareille. Mais ne pourrait-on pas répondre à cette critique par un plaidoyer pour le bizarre ? Pourquoi l'architecture et le dessin se passeraient-ils de lui ? Pourquoi critiquerait-on Reidy et Moretti et pas Nowitzki et Candela ? Est-ce un argument valable de dire que les formes des uns sont structurales et celles des autres décoratives ? On pourrait sûrement en discuter. En matière d'esthétique, l'œil doit être le juge, et pour l'œil il revient au même que des formes inattendues ou sans précédent soient employées pour des raisons structurales ou décoratives. Cet argument est cependant artificiel. Il est vrai que chacun aime une courbe plus qu'une autre, ou pas de courbe plutôt que plusieurs, mais l'homme est doué de raison et ne peut pas l'exclure sans un effort conscient. Cet effort, il est vrai, est, à certain degré, essentiellement esthétique, mais à certain degré seulement. Exactement comme le jugement d'une peinture sans d'autres critères que des critères esthétiques appauvrit l'expérience de la peinture, ainsi l'exclusion de l'intellectuel appauvrit-elle l'expérience de l'architecture et du dessin. Si deux sièges de jardin, l'un construit en branches inégales, l'autre moulé en fonte de façon à obtenir exactement les mêmes surfaces, peuvent produire le même effet pour l'œil, notre raison accepte l'un comme parfaitement normal et rejette l'autre comme fou, même si nous sommes amusés

411

par lui. De la même manière, la fausse ligne aérodynamique des voitures des années dernières ne peut pas être acceptable pour la raison. De plus, on peut à peine s'en amuser parce que sur une autoroute ou dans le plein trafic d'une ville, on n'a pas à être amusé par une voiture, on travaille.

Tout ceci est vrai en architecture aussi. Si un mur normal porte une décoration Art Nouveau, nous pouvons apprécier cela esthétiquement ; mais si un mur a ses fenêtres disposées arbitrairement sans relation visible, satisfaisante, avec le plan, ou si un mur avance sans raison apparente de structure, nous inclinons à le rejeter comme fou. Et l'architecture peut rarement se permettre d'être folle ; c'est une autorité trop permanente et trop grande pour s'amuser tout bonnement. C'est très bien de soutenir que les petits pavillons d'exposition peuvent être aussi fantaisistes qu'ils veulent, mais les autres édifices doivent être acceptables dans toutes les humeurs, ce qui signifie qu'ils doivent avoir un certain sérieux. Le sérieux n'exclut pas un défi à la raison, mais cela doit être un défi sérieux, comme beaucoup le sentent à Ronchamp. Ce qui ne peut pas être, est irresponsable ; et la plupart des acrobaties structurales — laissons de côté les acrobaties purement formelles imitant les acrobaties structurales — sont irresponsables. Cela est un argument contre elles.

Un autre est qu'elles ne sont pas en conformité avec les conditions sociales de base de l'architecture. Ces conditions n'ont pas changé entre 1925 et 1935. L'architecte doit toujours construire pour des clients essentiellement anonymes, et pour un grand nombre de clients — usines, bureaux, hôpitaux, écoles, hôtels — et il doit toujours utiliser des matériaux produits par l'industrie. Cette dernière condition exclut la décoration, puisque la décoration faite à la machine perd son sens ; mais la première en fait autant, car la décoration acceptable par tous, c'est-à-dire qui n'est pas faite pour un individu, perd aussi son sens.

Cependant, le désir de rompre la monotonie nous semble compréhensible quand on examine, maintenant, un ensemble parfait des années trente, tel que le domaine Dammerstock à Karlsruhe (1927-28) ou le domaine Siemensstadt près de Berlin (1929), tous deux œuvre de Gropius et collaborateurs, avec leurs lignes exactement parallèles, et leurs rangées d'immeubles de même orientation. Le dessin de leurs élévations est cependant excellent, le plan est très bien adapté à la fonction, mais il y manque quelque chose, on se surprend à y désirer violemment l'organique au lieu du mécanique, l'imaginatif au lieu de l'intellectuel, la liberté plutôt que l'organisation rigide.

Voilà pourquoi Ronchamp et Pampulha devaient voir le jour ainsi que les acrobaties structurales et les revêtements en échiquier. Mais une explication n'est pas une justification. Un tel exposé pourrait être considéré comme parfaitement en dehors du domaine de l'historien. Néanmoins l'historien ne peut rien apporter dans cette discussion générale, pour lui la question est de savoir si le style créé entre 1900 et 1914 est encore le style d'aujourd'hui ou si 1950 doit être défini en termes complètement différents, même opposés.

679

New York. Lever Building par Skidmore, Owings et Merrill, 1950-1951.

Cet historien nie une telle nécessité, poussé par le fait que ce néo-Art Nouveau n'est pas la seule réponse d'aujourd'hui aux charges de mécanisation et d'inhumanité. Il y a d'autres édifices dans lesquels le défi est accepté et pleinement affronté sans rien abandonner des conquêtes de 1930. Ils représenteront, dans la future histoire de l'architecture du XXe siècle, l'évolution vis-à-vis de la révolution de Ronchamp. La découverte de ces évolutionnistes est triple, quoique le mot de découverte soit peut-être trop fort, puisque les trois innovations furent entrevues ici ou là dès le début du XXe siècle. La première de ces trois nouvelles thèses est que le désir de rompre la monotonie ne nécessite pas la décoration, mais peut être réalisé par la variété des surfaces et des groupements; la seconde thèse est que le

413

principe de variété de groupements peut être étendu à tout un ensemble et même au centre entier d'une ville; la troisième avance que la variété peut être obtenue par les relations entre les constructions et la nature, et cela peut être plus efficace que la variété d'un bâtiment à l'autre. Par ces trois moyens, l'uniformité est évitée, la fantaisie est introduite et un sens de l'humain est satisfait sans aucun recours à l'obstination. Comme exemple du premier principe, je citerai le siège des Nations unies à New York, et plus encore le Lever Building (par Skidmore, Owings & Merrill) avec son impressionnant contraste entre l'immeuble très mince, haut de vingt-quatre étages aux parois de verre, et le soubassement à deux étages en dessous, sa place et son jardin intérieur. Le meilleur exemple du second principe, est Vällingby, près de Stockholm, avec sa place de marché entourée d'immeubles-tours. Le projet est de Sven Markelius et de ses collaborateurs; la réalisation, des environs de 1955 [46]. C'est le centre d'un groupe de nouveaux faubourgs qui doivent abriter 60 000 personnes, à quelque chose près le nombre dont sont parties les nouvelles villes en Angleterre durant la guerre. Parmi ces dernières, la meilleure est Harlow à 65 km au nord de Londres (par Frederick Gibberd), mais elle est d'un caractère urbain moins accusé que Vällingby. Cela est dû à la tradition, ancrée en Angleterre, de vivre en petites maisons, non pas en appartements, et de veiller sur son propre jardin. C'est une saine tradition, même si cela rend difficile l'urbanisme. Mais il y a une autre tradition anglaise qui prend une signification renouvelée aujourd'hui : celle du pittoresque. Il avait, comme nous l'avons vu, trouvé son expression dans les parcs et jardins, et les relations des bâtiments avec eux. Les principes du Lever Building et de Vällingby sont, en termes architecturaux, clairement les mêmes que ceux des réformateurs du XVIIIᵉ siècle : irrégularité, surprise, complication. Mais ils s'expriment en bâtiments. Faire la synthèse entre les bâtiments et la nature devait revenir aux Anglais. Ce fut brillamment établi par l'architecte du comté de Londres, d'alors, sir Leslie Martin ; son ensemble de Roehampton près de Londres (1952-59) est esthétiquement le meilleur ensemble d'habitation à cette date. Il comprend plus d'une vingtaine d'immeubles-tours répartis en trois groupes ; un certain nombre d'immeubles hauts, parallèles et minces, de nombreux immeubles à quatre étages, et beaucoup de petites maisons mitoyennes, et, de plus, des écoles et quelques boutiques. Le tout doit abriter environ 10 000 personnes, néanmoins on n'a nulle part le sentiment de dispositif pour des masses. Cela a été évité non pas en inventant des variétés de façade, mais en les situant dans le paysage. La superficie entière occupe l'emplacement d'un certain nombre de ces grandes villas victoriennes inutilisées et de leurs jardins. C'est ainsi qu'il y a abondance de vieux arbres et de pelouses. Tout a été conservé et réinstallé ; en conséquence, la nature, les branches et les feuilles créent la variété dont les architectes sont maintenant assoiffés. La combinaison des immeubles modernes avec les arbres est suédoise, de même que l'emploi des groupes d'immeubles-tours. Si l'effet total est supérieur à tout ce qui s'est

681

682

fait en Suède, c'est une affaire d'échelle. La superficie est ici plus grande
que celle des domaines privés qu'on a construits là-bas, et l'échelle aide à
créer l'unité dans la variété.

Le domaine de Roehampton est un témoignage aussi complet du
développement de l'architecture entre 1925 et 1956 que les structures de
Nervi. Les deux œuvres sont aussi des preuves que l'évolution mène de 1925
à 1955, et que la révolution n'est ni nécessaire ni même souhaitable. Soyons
heureux de toute manière si une chance est donnée au génie individuel, tel
Le Corbusier à Ronchamp, ou s'il s'empare d'une possibilité exceptionnelle,
comme Catini, Montuori et leurs associés le firent à la gare de Rome. Là ils
donnèrent une double courbe au toit, écho de la ligne générale de faîte du
fragment pittoresque du mur servien qu'on aperçoit à travers une paroi de
verre. Mais prenons garde aux génies médiocres qui essayent de pourvoir à
nos besoins journaliers.

« Prenons garde » sonne comme un sermon, plutôt qu'un livre
d'histoire. On ne peut en effet éviter que l'historien ne se transforme en avocat
s'il choisit de mener son histoire jusqu'aux événements contemporains. Il a
cependant grande tentation de le faire. Ecrire l'histoire implique un processus de sélection et de jugement de valeur. Pour éviter d'être arbitraire,
l'historien ne doit jamais oublier l'ambition de Ranke de décrire les événements « tels qu'ils furent ». Cette ambition, prise assez sérieusement, impose
sélection et évaluation d'après les critères de l'époque traitée, plutôt que
d'après ceux de l'époque de l'historien. Une vie passée dans l'application de
ces critères préparerait-elle, à coup sûr, l'historien à affronter le cas où
l'époque traitée est la sienne propre? Il faut laisser le lecteur de ce livre
décider si ces dernières pages sont un bilan exact des problèmes architecturaux et de leurs solutions, « tels qu'ils sont réellement ».

682
Rome. Station Termini par L. Calini et Montuori
Castellazzi Fadigatti et associés, 1950.
683
Rome. Station Termini. Intérieur.

683

Notes

1. Les deux grandes églises de Trèves, au IVe siècle, connues par des fouilles postérieures à la deuxième guerre mondiale, avaient des transepts aussi. St-Démétrius, de Salonique, avait un transept entouré de bas-côtés vers 410 (ou dans la reconstruction qui a suivi l'incendie des environs de 630 ?) de même St-Menas en Egypte au début du Ve siècle.

2. L'alternance de piliers et de groupes de colonnes à St-Démétrius, de Salonique, est unique.

3. Dans un des mausolées du cimetière romain récemment trouvé sous St-Pierre se trouvent des mosaïques chrétiennes du IIIe siècle. Ce sont les plus anciennes que nous connaissions.

4. On rencontre aussi des édifices tréflés. Il faut les noter ici, bien qu'ils ne soient pas de plan strictement central. On en trouve dans la catacombe de St-Calixte à Rome, et, sur une grande échelle, dans les deux grands monastères de Sohag (Egypte) connus sous le nom de Monastère Blanc et de Monastère Rouge (Ve siècle).

5. Il devait y en avoir à la cathédrale de Trèves, dans son arrangement des environs de 370.

6. Il y a beaucoup d'autres exemples, aux Ve et VIe siècles, de pénétration du plan central et du plan longitudinal. Aucun n'est plus monumental que celui des ruines de St-Jean d'Ephèse (vers 550) qui était couverte d'un dôme et dérivait des Sts-Apôtres, mais l'addition d'une travée à la nef créait une prédominance longitudinale.

7. Ils ont pour cette raison été enlevés de la figure.

8. Des fouilles entreprises après la seconde guerre mondiale ont prouvé que de tels édifices s'élevaient aussi en Allemagne. Comme exemples d'églises longues, sans bas-côtés, avec des chevets plats, on peut citer : Echternach vers 700, St-Salvator (Abdinghof) à Paderborn mentionné vers 770, la première cathédrale de Minden, etc. Des exemples de *porticus* sont notés à Saint-Germain de Spire au Ve siècle et dans les bâtiments bien connus de Romainmôtier en Suisse, de 630 env. et de 750 env.

9. Ce plan peut avoir été suggéré par le modèle de St-Denis près de Paris, qui semble avoir présenté cet arrangement au moment de sa consécration en 775. Exemple très précoce des innovations carolingiennes. Il pourrait cependant avoir existé un précédent northumbrien encore plus précoce, s'il faut faire confiance aux plans publiés à la suite des fouilles d'Hexham (apparemment mal conduites et mal consignées). Ils montrent une grande église de ce type, et il n'y a pas de raison pour ne pas assurer que c'est l'église de Wilfrid, édifiée au VIIe siècle.

10. Un exemple plus tardif est St-Etienne de Bologne.

11. Il faut entendre par classique : le bref moment d'équilibre parfait qui existe dans de nombreux styles — cela s'oppose au sens de classique : imitation de l'Antiquité.

12. Il ne reste plus que trois têtes qui sont conservées maintenant dans les musées de Harvard et de Baltimore.

13. Beauvais est même dépassée par Cologne commencée en 1248 ; ici, la proportion est de 1/3,8. On doit cependant rappeler que de telles envolées n'étaient pas étrangères à toutes les écoles d'architecture romanes. A Arles, en Provence, le rapport est 1/3,5 ; à Ely, 1/3,2.

14. Ils ne sont pas aussi surbaissés qu'ils le seront à Salisbury un peu plus tard.

15. Les dates sont les suivantes : Clermont-Ferrand commencée en 1248, Narbonne et Toulouse 1272, Limoges 1273, Rodez 1277. Les écoles régionales ont perdu relativement de leur importance bien que le Poitou et l'Anjou restent attachés au type église-halle qui a dominé dans les cathédrales du premier gothique à Angers, commencée avant 1148, et à Poitiers en 1162. St-Serge d'Angers, des environs de 1200, se révèle une église-halle plus petite, mais particulièrement élégante. La Normandie a conservé une allure provinciale, caractérisée intérieurement par les tribunes et des détails de remplage proches de l'*Early English* et extérieurement par de belles flèches, particulièrement à Coutances. En Bourgogne,

après une longue résistance au gothique d'Ile-de-France à la cathédrale d'Auxerre vers 1215, à Notre-Dame de Dijon vers 1220, etc., et d'autres encore, se développa un style très original aux membres intérieurs détachés et sveltes, d'une minceur toute métallique. On y a conservé, comme en Normandie (et en Angleterre), les tribunes ou les triforiums. Pour le Sud-Ouest, et notamment pour Albi, voir le chapitre suivant.

16. Ceci avait été déjà fréquemment employé en Angleterre pendant le XIIe siècle, mais sur une petite échelle.

17. Ce même système est apparu, pour couvrir une très courte distance, à l'étage inférieur de la Sainte-Chapelle à Paris, dans les années 1240.

18. Notons que, pour la France, c'est à Notre-Dame de Paris, en 1235, qu'on trouve ces premières chapelles entre contreforts.

19. Quelques-unes des meilleures et plus tardives églises allemandes de cette période (cf. Annaberg) ont des piliers octogonaux à faces concaves (indication très claire de la tendance à faire fuser l'espace de la nef et des bas-côtés dans tous les sens). Le même type de piliers se rencontre dans les églises des Cotswolds (Chipping Campden). Les nervures flottantes comme dans l'antichapelle de la chapelle des Berkeley à Bristol, remarquons-le, sont aussi une spécialité des plus téméraires de ces églises du gothique tardif allemand. Leur première apparition se manifeste dans l'œuvre de Peter Parler à la cathédrale de Prague (1352), etc.

20. Dans un cas spectaculaire, ce goût nouveau pour une tour unique se manifesta sur une façade dessinée pour en recevoir deux. A Strasbourg, les dessins dont nous avons déjà parlé furent abandonnés et une flèche de 172 mètres fut construite sur le soubassement d'une des tours prévues, le reste de la façade se terminant en une terrasse qui s'étend au pied de la tour. C'est une vue étonnante mais elle s'est imposée sans discussion et elle est même très aimée. A la cathédrale de Beauvais, la flèche au-dessus de la croisée a été érigée au début du XVIe siècle à la hauteur de 153 mètres. Elle s'écroula en 1573.

21. L'Institut Warburg m'a aimablement procuré le plan de l'église de Zagalia et plusieurs autres

qui ont été spécialement photographiés dans le *Codex Magliabecchiano* (Bibliothèque Nationale de Florence, II, I, 140 ; précédemment XVII, 30) de Filarete. Le plan de l'église de Zagalia n'est pas reproduit dans le livre sur Filarete de Lazzaroni et Munoz, et n'a jamais été publié avant. Il a été nécessaire de le redessiner pour des raisons de clarté, et ceci a été réalisé par miss Margaret Tallet.

22. Brunelleschi avait déjà imaginé de telles lignes, dans sa façade inachevée du palais du parti guelfe.

23. Mais Bramante employa aussi ce motif dans ses dernières esquisses pour St-Pierre.

24. Ces explications sont encore plus nécessaires en français, puisque nous n'avons qu'un seul mot, tandis que l'anglais dispose de trois termes : *classic, classical, classicist*. (Note du traducteur.)

25. Mais pour Jacob Burckhardt, l'historien suisse du XIXᵉ siècle et l'inventeur de la Renaissance dans le sens où nous comprenons le style aujourd'hui, le vestibule de la Laurentienne est seulement « une incompréhensible plaisanterie de grand maître » (*Geschichte der Renaissance in Italien*, 7ᵉ édition 1924, p. 208 - écrit en 1867).

26. Mais les architectes ont pu être stimulés par des apparences, moins délibérées, comme automatiques, d'arcs tridimensionnels formés par la pénétration des fenêtres hautes dans des voûtes en berceau. La pénétration, lorsque le diamètre des arcs est inférieur à celui de la voûte, donne ainsi des arêtes à trois dimensions. De tels exemples se trouvent à l'intérieur de St-Paul de Londres, mais aussi dans des églises bien plus anciennes. Un des premiers exemples est à l'église del Carmine de Padoue, avant 1500. Philibert de l'Orme, en France, au milieu du XVIᵉ siècle, a été fasciné par ces arcs et le premier à les utiliser pour des effets esthétiques.

27. Moosbrugger avait, en fait, prévu un tambour sous la coupole et son lanternon.

28. Il faut en trouver l'origine dans la fameuse vis du Louvre, de la fin du XIVᵉ siècle.

29. Dans le classicisme italien, il devait bientôt être surpassé par la chapelle des Valois ajoutée à l'abbaye de St-Denis vers 1560, probablement œuvre du Primatice. C'était purement *Cinquecento* ; une coupole circulaire au centre — le premier dôme de France — avec six chapelles radiales tréflées et des colonnes extérieures réparties en deux ordres suivant le motif de Bramante. Elle prend place dans l'évolution des églises à plans centrés d'Italie plutôt que de France.

30. Il envahit le dessin des hôtels de Paris — avec l'hôtel Lamoignon, de 1584, par un des Du Cerceau.

31. Du Cerceau dessina aussi le seul autre château important du règne de Charles IX : Verneuil, commencé en 1565, de plan plus simple, typiquement français, avec ses trois ailes égales et la quatrième réduite au mur écran de l'entrée, et dans le détail d'une multiplicité de formes tout étrangère. Les années qui s'écoulèrent entre les règnes de Henri II et de Henri IV sont pauvres pour la France, qui réservait son énergie aux guerres de Religion.

32. Les autres sont St-Paul - St-Louis, 1627 - 1641, St-Joseph-des-Carmes, dont le contrat pour le dôme a été signé en 1628 ; Ste-Marie-de-la-Visitation (1632-1634), cette dernière par Mansart.

33. Et quatre en dehors de la Cité.

34. Henri IV, pour l'historien de l'architecture, est aussi et même plus important comme urbaniste de Paris que comme bâtisseur de palais. Le premier de ses projets était la place Royale, aujourd'hui place des Vosges, dessinée en 1603, rectangle de maisons ordonnancées dont toutes les entrées sont masquées. Le second, la place Dauphine, commencée en 1607, triangle formé par rangées de maisons avec au sommet, la statue du roi sur le Pont-Neuf. L'architecture est du type confortable, en brique et pierre, que nous avons vu se poursuivre jusqu'aux années 1620-1630.

35. Dans la ville, les principales réalisations d'urbanisme avaient été la place des Victoires de 1685 et la place Vendôme de 1698.

36. La même subtilité règne dans le plan du groupe de la place Royale à Nancy par Emmanuel Héré (1705-1763), un des plus grands aménagements de l'urbanisme du XVIIIᵉ siècle. L'ensemble du carré de la place de l'Hôtel-de-Ville, uni par un arc de triomphe à la Carrière allongeant ses quatre rangées d'arbres entrelacés, suivi de l'hémicycle transversal avec ses colonnades et terminé par le palais de l'Intendance, a la variété et l'inattendu du Rococo, et respecte cependant l'axialité française. Les travaux ont été exécutés entre 1752 et 1755.

37. Mais le jardin anglais de Montesquieu à La Brède remonte aux environs de 1750.

38. J'anticipe ici sur ce qui sera démontré avec beaucoup plus de détails dans une étude que prépare M. Robin Middleton.

39. Dans le cas de Boullée, cela a été récemment affirmé mais ce n'est nullement évident.

40. Les premiers ponts suspendus sont chinois. Pour l'Europe, le premier fut construit, mais d'une manière très primitive, en Angleterre vers 1740. Le premier pont métallique, qui n'est pas un pont suspendu, est le Coalbrookdale Bridge, en Angleterre (1777-1781). Les possibilités de pont suspendu en métal ont d'abord été perçues en Amérique par James Finley qui en bâtit un certain nombre depuis 1801, le plus long ayant une portée de 100 m. En Angleterre, le premier exemple important est Menai Bridge (1815) de Thomas Telford. Les premiers ponts métalliques de France sont le pont des Arts de 1803 — passerelle pour piétons seulement — et le pont d'Austerlitz de 1806. Le premier grand pont suspendu est le pont sur le Rhône, à Tournon (1823-1825).

41. Le fer a été d'abord utilisé comme simple expédient de construction, déjà au Moyen Age comme tirants, et puis comme piliers, comme poutres, etc., pour rendre incombustible le toit d'un théâtre (Louis au Théâtre de Bordeaux, 1772-1780) ou une usine tout entière (usines anglaises des années 1790), le dôme en fer et verre fut une invention française. Il apparut pour la première fois à la Halle aux Blés en 1805-1811 (œuvre de Bélanger).

42. Par P. L. Troost (1878-1934) la Haus der Deutschen Kunst, les temples, etc., sur la Königsplatz, le Führerbau et le bâtiment d'administration du parti, tous dessinés en 1932-1934 ; par A. Speer (né en 1905), le stade de Nuremberg des environs de 1936 et le Reichskanzlei à Berlin ; par E. Sagebiel, le vaste ministère de l'Air à Berlin ; par le vieux et meilleur Werner March, l'Olympiastadium, etc., à Berlin.

43. Appartenance au style de Perret. Le pas vers le style métallique plus aéré de 1930 fut franchi par E. F. Burckhardt et Egender à la Johanneskirche de Bâle en 1936.

44. A côté de ceci, un cas en avance d'immeuble haut et peu épais, une autre forme d'avenir, se trouve en Hollande : le Bergpolder, immeuble construit à Rotterdam en 1934 par W. van Tijen, H. A. Maaskant, J. A. Brinkman et L. C. van der Vlucht.

45. L'inévitable se répand déjà partout, même en Grande-Bretagne.

46. Encore plus urbain et le plus beau de cette sorte est le quartier de St-Paul pour la Cité de Londres, par sir William Holford, preuve qu'un traitement parfaitement moderne et sans rhétorique d'une surface autour d'un monument historique est possible et que les formes plus riches du monument peuvent agir comme variété sur les formes rectangulaires des nouveaux bâtiments et que celles-ci peuvent rehausser l'effet du monument. Le plan de Holford, malheureusement modifié sur quelques points, vient de recevoir un début d'exécution.

Bibliographie

Généralités

A. MICHEL : *Histoire de l'art*, 18 vol. Paris, 1905-29.
Sir BANISTER FLETCHER : *A History of Architecture*, 14ᵉ éd. Londres, 1948.
P. LAVEDAN : *Histoire de l'Art*, vol. 2 *Moyen Age et Temps modernes*, 2ᵉ éd. Paris, 1950.
E. LUNDBERG : *Arkitekturen's Kunstspräk*, 10 vol. Stockholm, 1945-61.
Wasmuths Lexikon der Baukunst, 5 vol. Berlin, 1929-37.
U. THIEME et F. BECKER : *Allgemeines Lexikon der bilderden Kunstler*, 37 vol. Leipzig, 1907-50.
M. S. BRIGGS : *The Architect in History*, Oxford, 1927.
G. DEHIO et F. VON BEZOLD : *Die kirchliche Baukunst des Abendlandes*, 10 vol. Stuttgart, 1884-1901.

Grande-Bretagne

W. GODFREY : *The Story of Architecture in England*, 2 vol. Londres, 1928.
F. GIBBERD : *The Architecture of England from Norman times to the present day*, 5ᵉ éd. Londres, 1944.
N. LLOYD : *A History of the English House*, Londres, 1931.
H. AVRAY TIPPING : *English Homes*, 9 vol. Londres, 1920-37.
N. PEVSNER : *The Buildings of England*, Londres, 1951 et suivantes. Déjà publiés : *Buckinghamshire, Cambridgeshire, Cornwall, Derbyshire, Devon* (2 vol.), *Durham, Essex, Hertfordshire, Leicestershire and Rutland, London* (2 vol.), *Middlesex, Norfolk* (2 vol.), *Northamptonshire, Northumberland, Nottinghamshire, Shropshire, Somerset* (2 vol.), *Suffolk, Surrey, Yorkshire, West Riding*.

France

C. ENLART : *Manuel d'Archéologie française*, 2ᵉ éd., 4 vol. Paris, 1919-32.
P. LAVEDAN : *L'Architecture française*, Paris, 1944.

Allemagne

G. DEHIO : *Geschichte der deutschen Kunst*, 2ᵉ éd., 6 vol. Berlin, 1921-31.
E. HEMPEL : *Geschichte der deutschen Baukunst*, Munich, 1949.

Hollande

F. VERMEULEN : *Handboek tot de Geschiedenis der nederlandsche Bouwkunst*, 3 vol. La Haye, 1928 et suivantes.
S. J. FOCKEMA ANDREAE, E. H. TER KUILE et M. D. OZINGA : *Duizend Jaar Bouwen en Nederland*, 2 vol. Amsterdam, 1957-58.
A. W. WEISZMAN : *Geschiedenis der nederlandsche Bouwkunst*, Amsterdam, 1912.
H. E. VAN GELDER (et collaborateurs) : *Kunstgeschiedenis der Nederlanden*, 2ᵉ éd. Utrecht, 1946.

Italie

A. VENTURI : *Storia dell'Arte italiana*, 21 vol. Milan, 1901 et suivantes.
M. SALMI : *L'Arte italiana*, 3 vol. Florence, 1943-44.
A. CHASTEL : *L'Art italien*, 2 vol. Paris, 1956.
C. A. CUMMINGS : *A history of italian architecture*, 2 vol. New York, 1901.

Espagne

Ars Hispaniae, Madrid, 1947-57 (publié jusqu'à la fin du XVIIIᵉ siècle, 14 vol.).
B. BEVAN : *A History of Spanish Architecture*, Londres, 1938.
MARQUES DE LOZOYA : *Historia del Arte hispanico*, 5 vol. Barcelone, 1931-49.

Bas-Empire romain

D. S. ROBERTSON : *A Handbook of Greek and Roman Architecture*, 2ᵉ éd. Cambridge, 1943.

Paléochrétien et byzantin

O. WULFF : *Altchristliche und Byzantinische Kunst* (Handbuch der Kunstwissenschaft), 2 vol. Neubabelsberg, 1914-18 ; supplément 1935.
J. G. DAVIS : *The Origin and Development of Early Christian Church Architecture*, Londres, 1952.
O. M. DALTON : *East Christian Art*. Oxford, 1925.
J. B. WARD PERKINS : « Constantine and the origin of the Christian Basilica », *Papers of the British School at Rome*, vol. 22, 1954.

J. B. WARD PERKINS : « The Italian Element in Late Roman and Early Medieval Architecture », *Proc. Brit. Academy*, vol. 33, 1948.
M. DE VOGUE : *Syrie Centrale*, 2 vol. Paris, 1865-77.
H. C. BUTLER : *Early Churches in Syria*, Princeton, 1929.
J. LASSUS : *Sanctuaires chrétiens de Syrie*, Paris, 1944.
W. RAMSAY et G. L. BELL : *The Thousand-and-one Churches*, Londres, 1909.
U. MONNERET DE VILLARD : *Les Couvents près de Sohag*, Milan, 1925-26.
U. MONNERET DE VILLARD : *Le chiese della Mesopotamia*, Rome, 1940.
G. A. SOTIRIOU :
  Χριστιανιχη και βν ζαντινη Αρχαιολογια vol. 1, Athènes, 1942.
D. TALBOT RICE : *Byzantin Art*, Oxford, 1935 ; 2ᵉ éd. Penguin Books, 1954.
C. DIEHL : *Manuel d'art byzantin*, 2ᵉ éd. Paris, 1925-26.
L. BREHIER : *L'Art byzantin*, Paris, 1924.
J. EBERSOLT : *Manuel d'architecture byzantine*, Paris, 1934.
J. EBERSOLT : *Les églises de Constantinople*, Paris, 1913.
W. R. LETHABY et H. SWANSON : *The Church of St. Sophia*, Londres, 1894.
W. R. ZALOZIECKY : *Die Sophienkirche in Konstantinopel*, Fribourg-en-Brisgau, 1936.

Moyen Age
Généralités

W. R. LETHABY : *Medieval art from the peace of the church to the eve of the Renaissance*, éd. revue, Londres, 1949 (publiée pour la première fois en 1904).
KINGSLEY PORTER : *Medieval Architecture, its origins and development*, 2 vol. New York, 1909.
P. FRANKL : *Die Frühmittelalterliche und Romanische Baukunst* (Handbuch der Kunstwissenschaft), Neubabelsberg, 1926.
P. FRANKL : *Gothic Architecture* (The Pelican History of Art), Londres, 1962.
K. J. CONANT : *Carolingian and Romanesque Architecture : 800-1200* (The Pelican History of Art), Londres, 1959.
A. W. CLAPHAM : *Romanesque Architecture in Western Europe*, Oxford, 1936.
H. R. HAHNLOSER : *Villard de Honnecourt*, Vienne, 1935.

421

Haut Moyen Age

S DEGANI : *L'Architettura religiosa dell'alto medioevo* (conférences de Luigi Crema), Milan, 1956.
J. HUBERT : *L'Art préroman en France*, Paris, 1938.
J. HUBERT : *L'Architecture religieuse du haut Moyen Age en France*, Paris, 1952.
P. VERZONE : *L'Architettura religiosa dell'alto medioevo nell'Italia settentrionale*, Milan, 1942.
E LEHMANN : *Der frühe deutsche Kirchenbau*, Berlin, 1938.
E. GALL : *Karolingische und ottonische Kirchen*, Burg, 1930.
H. E. KUBACH : « Ubersicht über die wichtigsten Grabungen in... Deutschland », *Kunstchronik*, vol. 8, 1955.
H. E. KUBACH et A. VERBEEK : « Die vorromanische und romanische Baukunst in Mitteleuropa », *Zeitschrift für Kunstgeschichte*, vol. 16, 1951, et H. E. KUBACH, *ibidem*, vol. 18, 1955.
L. GRODECKI : *L'Architecture ottonienne*, Paris, 1958.
Aachen : H. SCHNITZLER, *Der Dom zu Aachen*, Düsseldorf, 1950.
Lorsch : F. BEHN, *Die karolingische Klosterkirche von Lorsch a.d. Bergstr. n.d. Ausgrabungen von 1927-28 u. 1932-33*, Berlin, 1934.
Ingelheim : *Rheinhessen in seiner Vergangenheit*, vol. 9, 1949.

Grande-Bretagne

J. HARVEY : *English Medieval Architects, a biographical Dictionary*, Londres, 1954.
G. WEBB : *Architecture in Britain : The Middle Ages* (Pelican History of Art), Londres, 1956.
F. BOND : *Gothic Architecture in England*, Londres, 1906.
F. BOND : *An Introduction to English Church Architecture*, 2 vol. Londres, 1913.
E. S. PRIOR : *A History of Gothic Art in England*, Londres, 1900.
E S. PRIOR : *The Cathedral Builders in England*, Londres, 1905.
J. HARVEY : *The English Cathedral*, Londres, 1950.
M. HURLIMANN et MEYER : *English Cathedrals*, K. SCHUSTER : *Englische Kathedralen*, Zurich, 1929.
A. HAMILTON THOMPSON : *The Ground Plan of the English Parish Church*, Cambridge, 1911. Londres, 1952.
A. HAMILTON THOMPSON : *Military Architecture in England during the Middle Ages*, Londres, 1912.
A. HAMILTON THOMPSON : *The Historical Growth of the English Parish Church*, Cambridge, 1913.
J. C. COX : *The English Parish Church*, Londres, 1914.
F. E. HOWARD : *The Medieval Styles of the English Parish church*, Londres, 1936.
G. H. COOK : *The English Medieval Parish Church*, Londres, 1954.
G. HUTTON et E. SMITH : *English Parish Churches*, Londres, 1952.
H. BRAUN : *The English Castle*, 3ᵉ éd. Londres, 1948.
G. BALDWIN BROWN : *The Arts in Early England*, vol. 2 : *Anglo-Saxon Architecture*, 2ᵉ éd. Londres, 1925.
A. W. CLAPHAM : *English Romanesque Architecture*, 2 vol. Oxford, 1930-34.
A. W. CLAPHAM : *Romanesque Architecture in England* (British Council), Londres, 1950.
T.S.R. BOASE : *English Art 1100-1216* (Oxford History of English Art), Oxford, 1953.
P. BRIEGER : *English Art 1216-1307* (Oxford History of English Art), Oxford, 1957.
G. WEBB : *Gothic Architecture in England* (British Council), Londres, 1951.
S. GARDNER : *A guide to English Gothic Architecture*, Cambridge, 1922.
J. BILSON : articles sur les premières voûtes d'ogives dans le *Journal of Royal Institute of British Architects*, vol. 6, 1899 ; *Archaeological Journal*, vol. 74, 1917 ; et *Archaeological Journal*, vol. 79, 1922.
C. ENLART : *Du rôle de l'Angleterre dans l'évolution de l'Art gothique*, Paris, 1908.
J. BONY : « French Influences on the origins of English Gothic Architecture », *Journal of the Warburg and Courtauld Institutes*, vol. 12, 1949.
N. PEVSNER : « Bristol, Troyes, Gloucester », *The Architectural Review*, vol. 113, 1953.
M. HASTINGS : *St. Stephen's Chapel*, Cambridge, 1955.
JUAN EVANS : *English Art 1307-1461* (Oxford History of English Art), Oxford, 1949.

France

H. FOCILLON : *Art d'Occident : le Moyen Age roman et gothique*, Paris, 1938.
R. DE LASTEYRIE : *L'Architecture religieuse en France à l'époque romane*, 2ᵉ éd. Paris, 1929.
E. MALE : *L'Art religieux du XIIᵉ siècle en France*, Paris, 1922.
J. BAUM : *Romanesque Architecture in France*, 2ᵉ éd. Londres, 1928.
C. MARTIN : *L'Art roman en France*, 3 vol., Paris, s.d. (1910-14).
J. EVANS : *The Romanesque Architecture of the Order of Cluny*, Cambridge, 1938.
E. GALL : *Die gotische Baukunst in Frankreich und Deutschland*, vol. 1, Leipzig, 1925.
R. DE LASTEYRIE : *L'Architecture religieuse en France à l'époque gothique*, 2 vol. Paris, 1926-27.
C. MARTIN et C. ENLART : *L'Art gothique en France*, 2 vol. Paris, s.d. (1913-25).
M. AUBERT : *Cathédrales et trésors gothiques de France*, Paris, 1958.
P. ABRAHAM : *Viollet-le-Duc et le rationalisme médiéval*, Paris, 1934.
L. SCHURENBERG : *Die kirchliche Baukunst in Frankreich zwischen 1270 und 1380*, Berlin, 1934.
E. MALE : *L'Art religieux du XIIIᵉ siècle en France*, Paris, 1902.

Italie

P. TOESCA : *Storia dell'Arte italiana*, vol. 1 et 2, Turin, 1927 et 1951.
A. KINGSLEY PORTER : *Lombard Architecture*, 4 vol. New Haven, 1915-17.
G. T. RIVOIRA : *Lombardic Architecture*, 2ᵉ éd. Oxford, 1934.
C. RICCI : *Romanesque Architecture in Italy*, Londres, 1925.
C. MARTIN et C. ENLART : *L'Art roman en Italie*, 2 vol. Paris, 1911-24.
G.C. ARGAN : *L'Architettura proto-cristiana, pre-romanica e romanica*, Florence, 1936.
G. C. ARGAN : *L'Architettura del Duecento e Trecento*, Florence, 1937.
M SALMI : *L'Architettura romanica in Toscana*, Milan, 1927.
C. ENLART : *Les Origines de l'Architecture gothique française en Italie*, Paris, 1894.
R. WAGNER-RIEGER : *Die italienische Baukunst zu Beginn der Gotik*, 2 vol. Vienne, 1956-57.
W. PAATZ : *Werden und Wesen der Trecento - Architektur in der Toscana*, Burg bei Magdeburg, 1937.

Espagne et Portugal

V. LAMPEREZ Y ROMEA : *Historia de la Arquitectura cristiana española en la edad media*, 2ᵉ éd. Madrid, 1930.
G. G. KING : *Pre-Romanesque Churches of Spain*, Bryn Mawr, 1924.
M. GOMEZ MORENO : *El Arte románico español*, Madrid, 1934.
E. LAMBERT : *L'Art gothique en Espagne*, Paris, 1931.
P. LAVEDAN : *L'Architecture religieuse gothique en Catalogne*, Paris, 1935.
R. DOS SANTOS : *O estilo manuelino*, Lisbonne, 1952.

Allemagne et Autriche

E. GALL : *Karolingische und ottonische Kirchen*, Burg bei Magdeburg, 1930.
E. LEHMANN : *Der frühe deutsche Kirchenbau*, Berlin, 1938.
K. M. SWOBODA : *Peter Parler, der Baukünstler und Bildhauer*, Vienne, 1939.
E. HANFSTAENGL : *Hans Stetthaimer*, Leipzig, 1911.
K. GERSTENBERG : *Deutsche Sondergotik*, Munich, 1913.
Hildesheim : H. BESELER et H. ROGGENKAMP, *Die Michaeliskirche in Hildesheim*, Berlin, 1954.
Spire : R. KAUTZSCH, *Der Dom zu Speier*, Staedel Jahrbuch, vol. 1, 1921.
Worms : R. KAUTZSCH, *Der Wormser Dom*, Berlin, 1938.
Vallée du Rhin moyen : H. WEIGERT, *Kaiserdome am Mittelrhein*, Berlin, 1933.
Cologne : W. MEYER-BARKHAUSEN, *Das grosse Jahrhundert Kölnischer Kirchenbaukunst*, Cologne, 1952.

Renaissance, Maniérisme et Baroque en Italie

J. BURCKHARDT : *Geschichte der Renaissance in Italien*, 5ᵉ éd. Esslingen, 1912.
W. J. ANDERSON et A. STRATTON : *The Architecture of the Renaissance in Italy*, Londres, 1927.
C. VON STEGMANN et H. VON GEYMULLER : *Die Architektur der Renaissance in Toskana*, 12 vol. Munich, 1909.
A. HAUPT : *Renaissance Palaces of Northern Italy and Tuscany*, 3 vol. Londres, s.d. (1931).
D. FREY : *Architettura della Rinascenza*, Rome, 1924.
M. PITTALUGA : *L'Architettura italiana del Quattrocento*, Florence, 1934.
L. BECHERUCCI : *L'Architettura italiana del Cinquecento*, Florence, 1936.

J. BAUM : *Baukunst und dekorative Plastik der Frührenaissance in Italien*, Stuttgart, 1920.
C. RICCI : *Baukunst der Hoch-und Spätrenaissance in Italien*, Stuttgart, 1923.
G. GIOVANNONI : *Saggi sull'Architettura del Rinascimento*, Milan, 1931.
N. PEVSNER : « Gegenreformation und Manierismus », *Repertorium für Kunstwissenschaft*, vol. 46, 1925.
N. PEVSNER : « The Architecture of Mannerism », *The Mint*, 1946.
R. WITTKOWER : *Art and Architecture in Italy* : 1600-1750 (The Pelican History of Art), Londres, 1958.
A. E. BRINCKMANN : *Die Baukunst des 17 und´ 18 Jahrhunderts in den Romanischen Ländern* (Handbuch der Kunstwissenschaft), Neubabelsberg, 1919 et suivantes.
C. RICCI : *Baroque Architecture and Sculpture in Italy*, Londres, 1912.
D. FREY : *Architettura barocca*, Rome et Milan, 1926.
A. MUNOZ : *Roma barocca*, Milan, 1919.
T. H. FOKKER : *Roman Baroque Art*, 2 vol. Oxford, 1938.
Brunelleschi : H. FOLNESICS, Vienne, 1915.
G. C. ARGAN, Mondadori, 1955.
L. H. HEYDENREICH, *Jahrbuch der preussischen Kunstsammlungen*, vol. 52, 1931.
E. CARLI, Florence, 1950.
Michelozzo : L. H. HEYDENREICH, *Mitteilungen des Kunsthistorischen Instituts in Florenz*, vol. 5, 1932, et *Festschrift für Wilhelm Pinder*, Leipzig, 1938.
Alberti : M. L. GENGARO, Milan, 1939.
R. WITTKOWER, *Journal of Warburg and Courtauld Institutes*, vol. 4, 1941.
Francesco di Giorgio : R. PAPINI, 3 vol. Florence, 1946.
Palais ducal d'Urbin : P. ROTONDI, 2 vol. Urbin, 1950.
Bramante : C. BARONI, Bergame, 1941.
O. H. FOERSTER, Vienne, 1956.
Léonard de Vinci : L. H. HEYDENREICH, Londres, 1954.
Leonardo as an Architect : G. CHIERICI et C. BARONI dans *Leonardo da Vinci*, volume commémoratif de l'exposition de 1939, Novare et Berlin, s. d.
Raphaël : T. HOFMANN, 4 vol. Zittau, 1900-14.
Michelangelo as an Architect : J. S. ACKERMAN, Londres, 1961.
J. A. SYMONDS, 2 vol. Londres, 1893.
H. THODE : *Kritische Undersuchungen*, 6 vol. Berlin, 1902-13.
Michelangelo's Laurentiana : R. WITTKOWER, *Art Bulletin*, vol. 16, 1934.
Giulio Romano : E. GOMBRICH, *Jahrbuch der Kunsthistorischen Sammlungen in Wien*, N. F., vol. 8 et 9, 1935-36.
Serlio : G. C. ARGAN, *L'Arte*, Nouvelle série, vol. 10 1932.
W. B. DINSMOOR, *The Art Bulletin*, vol. 24, 1942.
Palladio : R. PANE, Turin, 1961.
F. BURGER : *Die Villen des Andrea Palladio*, Leipzig, vers 1909.
Bernin : S. FRASCHETTI, Milan, 1900.
R. PANE : *Bernini architetto*, Venise, 1953.
V. MARTINELLI : Mondadori, 1953.
Borromini : E. HEMPEL, Vienne, 1924.
H. SEDLMAYR, Munich, 1939.
G. C. ARGAN, Mondadori, 1952.
Quaderni dell'Istituto di Storia d'Arte, serie IV, 1955, 1957, 1959, 1961.

XVIᵉ-XVIIIᵉ siècles en Grande-Bretagne, France, Allemagne et Espagne Généralités

Palladianisme : N. PEVSNER, dans *Venezia e l'Europa*, Atti del XVIII Congresso Internazionale di Storia dell'Arte, Venise, 1957.
E. KAUFMANN : *Architecture in the Age of Reason*, Harvard U.P., 1955.

Grande-Bretagne

J. SUMMERSON : *Architecture in Britain* : 1530-1830 (The Pelican History of Art), 4ᵉ éd. Londres, 1962.
T. GARNER et A. STRATTON : *Domestic Architecture of England during the Tudor period*, 2ᵉ éd., 2 vol. Londres, 1929.
J. A. GOTCH : *The English Renaissance Architecture in England*, Londres, 1914.
M. WHIFFEN : *An Introduction to Elizabethan and Jacobean Architecture*, Londres, 1952.
M. WHINNEY : *Renaissance Architecture in England* (British Council), Londres, 1952.
J. LEES MILNE : *Tudor Renaissance*, Londres, 1951.
J. SUMMERSON : *Architecture in England since Wren* (British Council), 2ᵉ éd. Londres, 1948.
J. SUMMERSON : *Georgian London*, Londres, 1946.
H.M. COLVIN : *A biographical Dictionary of English Architects 1660-1840*, Londres, 1954.
J. A. GOTCH : *The English House from Charles I to George IV*, Londres, 1918.
M. D. WHINNEY et O. MILLAR : *English Art, 1625-1714* (Oxford History of English Art), Oxford, 1957.
S. E. RASMUSSEN : *London, the Unique City*, Londres, 1937 ; nouvelle éd., 1960.
Inigo Jones : J. A. GOTCH, Londres, 1928.
J. LEES MILNE, Londres, 1953.
Wren : G. WEBB, Londres, 1937.
J. SUMMERSON, Londres, 1953.
E. SEKLER, Londres, 1956.
WREN SOCIETY, 20 vol. Londres, 1923-43.
Vanbrugh : H. A. TIPPING et C. HUSSEY (English Homes), vol. 4, 2ᵉ partie, Londres, 1928.
L. WHISTLER, Londres, 1938.
L. WHISTLER, Londres, 1954.
Hawksmoor : K. DOWNES, Londres, 1959.
Lord Burlington : R. WITTKOWER, *Archaeological Journal*, vol. 102, 1945.
Wood : M. A. GREEN, *Bath*, 1914.
W. ISON : *The Georgian Buildings of Bath*, Londres, 1948.
J. SUMMERSON : *Heavenly Mansions*, Londres, 1949.
Adam : A. T. BOLTON, 2 vol. Londres, 1922.
J. LEES MILNE, Londres, 1947.
J. FLEMING (jusqu'en 1758), Londres, 1962.

France

L. HAUTECŒUR : *Histoire de l'Architecture classique en France*, 4 tomes en 6 vol. (jusqu'à la fin du XVIIIᵉ siècle), Paris, 1943-52.
ANTHONY BLUNT : *Art and Architecture in France* : 1500-1700 (The Pelican History of Art), Londres, 1953.
SIR REGINALD BLOMFIELD : *A History of French Architecture 1494-1774*, 4 vol. Londres, 1911-21.

A. HAUPT : *Baukunst der Renaissance in Frankreich und Deutschland* (Handbuch der Kunstwissenschaft), Neubabelsberg, 1923.
A. E. BRINCKMANN : *Die Baukunst des 17 und 18 Jarhunderts in den Romanischen Ländern* (Handbuch der Kunstwissenschaft), Neubabelsberg, 1919 et suivantes.
M. ROY : *Architectes et monuments de la Renaissance en France*, vol. 1, Paris, 1929.
H. ROSE : *Spätbarock*, Munich, 1922.
F. KIMBALL : *The creation of the Rococo*, Philadelphie, 1943.
F. KIMBALL : *Le style Louis XV*, Paris, 1950 (essentiellement traduction de l'ouvrage précédent).
E. DE GANAY : *Châteaux de France*, Paris, 1949.
E. DE GANAY : *Châteaux et Manoirs de France*, 11 vol. Paris, 1934-38.
J., VACQUIER et collaborateurs : *Les anciens châteaux de France*, 14 vol., s. d.
F. GEBELIN : *Les châteaux de la Renaissance* Paris, 1927.
L. HAUTECŒUR : *L'histoire des châteaux du Louvre et des Tuileries*. Paris et Bruxelles, 1927.
G. BRIERE : *Le château de Versailles*, 2 vol. Paris, vers 1910.
P. DE NOLHAC : *Versailles et la Cour de France*, 10 cartons, Paris, 1925-30.
P. VERLET : *Versailles*, Paris, 1961.
J. VACQUIER et JARRY : *Les vieux hôtels de Paris*, 22 cartons, Paris, 1910-34.
G. PILLEMENT : *Les hôtels de Paris*, 2 vol. Paris, 1941-45.
François Mansart : A. BLUNT, Londres, 1941.
A. le Nôtre : J. GUIFFREY, Paris, s. d. (1912).
Gabriel : COMTE DE FELS, Paris, 1912.
G. GROMORT, Paris, 1933.
Soufflot : J. MONDAIN-MONVAL, Paris, 1918.

Allemagne

W. PINDER : *Deutscher Barock*, 2ᵉ éd. Königstein, 1924.
W. HAGER : *Die Bauten des deutschen Barock*, Iéna, 1942.
M. HAUTTMANN : *Geschichte der kirchlichen Baukunst in Bayern, Schwaben und Franken*, Munich, 1924.
N. LIEB : *Barockkirchen zwischen Donau und Alpen*, Munich, 1953.
G. BARTHEL et W. HEGE : *Barockkirchen in Altbayern und Schwaben*, Munich, 1953.
M. RIESENHUBER : *Die Kirchliche Barockkunst Osterreichs*, Linz, 1924.
Fischer von Erlach : H. SEDLMAYR, Vienne, 1956.
Hildebrandt : B. GRIMSCHITZ, 2ᵉ éd. Vienne, 1959.
Prandtauer : H. HANTSCH, Vienne, 1926.
Schlüter : H. LADENDORF, Berlin, 1937.
Neumann : M. H. VON FREEDEN, Munich et Berlin, 1953.
Asam : E. HANFSTAENGL, Munich, 1955.

Espagne

G. KUBLER et M. SORIA : *Art and Architecture in Spain and Portugal and their American Dominions* : 1500-1800 (The Pelican History of Art), Londres, 1959.
F. CHUECA GOITIA : *Arquitectura del siglo XVI* (Ars Hispaniae, vol. 11). Madrid, 1953.
G. KUBLER : *Arquitectura dos siglos XVII e XVIII* (Ars Hispaniae, vol. 14), Madrid, 1957.

XIXᵉ et XXᵉ siècles

H. R. Hitchcock : *Architecture : Nineteenth and Twentieth Centuries* (The Pelican History of Art), Londres, 1958.

S. Giedion : *Spätbarocker und Romanischer Klassizismus*, Munich, 1922.

S. Giedion : *Space, Time and Architecture*, 3ᵉ éd. Harvard, 1954.

C. Hussey : *The Picturesque*, Londres, 1927.

N. Pevsner : « The Genesis of the Picturesque », *The Architectural Review*, vol. 96, 1944.

N. Pevsner : *Pioneers of Modern Design, from William Morris to Walter Gropius*, 3ᵉ éd. Londres, 1960.

Kenneth Clark : *The Gothic Revival*, Londres, 1928 ; 2ᵉ éd. 1950.

T. S. R. Boase : *English Art* 1800-1870 (Oxford History of English Art), Oxford, 1959.

H. R. Hitchcock : *Early Victorian Architecture in Britain*, 2 vol. New-Haven et Londres, 1954.

J. M. Richards : *An Introduction to Modern Architecture*, 2ᵉ éd. Londres, 1953.

J. Joedicke : *A History of Modern Architecture*, Londres et New York, 1959.

L. Hautecœur : *Histoire de l'Architecture classique en France*, vol. 5, 6 et 7 (1792-1900), Paris, 1953, 1955 et 1957.

Die Kunst im dritten Reich, 1937, etc. (plus tard *Die Kunst im deutschen Reich*).

Das Bauen im neuen Reich, 1941.

Boullée : E. Kaufmann : « Three Revolutionary Architects : Boullée, Ledoux and Lequeu », *Transactions of the American Philosophical Society*, nouvelle série, vol. 42, 1952.

H. Rosenau (éd.) : *Boullée's Treatrise on Architecture*, Londres, 1953.

Ledoux : E. Kaufmann : « Three Revolutionary Architects : Boullée, Ledoux and Lequeu », *Transactions of the American Philosophical Society*, nouvelle série, vol. 42, 1952.

G. Levallet-Haug, Paris, 1934.

M. Raval et J.-C. Moreux, Paris, 1946.

Soane : D. Stroud, Londres, 1961.

J. Summerson, Londres, 1952.

J. Summerson, *Journal of the Royal Institute of British Architects*, vol. 58, 1951.

A. T. Bolton, Londres, 1927.

Nash : J. Summerson, Londres, 1935.

T. Davis, Londres, 1960.

Gilly : A. Oncken, Berlin, 1935.

Schinkel : A. Grisebach, Leipzig, 1924.

N. Pevsner, *Journal of the Royal Institute of British Architects*, vol. 59, 1952.

William Morris : J. W. Mackail, 2ᵉ éd. Londres, 1922.

A. Vallence, Londres, 1897.

P. Webb : W. R. Lethaby, Londres, 1935.

Norman Shaw : sir Reginald Blomfield, Londres, 1940.

N. Pevsner, *The Architectural Review*, vol. 89, 1941.

Mackintosh : T. Howarth, Londres, 1952.

N. Pevsner, Milan, 1950.

Frank Pick : N. Pevsner : *The Architectural Review*, vol. 92, 1942.

F. L. Wright : H. R. Hitchcock, *In the nature of materials*, New York, 1942.

Index alphabétique des noms cités

Références photographiques

A.E.G. : fig. 633.
AEROFILMS AND AERO PICTORIAL LTD : fig. 563.
ALINARI : fig. 1, 20, 24, 30, 139, 288, 293, 303, 317, 319, 320, 322, 324, 326, 333, 335, 339, 348, 350, 353, 354, 364, 372, 375, 377, 382, 383, 385, 388, 396, 405, 406.
ALMASY : fig. 647, 672.
ANDERSON : fig. 6, 22, 23, 29, 123, 141, 142, 230, 292, 310, 311, 312, 313, 330, 331, 334, 338, 340, 341, 360, 363, 365, 369, 391, 392, 395, 399, 456, 486.
ANNAN : fig. 626.
A.N.V.V. : fig. 641.
ARCHITECTURE D'AUJOURD'HUI : fig. 657, 658, 664, 675, 676.
ARCHIVES PHOTOGRAPHIQUES : fig. 96, 146, 147, 148, 149, 150, 216, 277, 481, 615.
ARIFSBERG : fig. 418.
ATLAS PHOTO : fig. 638, 680.
AUFSBERG : fig. 212.
DR BAEREND : fig. 366.
BEDFORD LEMERE ET CIE LTD : fig. 627.
BELZEAUX-RAPHO : fig. 683.
BILDARCHIV, RH. MUSEUM KÖLN : fig. 344.
JOACHIM BLAUEL-BAVARIA : fig. 345.
BOUDOT-LAMOTTE : fig. 2, 4, 16, 31, 41, 43, 108, 114, 115, 119, 130, 158, 159, 164, 174, 188, 204, 213, 215, 217, 219, 220, 221, 227, 229, 242, 250, 269, 290, 304, 318, 355, 357, 358, 379, 400, 419, 432, 439, 441, 442, 480, 493, 505, 506, 508, 511, 513, 514, 518, 522, 535, 536, 537, 541, 550, 567, 573, 576, 577, 579, 583, 584, 587, 592, 595, 596, 618, 643, 644, 646, 648, 651.
BRASSAÏ : fig. 624.
ANN BREDOL-LEPPER : fig. 53.
BRITISH COUNCIL PHOTOGRAH : fig. 199, 489.
BROGI : fig. 138, 291, 308, 325, 356.
BULLOZ : fig. 589.
DR HARALD BUSCH : fig. 133, 134, 270, 281.
CHEMINS DE FER FÉDÉRAUX SUISSES : fig. 437.
CHICAGO ARCHITECTURAL PHOTO CO : fig. 620, 628.
COUNTRY LIFE : fig. 556, 564, 565, 569.
DR B. DEGENHART : fig. 368.
DEUTSCHE FOTOTHEK DRESDEN : fig. 7, 447, 448, 610.
DEUTSCHER KUNSTVERLAG : fig. 613.
E.N.I.T. : fig. 124.
CLAUDE ESPARCIEUX : fig. 478.
GABINETTO FOTOGRAFICO NAZIONALE : fig. 306, 342, 343, 344.
GEMEENTELUKE WONINGDIENST : fig. 640, 662.
GERNSHEIM COLLECTION : fig. 617.
GIRAUDON : fig. 42, 127, 551.
GRIMM-PHOTO : fig. 251.
GUNDERMANN : fig. 45, 459, 463, 464.
H. HAPPE-BAVARIA : fig. 56.
WALTER HEGE : fig. 411.
LUCIEN HERVÉ : fig. 17, 65, 642, 649, 652, 670.

FRIEDRICH HEWICKER : fig. 3, 422.
DR HANS HILLDEBRANDT : fig. 665.
HOLMES-LEBEL : fig. 205, 666, 681.
PETER KEETMAN : fig. 445, 496.
A.F. KERSTING : fig. 47, 99, 194, 197, 201, 223, 226, 228, 234, 258, 261, 264, 265, 362, 378, 492, 521, 555, 560, 561, 562, 568, 578, 600, 601, 604, 607, 608.
G. E. KIDDER SMITH : fig. 660.
DR EVA KRAFT : fig. 415.
J. A. LAVAUD : fig. 61, 62, 540.
HERBERT LIST : fig. 374.
DR LOSSEN ET CO : fig. 656.
MARBURG : fig. 155, 157, 173, 178, 181, 189, 239, 267, 268, 297, 410, 413, 425, 472, 494, 495, 504, 509, 525, 571, 572, 615, 622, 637.
MAS : fig. 66, 67, 69, 70, 254, 283, 403, 453.
LÉONARD VON MATT : fig. 384, 393.
ERICH MÜLLER : fig. 421, 428, 457.
NATIONAL BUILDING RECORD : fig. 46, 48, 50, 202, 224, 255, 256, 263, 490, 526, 605, 612, 620.
N.D. GIRAUDON : fig. 207, 454, 466, 467, 585.
OFFICE NATIONAL SUISSE DU TOURISME : fig. 434, 435.
PHOTOTHÈQUE FRANÇAISE : fig. 545.
PATRICK PLUMET : fig. 40.
PAUL POPPER LTD : fig. 673.
REECE : fig. 559.
REINHARDT : fig. 544.
RENÉ-JACQUES : fig. 183, 185, 187, 214, 476, 524, 546, 548, 574, 575, 580, 581, 586, 611, 645, 663.
RENGER-PATZSCH : fig. 449, 460, 461.
HANS RETZLAFF : fig. 54, 431.
E. RICHTER : fig. 21.
RIJKSDIENST V/D MONUMENTENZORG : fig. 520.
ROGER-VIOLLET : fig. 471, 477, 500, 533, 543, 614, 619, 633, 636, 655.
ROHABZUG : fig. 136.
JEAN ROUBIER : fig. 42, 55, 60, 97, 98, 103, 104, 105, 106, 107, 112, 113, 116, 117, 120, 126, 129, 143, 162, 163, 168, 169, 179, 180, 182, 186, 190, 191, 193, 210, 222, 278, 280, 351, 402, 483, 519, 533, 676.
ROYAL COMMISSION ON HISTORIACAL MONUMENTS : fig. 260, 491.
HELGA SCHMIDT-GLASSNER : fig. 64, 192, 284, 285, 287, 408, 409, 416, 423, 426, 429, 450, 473, 507.
TONI SCHNEIDERS : fig. 128.
SERVICE D'ARCHITECTURE DE L'ŒUVRE NOTRE-DAME : fig. 282.
SIR JOHN SOANE'S MUSEUM : fig. 599.
EDWIN SMITH : fig. 198, 211, 275, 527, 529, 531, 553, 558, 603, 606.
DR FRANZ STOEDTNER : fig. 650, 671.
TALLANDIER : fig. 9, 470, 532, 549, 582, 590, 591, 593, 597, 607.
W. J. TOOMEY : fig. 329, 371.
UNESCO - DOMINIQUE LAJOUX : fig. 667.

VASARI : fig. 668.
WISSENSCHAFTICHES LICHTBILD : fig. 417.
MICHAEL WOLGENSINGER : fig. 625.
YAN : fig. 244, 245, 246.
DR H. ZINRAM : fig. 661.

Table des matières

Photogravure : COMPOGRAVURE, à Paris
Brochage : SIRC, à Marigny-le-Châtel
Achevé d'imprimer sur les presses de Maury-Imprimeur S.A., à Malesherbes
ISBN : 2.85108.723.1
Dépôt légal : 2744-05/91
34/0886/1